HET KAARTVERBOND

Edward Wright

Het kaartverbond

Van Holkema & Warendorf

Dit boek is voor Cathy

Oorspronkelijke titel: *Clea's Moon*
Oorspronkelijke uitgave: Orion, an imprint of the Orion Publishing Group Ltd.

Nederlandse vertaling: Mariëtte van Gelder
Omslagontwerp en Digital Artwork: Hans van den Oord
Opmaak binnenwerk: ZetSpiegel, Best

www.unieboek.nl

ISBN 90 269 8291 7/ NUR 332

Horn, John Ray – 1919, Green Springs, Arkansas. Speelde tussen 1938 en 1946 de hoofdrol in tientallen low budget westerns van Medallion Productions. Horn, die ooit door een recensent 'een kruising tussen twee iconen van de stomme film, William S. Hart en Harry Carey' werd genoemd, was vermaard om zijn laconieke manier van doen, indringende blik en slungelige postuur. In zijn meeste films speelde hij Sierra Lane, een ex-cavalerist die zelden zijn wapen trok, maar een dodelijke kant onder zijn rustige houding kon tonen als hij werd getart (zo sloopt hij in *No Man's Town* methodisch een hele barak om de drie mannen te vinden die zijn vriend de sheriff hebben vermoord). Zijn tegenspeler was dikwijls de indiaanse acteur Joseph Mad Crow.

Horns carrière werd onderbroken door zijn dienstneming tijdens de Tweede Wereldoorlog, waarna hij zijn plek als gegarandeerd goudmijntje van Medallion weer innam. Toen hij in 1946 na een controversiële aanklacht wegens mishandeling en geweldpleging tot een gevangenisstraf van twee jaar werd veroordeeld, betekende dat het eind van zijn filmcarrière. Zijn huidige verblijfplaats en beroep zijn niet bekend.

Films: *Bloody Trail, Border Bad Men, Carbine Justice, Empty Holster, Hell's Rockpile, The Lost Mine, No Man's Town, Six Bullets, Smoke on the Mountain, Wyoming Thunder* e.v.a.

Uit: *Witte hoeden: encyclopedie van westernhelden* onder redactie van Jeffers en Block, 1949.

1

Het rook naar stof en spijt in de straat. De mislukkelingenbuurt, dacht Horn toen hij de huurkazerne naderde en keek of hij iets achter de ramen zag bewegen.

Het verloop in de straat leek groot te zijn. De met hout betimmerde huizen waren meer dan twintig jaar geleden haastig neergesmeten voor de migranten die werk kwamen zoeken in Los Angeles. Toen de Depressie toesloeg, kwamen de huizen leeg te staan. Toen begon de oorlog en stroomden ze weer vol. Nu de oorlog was afgelopen en Defensie geen banen meer aanbood, lagen de voortuintjes er rommelig en verwaarloosd bij. De mensen in deze straat waren niet echt arm, dacht Horn, ze waren gewoon op doorreis. Ze hadden altijd minstens één koffer klaarstaan voor het geval hij zou aankloppen. Of iemand zoals hij.

Hij bekeek eerst de auto. Het was een van de twee personenauto's op het gebarsten beton van de oprit, een Chevrolet van een jaar of tien oud met een kenteken uit Kansas dat identiek was aan dat op het vodje in Horns zak. Dat was dus het onderpand. De raampjes waren opengedraaid vanwege de hitte en hij keek door de bestuurderskant naar binnen om het contact te inspecteren. Desnoods zou hij de auto zonder sleutels aan de praat kunnen krijgen.

Hij klom de houten treden op, die bijna zacht waren van de talloze voetstappen, liep door de niet afgesloten hordeur de gang in, die naar oud eten rook, en was na een paar passen bij de eerste deur rechts, die van de voorkamer. Terwijl hij met zijn linkerhand aanklopte, omsloot zijn rechter de rol pokerfiches in de zak van zijn katoenen jasje. Je moest op alles voorbereid zijn. *Het zou fout kunnen gaan,* had de indiaan met een van zijn ondoorgrondelijke grijnslachjes tegen hem gezegd. *Anders dan in die films van jou waarin je de vloer met iedereen aanveegt omdat het zo hoort te gaan.*

Horn hoopte dat het niet erger zou zijn dan met die twee vissende broers in San Pedro die de indiaan had willen afschrijven als Horn niet kon innen. Hij had ze aan een kaarttafel in hun keuken aangetroffen, gin rummy spelend met een half brood en een pot pindakaas tussen zich in. Toen hij zei wat hij kwam doen, had een van de broers geprobeerd Horn een oog uit te steken. Het was maar een tafelmes geweest, bot en glibberig van de pindakaas, maar het was wel zijn oog. Het incident was geweldddadig, maar redelijk gunstig afgelopen, en sindsdien noemde de indiaan het 'De afrekening in het Pindaravijn'.

Hij klopte nog eens. De vrouw die opendeed, was van onbestemde leeftijd, ergens tussen de dertig en de veertig. De onderste helft van haar schort was groezelig van alle keren dat ze haar handen eraan had afgeveegd. Ze leek zich bij voorbaat neer te leggen bij alles wat hij haar die zomermiddag kwam brengen.

Horn had geen vrouw verwacht, en hij voelde iets van de spanning uit zijn rechterhand wegebben. Hij probeerde over haar schouder de kamer in te kijken en zag in het schemerdonker een kind op een bank zitten, een jongetje zo te zien. 'Goedemiddag, mevrouw,' zei hij. 'Ik kom voor Buddy Taro, als hij thuis is.'

'Ik ben Buddy.' De man liep Horns gezichtsveld in. Hij was gezet en van gemiddelde lengte. Hij droeg een vrijetijdsbroek en een hemd met bretels erover. Zijn schoenen waren goed gepoetst en zijn kin rustte in een gladde, roze vetkwab.

De man maakte een zijdelingse, zwaaiende beweging met zijn hand en de vrouw ging opzij en stopte beschermend haar handen in haar schortzakken. Hij stapte de gang in. 'We kunnen hier wel praten,' zei hij joviaal. Zijn gezicht leek open en vriendelijk. Buddy houdt zich groot, had de indiaan gezegd.

Horn nam hem nog eens van top tot teen op en haalde zijn rechterhand uit zijn zak. Misschien had de indiaan zich vergist. 'Ik kom namens Joseph Mad Crow,' zei hij zodra de deur zich achter hen sloot. 'Je bent hem vijfhonderd vijfentwintig schuldig. Hij heeft je twee keer uitstel van betaling gegeven. Vandaag is de vervaldag.'

'Weet ik toch,' zei Buddy Taro met een ernstig knikje. 'Ik wist dat het vandaag was. Het zit zo.' Hij legde zijn hand even licht op Horns onderarm, een vriendschappelijk gebaar. 'Ik heb tweehonderd rond. Die kun je krijgen. De rest komt gauw.' Zijn stem klonk beschaafd, luchtig en een tikje geamuseerd. Een goede stem voor een gokker, dacht Horn, om de jongens aan tafel verhalen te vertellen tussen het pokeren door, zonder ook maar iets prijs te geven.

Taro haalde een bundeltje bankbiljetten uit zijn broekzak en gaf het aan Horn. 'Alsjeblieft,' zei hij. 'Zeg maar tegen hem...'

Horn propte de biljetten bij de rol fiches in zijn jaszak. 'Ik moet de auto meenemen,' zei hij.

'Wat?'

'De Chevy. Die heb je in onderpand gegeven. Vandaag is het zover. Ik neem hem mee.' Hij liep naar de voordeur.

'Dat kun je niet maken,' zei Taro, die Horn met zware tred door de gang naar de voordeur volgde. Zijn stem had niets luchtigs meer. 'Ik kan niet zonder die auto. Ik moet mobiel zijn.' Hij klonk amechtig.

Horn duwde de hordeur open, beende in twee passen de veranda over en in nog eens twee de treden af en bleef bij de auto staan wachten. Snel afhandelen, dacht hij. 'Mag ik de sleutels?'

Taro bleef op een paar passen bij hem vandaan staan en zei door opeengeklemde kaken: 'Hoor eens, ik zit met een ziek kind en de vrouw brengt geen geld binnen. Ik moet rijden. Ik moet de goktenten af.'

'Zo heb je je nou juist in de nesten gewerkt,' zei Horn niet onvriendelijk. 'Zoek liever een echte baan.'

'Ja hoor, een echte baan. Misschien kan ik hetzelfde gaan doen als jij.' Horn hoorde de wanhoop onder de stoere praat naar de oppervlakte komen. 'Ik heb een tijdje vliegtuigen gemaakt, maar die hebben ze niet meer nodig. Dan zal ik dus maar zo'n baan als de jouwe moeten zoeken, mensen hun huishoudgeld afpakken.'

'Als je wilt.' Horn wenkte. 'De sleutels.' Hij zag een beweging in zijn ooghoek. Het smalle gezicht van het jongetje keek door een kier in het gordijn.

'O, nee.' Buddy Taro was nu een toonbeeld van komisch verzet met zijn over elkaar geslagen armen, zijn rood aangelopen gezicht en de buik die over zijn broek puilde en onder zijn hemd spande.

'Ook goed.' Horn stak zijn hand door het open raampje van de auto, maakte het portier open en ging achter het stuur zitten. Hij pakte een kleine schroevendraaier en een zakmes uit zijn zak. 'Ik red me wel.' Hij leunde opzij om het contact te bekijken.

Plotseling stortte Taro zich op hem en trok aan zijn linkerarm. Horn, die bang was dat hij een wapen had, sprong uit de auto en hief afwerend de schroevendraaier, maar Buddy Taro bleef gewoon tegenover hem staan, onhandig door zijn knieën gezakt, met grote ogen. Toen balde hij zijn vuist en wilde uithalen. Horn drukte zijn vlakke hand met gespreide vingers op Taro's gezicht en duwde, snel en hard. Taro tuimelde achterover en landde hard op het beton van de oprit, met zijn rug tegen de onderste tree naar de voordeur. Hij staarde recht voor zich uit, alsof hij versuft was.

'Doe dat niet nog eens, oké?' Horn overwoog in Taro's zakken naar de autosleutels te zoeken, maar ving weer een glimp van het gezicht achter het raam op en besloot zich op het contact te concentreren. Hij hoorde Taro nog een paar minuten hijgen, waarna hij zich zwaar overeind hees, de treden beklom en naar binnen ging. Horn had inmiddels het slot uit de behuizing gepeuterd. Hij was met de isolatielaag van de snoertjes bezig toen hij de hordeur hoorde opengaan.

'Hier!' Hij keek op en zag Taro een bundel bankbiljetten over de voortuin en de oprit uitstrooien. Ze dwarrelden weg als groene bladeren die voortijdig van de boom zijn gevallen. 'De rest. Pak aan. Tel het maar goed na.' Hij draaide zich naar de deur om. 'Het is voor een deel melkgeld. Ik hoop dat je een flinke commissie krijgt.'

Het kostte Horn veel tijd om alle biljetten op te rapen. Toen hij ze voor de tweede keer op de motorkap van de auto stond na te tellen, hoorde hij de stem. 'Ben jij Sierra Lane?'

De jongen stond met zijn ene arm om de pilaar bij het stoepje geslagen. Hij was een jaar of dertien, veertien en uitgesproken mager, en hij liep op blote voeten. Hij droeg een corduroy broek en een veelkleurig T-shirt. Horn zag dat de huid van zijn ene enkel, die waarop geen gewicht rustte, als gedroogd vlees om het bot spande. Polio, vermoedde Horn, wat betekende dat het hele been er waarschijnlijk zo uitzag.

'Wie?'

'Sierra Lane. De cowboy.'

Horn schudde zijn hoofd.

De jongen bleef strak naar Horns gezicht kijken. 'Wedden van wel?' zei hij uiteindelijk. 'Ik heb genoeg films van hem gezien. Je hebt andere kleren aan, maar... Wat ik bedoel, is dat jij vast die vent bent die hem speelt. Ja toch?'

'Nee.'

'*Border Bad Men* vond ik het mooist,' zei de jongen met bijna zangerige stem. 'Die heb ik gezien toen ik klein was. Je weet wel, aan het eind, als Sierra alle anderen overhaalt hun wapens neer te leggen en dan met ze vecht. Mijn vriend Lee houdt van Sunset Carson, maar ik heb tegen hem gezegd dat als we in het nauw zaten, dat we dan Sierra Lane aan onze kant moesten hebben, want die verslaat Sunset Carson met gemak.'

Horn schokschouderde, rolde de bankbiljetten op en stopte ze in zijn zak. 'Misschien wel.'

'Weet je zeker dat jij hem niet bent?'

'Heel zeker.'

De gordijnen ritselden en Horn zag de vrouw. 'Naar binnen, schat,' zei ze.

De jongen verroerde zich niet. 'Waarom heb je m'n vader omvergeduwd?'

Horn haalde diep adem. 'Ik had het niet zo bedoeld,' zei hij ten slotte. 'Ga maar naar binnen.' Hij draaide zich naar het raam om en zei: 'Mevrouw, wilt u tegen meneer Taro zeggen dat zijn schuld is afgelost?'

Twintig minuten later liet Horn zich op een stoel in de tram zakken. Het was er hondsbenauwd, dus hij schudde zijn jas van zijn schouders en legde zijn hoed op zijn schoot. Zijn vingers waren glibberig en vuil van de paar bankbiljetten die in een plas motorolie op de oprit waren neergekomen. Hij veegde zijn handen aan zijn zakdoek schoon, leunde tegen het raampje en deed zijn ogen dicht. De tram ratelde en schokte, het was vol in de coupé en het stonk er naar zweet. Hij hoorde het knetteren van de bovenleiding, en de lucht smaakte alsof hij een koperen stuiver onder zijn tong had. Nu rijd ik de zonsondergang tegemoet en iedereen juicht me toe, dacht hij. Goed gedaan, cowboy. Kom nog eens terug.

'Hier heb je je geld.' Horn smeet de rol bankbiljetten op het bureau. De indiaan was zoals gewoonlijk met financiële zaken bezig. Zijn blik gleed over de bedragen in een grootboek die hij op zijn telmachine invoerde. De vingers van zijn rechterhand dansten over de toetsen en met zijn linkerhand bediende hij de hendel die ratelend de totalen uittikte. Hij staakte zijn werk en keek op.

'Hoe ging het?' bromde hij.

'Dat weet je vast wel. Wil je het nog tellen?'

Joseph Mad Crow was bijna net zo lang als Horn, maar zijn borst en schouders waren breder. Hij droeg een overhemd van witte zijde met borduursel op het voorpand. Om zijn linkerpols prijkte een kostbare Bulova, om de rechter een armband van gehamerd zilver met een turkoois ter grootte van zijn duim. Hij pakte de rol, stroopte het elastiekje eraf en liet de biljetten snel door zijn vingers glijden. Halverwege keek hij met een zuur gezicht op. 'Ze zijn vettig.'

'Ja, olie,' zei Horn. 'Er is wat geld op de oprit gevallen toen hij het in m'n gezicht gooide.'

'In je gezicht gooide.' Plotseling begon Mad Crow te grijnzen. 'Zo ken ik mijn trouwe soldaat weer.' In rust was zijn gezicht ongeveer zo expressief als dat van de buffel op de Amerikaanse stuiver, maar als het tot leven kwam, kon het een breed spectrum aan uitdrukkingen beslaan, van ondeugende pret tot het soort norse dreiging waarvoor potige kerels het hoofd bogen en snel de straat overstaken.

Nu deed zijn gelaatsuitdrukking een binnenpretje vermoeden. 'Ik had toch gezegd dat het fout zou kunnen gaan.'

'Ik dacht dat je iets anders bedoelde,' zei Horn, die op de stoel voor het bureau ging zitten. De wand van het kantoor aan zijn linkerhand bestond voornamelijk uit glas, zodat de indiaan kon neerkijken op zijn domein, het Mad Crow Casino, de grootste kaarttent in dit deel van de gemeente Los Angeles. Dertig tafels en een bar op een kluitje in een rokerige, pakhuisachtige ruimte. Het was zaterdagmiddag laat en de klanten begonnen te komen. Horn herkende een paar stamgasten en de fotograaf die later op de avond de ronde langs de tafels zou doen om foto's te maken van de grote winnaars die behoefte hadden aan een aandenken.

'Wat is er gebeurd?'

'Niet veel. Buddy raakte opgefokt en viel me aan toen ik zijn auto in beslag nam...'

'Dus je was niet met de auto?'

'Nee, dat leek me niet verstandig. Ik heb de Ford hier laten staan en de tram genomen, voor je weet maar nooit.' Horn haalde een pakje Bull Durham met vloeitjes uit de borstzak van zijn overhemd.

'Niet doen,' zei Mad Crow vol weerzin toen hij de shag zag. 'De goorste gewoonte die je daar hebt opgepikt. Ik snap niet hoe je het kunt roken.' Hij boog zich naar Horn over en schudde een sigaret uit een open pakje Lucky Strike. 'Hier. Gedraag je beschaafd, ja?'

Horn, die de schimpscheut vaker had gehoord, nam de sigaret glimlachend aan. 'Dank je. Maar goed, Buddy was niet al te lastig. Alleen was er ook een vrouw, en een mank kind. Dat stond me tegen.'

'Dat dacht ik wel,' zei Mad Crow, 'maar wie had ik anders kunnen sturen? Met alle andere jongens had het een zootje kunnen worden. Ze hadden met Buddy's scalp terug kunnen komen. Jij bent mijn diplomaat.'

'Had je dat niet tijdens het proces kunnen zeggen?' vroeg Horn met zijn blik op zijn sigaret en de aansteker die hij eronder hield.

Mad Crow streek met beide handen over zijn haar, dat hij in een korte paardenstaart droeg. Zijn gezicht verstrakte. 'Ik heb mijn best gedaan,' zei hij. 'Wij allemaal. Die klootzak wilde je pakken, en dat was het dan. De paus zelf had je nog niet kunnen vrijpleiten, vriend.'

Hij ging verzitten en de stoel op wieltjes kraakte onder zijn gewicht. 'Heb je honger? Ik kan een van de meisjes een broodje rookvlees laten halen. Wat denk je daarvan?'

'Ik heb wel zin in een biertje.'

'Lula!' riep Mad Crow door de deur naar zijn assistente in het voorkantoor. 'Een paar flessen Blue Ribbons, graag, snoes.' Hij pelde een paar biljetten van de rol die Horn hem had gegeven en schoof ze over het bureau. 'Je commissie,' zei hij. 'Er zitten wat vieze biljetten bij, maar ik geef je iets extra's. Dan kun je je telefoon weer laten aansluiten.'

'Hij doet het alweer. Ik heb een paar dagen geleden betaald.' Hij zag Mad Crow kijken en vervolgde: 'Ik zat niet aan de grond of zo. Ik had de boel gewoon laten versloffen, meer niet.'

'Gelukkig maar,' zei de indiaan geduldig. 'Je kunt dus weer met mensen praten, contact met de buitenwereld leggen. Ik was het spuugzat om boodschappen voor je af te geven bij die morsige garage. Alsof je rooksignalen verstuurt, weet je, net als in cowboyfilms.' Hij keek Horn onderzoekend aan. 'Zit je ergens mee?'

Horn haalde zijn schouders op. 'Dat jochie,' zei hij. 'Hij herkende me.'

'Aha.' Mad Crow leunde achterover. 'Ik snap het. Je oude aanhang. Je hebt hem zeker geen handtekening gegeven? Jammer dat je hem niet onder gunstiger omstandigheden hebt ontmoet.' Zijn gezicht klaarde op. 'Kijk eens?' Hij wees naar de hoek achter Horns rechterschouder.

Daar hing een grote ingelijste affiche van de film *Carbine Justice*. De illustratie in brede penseelstreken stelde twee mannen te paard voor, van opzij – Horn in cowboytenue op de voorgrond en Mad Crow in het leer en met een veer in zijn haar.

'Is het geen schoonheid?' zei Mad Crow. 'Ik heb hem in de rekwisietenruimte van de studio gevonden, en ik heb hem van ze losgepeuterd. Van alle films die we samen hebben gemaakt is dit de enige waarvoor ze mij ook fatsoenlijk op de affiche hebben gezet.'

'Je staat er mooi op,' zei Horn. 'Heel nobel.'

'De nobele roodhuid, dat ben ik. Bleekgezicht spreekt waarheid.'

Een vrouw in een rok met franje, een schreeuwerige satijnen blouse en laarzen kwam binnen en zette twee flessen bier, nog beslagen van het ijs uit de koeling, op het bureau. 'Dankjewel, moppie,' zei Mad Crow toen ze wegliep. Hij wipte de kroonkurken langs de gehavende hand van zijn bureaublad van de flessen, gaf er een aan Horn en hief de zijne. 'Op Sierra Lane, de godverdommeste koeienjongen die ooit stennis heeft geschopt in de saloon.' Hij nam een grote teug en boerde luidruchtig. 'Heb jij je oude affiches nog?'

'Nee,' zei Horn, die afwezig met de nagel van zijn duim aan het etiket op zijn flesje pulkte.

'Je bent echt aangeslagen door dat joch, hè?'

Toen Horn geen antwoord gaf, vervolgde Mad Crow: 'Weet je wat, ik stuur je niet meer op weduwes en wezen af, oké? Alleen doorgewinterde gokkers, zware jongens en rotte appels. Kun je je geweten zuiver houden.'

De indiaan dronk zijn bier op en gooide de fles kletterend in de prullenbak. 'Twee jongens die hun middelbare school niet hebben afgemaakt,' zei hij iets milder. 'We hebben ze mooi voor de gek gehouden, hè? We hebben er een tijdje goed van geleefd. Niemand leek te zien dat we voor geen meter konden acteren.' Hij schudde zijn hoofd bij de herinnering en lachte. 'We zorgden gewoon dat het recht zijn loop had in het oude westen, mijn god. De cowboy en zijn trouwe indiaan...'

'Het was allemaal rotzooi, dat weet je best.'

'Wie zegt dat? Cecil B. DeMille? Oké, we hebben veel vergetenswaardige films gemaakt voor iedereen die maar een kwartje in zijn zak had, maar de jeugd was gek op ons. En al doende hebben we gelachen en wat poen verdiend.'

'Had ik het maar niet allemaal uitgegeven,' zei Horn. 'Dan hoefde ik nu niet voor jou te werken.'

'Niet zo dankbaar, alsjeblieft. Ik word er verlegen van. Ik had niet het idee dat ze in de rij stonden om je werk aan te bieden. Niet nadat Bernie Rome ervoor had gezorgd dat geen enkele studio je nog wilde hebben, al was het maar om de stallen uit te mesten.' Horn zweeg. 'Hoor eens,' vervolgde Mad Crow, 'wat maakt het uit? We zitten weer samen in het zadel en de rest kan voor mijn part doodvallen.'

'Samen in het zadel, wat je zegt.' Horn stond op. 'Ik ben blij dat ik werk heb, indiaan, echt. Alleen ben ik het zo af en toe een beetje zat, snap je?'

'Wacht even.' Mad Crow trok een la open. 'Dat was ik bijna vergeten. Er is vandaag voor je gebeld.'

'Zes-acht-drie-twee-twee-vier,' las Horn hardop. 'Scotty?'

'Ja. Ik heb niet gezegd dat ik wist waar je zat, alleen beloofd de boodschap door te geven, mocht ik je een keer tegenkomen.'

Horn verfrommelde het papiertje en gooide het bij de lege fles in de prullenbak.

'Ga je hem niet bellen?'

Horn gaf geen antwoord.

'Ik dacht dat jullie zulke dikke maten waren. Wat is er geworden van Horn en Bullard, de schrik van de Sunset Strip?'

'Geen idee,' zei Horn zo onverschillig mogelijk. 'We zijn elkaar uit het oog verloren.'

'Hij was toch bij het proces?'

'Ja. Hij heeft me nog een borrel gegeven vlak voordat ik de bak in moest, ik heb nog een paar brieven van hem gekregen en dat was dat. Ik heb al bijna drie jaar niets meer van hem gehoord. Ik neem aan dat hij partij moest kiezen toen Iris me liet vallen, en hij kende haar het eerst. Of misschien was Scotty's vader erop tegen dat hij met een gevangenisboef omging. Slecht voor de zaken. Slecht voor de goede naam van de familie.'

'Tja, hij hoeft niet meer over pappies mening in te zitten,' zei Mad Crow. Hij snoof minachtend. 'Je hebt het toch wel gehoord?'

'Ik heb het in de krant gelezen. Grote begrafenis. Ze zeiden dat het een uur duurde voordat ze alle auto's na afloop uit Forest Lawn weg hadden.'

'Dus je ouwe maat is nu een rijk man.'

Horn schokschouderde. 'Fijn voor 'm.' Hij liep naar de deur.

'Waarom bel je hem niet? Je hebt je vrienden hard nodig.'

'Krijg de pest,' zei Horn minzaam toen hij de deur achter zich sloot.

'Voorspoedige jacht, amigo!' riep Mad Crow hem luid na. 'We houden contact.'

2

Normaal gesproken was Horn naar huis gegaan om eten te koken, maar nu hij net geld had gebeurd, had hij zin om uit eten te gaan. Hij reed naar Cole's Buffet in het souterrain van het kantoor van Pacific Electric aan Sixth Street. Hij liep de trap af, het koele, schemerig verlichte restaurant in. De barkeeper maakte een broodje ros met aardappelsalade voor hem en tapte hem een glas bier. Horn ging aan een tafel achterin zitten.

Cole was een van de weinige plekken waar hij zich nog thuis voelde. Ze leken stuk voor stuk te verdwijnen, zoals zo'n lang, traag, vervagend beeld aan het eind van een film. Dat al zijn oriëntatiepunten verdwenen, kwam voornamelijk doordat Horn de afgelopen paar jaar weinig in de stad was geweest. Eerst was de oorlog ertussen gekomen en kort daarna de gevangenis. Nu was hij terug, maar van tijd tot tijd kwam hij voor kleine, onaangename verrassingen te staan – een nieuw gebouw waar hij een grasveld en bomen had verwacht, of een braakliggend terrein dat de plaats van een hotel had ingenomen. Los Angeles, de stad die hem in zijn jeugd met zonneschijn en beloften had verwelkomd, begon hem een ander gezicht te laten zien, een beetje zoals een ex-vriendin die was veranderd en nu voor andere mannen koos.

Onder het eten voelde hij een mengeling van schaamte en kwaadheid. Schaamte voor het werk dat hij deed, kwaadheid op iedereen – Buddy Taro omdat hij een stommeling was, de jongen omdat die hem had herkend. Hij was zelfs kwaad op de indiaan, een van de weinige vrienden die hij nog had, omdat die hem dwong liefdadigheid te accepteren, omdat die hem een baan had gegeven die hem het gevoel gaf dat hij een minderwaardig onderkruipsel was. Soms woekerde de kwaadheid door tot er een uitbarsting van razernij volgde. Door die razernij had hij twee jaar in Cold Creek gezeten.

Hij knapte op van het bier en voelde iets in zijn binnenste milder worden. Hij liep naar de telefooncel in de hoek, zocht in een uithoek van zijn geheugen naar het nummer van Scott Bullards werk en draaide het.

'Scotty, met John Ray.'

'Hé, maat. Fijn dat je belt. Dat is lang geleden, hè?'

'Ja, dat zal wel. Het spijt me van je vader.'

'Dank je. Hij is tenminste snel gegaan – zijn hart. Die ouwe had niet graag een lang ziekbed gehad. Dat heeft hij lang geleden tegen me gezegd, toen we nog met elkaar praatten.' Hoewel Scotty zoals altijd rad praatte, met over elkaar buitelende woorden, klonk hij vermoeid en afwezig. 'Het lijkt bijna alsof hij zijn dood zelf heeft uitgekozen. Zoals hij alles naar zijn hand zette.'

'Wie weet,' zei Horn. 'Kan ik iets voor je doen?'

'Hoor eens, ik, eh...' Scotty zweeg, zoekend naar woorden, wat niets voor hem was. 'Ja, ik moet je spreken. Waar zit je nu?'

'Bij Cole. Aan mijn tweede bier.'

'Is het goed als ik langskom en probeer je in te halen?'

Horn deed zo lang mogelijk met zijn tweede bier in afwachting van Scotty. Het begon vol te stromen naarmate er meer kantoren in de buurt leegliepen, en hij keek verstrooid naar de barkeepers die dunne plakken rosbief van het bot sneden, het brood in de jus doopten en de broodjes naar de klanten schoven. Leuk, zo'n nuttig vak, dacht hij. Iemand komt hongerig uit zijn werk, het stijfsel van zijn boordje smelt in de hitte, en dan geeft een vent met een witte sloof hem een vers stuk stokbrood met een glanzende koosjere augurk ernaast en een glas ijskoud bier om het weg te spoelen. Dat is nou werk waarmee je waardering oogst. En ik? Ik pak mensen hun huishoudgeld af.

Hij dacht aan Scotty en probeerde zich op de goede herinneringen te concentreren. Jaren geleden hadden ze als vanzelf een hechte vriendschap ontwikkeld. Ze hadden elkaar allebei iets te bieden. Horn had zijn vriend kennis laten maken met het tragere levensritme van een ranch en hem op de filmsets uitgenodigd waar zijn 'melkkoetjes' werden opgenomen. Hij had hem geleerd met een geweer te schieten en hem een paar keer meegenomen op prairiewolvenjacht in de San Gabriels. Scotty, de zoon van een van de grootste projectontwikkelaars van Los Angeles, had hem op zijn beurt de geneugten van onverantwoordelijk gedrag laten smaken – en hem laten zien hoe hartstochtelijk twee jonge kerels konden brassen zolang Bullard senior maar betaalde.

Ook nadat Horn en Iris al getrouwd waren, leek ze het niet erg te vinden als hij met Scotty aan de rol ging. Ze had als secretaresse bij Bullard gewerkt en kende de familie – Scotty had haar zelfs aan Horn voorgesteld – en zoals de meeste mensen leek ze oprecht van Scotty's gezelschap te genieten. Horn en zij gingen wel eens uit met Scotty en zijn vriendin van dat moment, een administratief medewerkster van het familiebedrijf, een modinette van een warenhuis of een beginnend filmsterretje van de Oostkust. Scotty was niet kieskeurig als het op vrouwen aankwam. Hij vond hen allemaal even leuk, en de genegenheid was wederzijds.

Toen Horn in de gevangenis zat en Scotty de vriendschap na een paar brieven liet verwateren, had Horn tegen wil en dank besloten dat hij wel zonder zulke vrienden kon. Toen was de brief van Iris gekomen en had hij nog iemand kunnen afschrijven...

De buitendeur ging open en Scotty kwam met zijn gebruikelijke snelle, vloeiende bewegingen de trap af. Hij zwaaide naar een bekende aan de bar, gaf een ander een schouderklopje, keek om zich heen, ontdekte Horn en liep naar hem toe.

Hij stak zijn hand uit, zei quasi-plechtig: 'John Ray Horn,' en ging zitten.

Horn nam de hand aan. 'De weledele Scott Bullard,' antwoordde hij.

Scotty was nauwelijks veranderd. Slanke bouw, scherpe trekken, donkerblond haar dat in een puntige V-vorm zijn voorhoofd begrensde. De immer aanwezige grijns was er nog, al leek hij nu geforceerd. Kennelijk kwam hij zo uit het familiekantoor, want hij droeg een goed gesneden lichtgewicht pak. Het enige verschil dat Horn zag, waren de wallen onder Scotts ogen. Dat krijgen sommige mensen zeker als ze hun vader moeten missen, dacht Horn. Benieuwd of het mij zoveel zou doen.

'Hoe gaat het?' vroeg Scotty. Hij keek onderzoekend naar Horns kleren, zijn iets warrige haar, de stoppelbaard van een dag en het totaalbeeld van een man voor wie uiterlijke verzorging geen prioriteit meer heeft. 'Joseph zei dat je tegenwoordig met hem werkt.'

'Vóór hem,' zei Horn nors. 'Het stelt niet veel voor, maar er wachtten weinig topfuncties op me toen ik terugkwam. Wil je iets drinken?'

'Straks misschien. Wilde de studio je niet terug?'

Horn lachte. 'Wat dacht je?'

'Of een andere studio?'

Horn ging ongeduldig verzitten. 'Ik heb een strafblad. Ik sta op de zwarte lijst, zoals dat heet. Ik zou net zo goed zo'n verdomde communist of zo kunnen zijn.'

'Het spijt me,' zei Scotty. 'Hoor eens...'

'Hé, Bullard, als je me een baan wilt aanbieden, niet doen. Daar kom je trouwens een beetje laat mee, vat je wel?'

Bullard knikte en sloeg zijn ogen neer. Horn vervolgde: 'Dus nu ben jij zeker de grote baas van Bullard Development?'

Scotty schudde zijn hoofd. 'Daar was de ouweheer te slim voor. Hij wist dat ik de vlag niet van hem kon overnemen. Dus om ervoor te zorgen dat ik niet alles verwoestte wat hij met hard werken had opgebouwd...' Zijn stem rees in een theatrale imitatie van Arthur Bullards preek. 'Hoe dan ook, hij heeft een trustfonds voor me opgericht. Mijn lieve oude moeder en de raad van bestuur gaan het bedrijf leiden, en het is mij best.' Hij leunde achterover in zijn stoel en knoopte zijn colbert open. 'Ik geloof dat ik hem heb teleurgesteld vanaf de dag dat ik op deze wereld kwam kijken. Ik wilde wel dat hij trots op me zou zijn, maar ik heb nooit zin gehad om in zijn voetsporen te treden. Hij dacht dat ik alleen zijn geld wilde uitgeven.'

'Tja,' zei Horn, 'daar had je ook aanleg voor.'

'Dat is waar.' Scotty grinnikte. 'Ik denk dat hij stiekem hoopte dat ik volwassen zou worden, het vaandel zou overnemen, een vrouw zoeken en een stel kleinkinderen verwekken om de naam van het geslacht voort te zetten, maar het is er allemaal niet van gekomen. En toen de oorlog kwam en ik werd afgekeurd met een S.5, zal dat de druppel wel zijn geweest. Ik had hem niet alleen op elk ander gebied teleurgesteld, ik was zelfs niet goed genoeg om voor het vaderland te sneuvelen.'

Er is iets met hem, dacht Horn ongerust. Zodra Scotty was gaan zitten, was het of het laatste restje energie dat hij na de begrafenis van zijn vader over had uit hem wegliep, en zijn stem en gebaren werden steeds trager. Scotty had altijd overal in kunnen opgaan, of het nu een nieuwe auto, een nieuwe vlam of zomaar een gesprek was. Het was een van de dingen die hem zo aardig maakten. Maar nu had hij zijn aandacht niet bij het gesprek. Hij haalde diep adem en zijn ogen, die Horn ontweken, flitsten door de zaal.

'We hadden elkaar de laatste jaren niet veel meer te zeggen,' vervolgde Scotty. 'O, ik hield de schijn wel op, zodat hij zijn vrienden van de club kon vertellen dat hij me dresseerde om de zaak op een dag van hem over te nemen. Ik ging naar kantoor, schoof een paar uur met papieren en ging weer naar huis zonder hem te zien te krijgen...' Scotty staarde een paar seconden naar Horn. 'Wat maakt het ook uit. Laten we erover ophouden. Heb je Iris nog gezien?'

'Nee.'

'Of Clea?'

'Nee. Niet meer sinds ik naar de gevangenis ging.'

'Dat is bijna drie jaar geleden.'

'Ik weet dat het drie jaar geleden is,' zei Horn luider dan hij bedoelde. 'Ik ging er getrouwd in en kwam er gescheiden uit. Waarom zou ik ze nog moeten zien?'

'Nou, ik weet dat Clea belangrijk voor je was...' Scotty zweeg ongemakkelijk.

'Hou er gewoon over op, ja?' Horn leunde ongeduldig over het tafelblad. 'Kom op, Bullard. Als je geen bier wilt, kun je me toch minstens vertellen waarover je me wilde spreken.'

Scotty knikte bedachtzaam, alsof hij op die woorden had gewacht. 'Kunnen we hier weg? Ik wil je iets laten zien.'

Horn keek door het raam naar Spring Street, elf verdiepingen lager. Lichten van auto's en de laatste mensen die van kantoor naar huis gingen, leken onder de wolkenloze, inktzwarte hemel door Spring Street te dansen. De zware, brede ramen stonden open en de avondlucht begon de ruimte te verkoelen. Scotty en hij waren in Arthur Bullards kantoor op de bovenste verdieping van de Braly-kantoortoren, waarvan Bullard Development de bovenste twee verdiepingen in beslag nam. Er liep nog een enkele werkster rond, maar verder waren de kantoorruimten donker en leeg. Het vertrek werd alleen verlicht door een leeslamp op het bureau in de hoek.

'Wat een uitzicht, hè?' hoorde hij Scotty achter zich zeggen. 'Mijn kamer is aan de achterkant, met uitzicht op het rangeerterrein.' Scotty stootte hem aan en gaf hem een glas. Horn vermoedde dat het Bullard seniors geliefde Schotse whisky was, en een snuif bevestigde zijn vermoeden. Hij nipte waarderend.

'Maar ik vind mijn uitzicht ook mooi,' vervolgde Scotty. 'Wist je dat dit de eerste wolkenkrabber hier in de buurt was? Hij is nog steeds verdomd indrukwekkend.'

Hoewel Horn Iris wel een paar keer hier van haar werk had gehaald voor hun trouwen, was hij nooit in deze kamer geweest. Het was een machtsverklaring met kostelijk gelambriseerde muren en weelderige leren meubelen. Hij liep om het eikenhouten bureau heen om een rij ingelijste foto's aan de muur te bekijken en tuurde door de schemering om er mensen op te onderscheiden. Hij zag Scotty's vader met de burgemeester, de aartsbisschop en de gouverneur, met een enkele studiobaas en met groepjes vrienden tijdens jacht- en skivakanties. Ondanks het feit dat Horn weinig belangstelling voor het zakenleven en de regering had, herkende hij een aantal mannen die als de oligarchen van Los Angeles werden beschouwd. Het waren de grote zakenmagnaten die aan het begin van de eeuw hadden voorvoeld dat de stad groot zou worden en die op zowel legale als dubieuze wijze genoeg krenten uit de pap hadden gepikt – olie, spoorwegen, water, onroerend goed – om hun fortuin zeker te stellen. Arthur Bullard was een van de laatste oligarchen geweest, en nu was hij er ook niet meer.

Scotty ging op de vroegere stoel van zijn vader zitten en gebaarde naar Horn dat hij tegenover hem plaats moest nemen.

'Hoe is het uitzicht van achter dat grote bureau?' vroeg Horn.

'Weids. Maar ik ben niet van plan eraan te wennen. Waar woon je tegenwoordig?'

Horn gaf hem zijn adres, legde uit hoe je er moest komen en noteerde zijn telefoonnummer op Arthur Bullards blocnote met monogram.

'Dus...' zei Scotty. Hij schraapte zijn keel en leek zich niet op zijn gemak te voelen. 'Ik had je vaker moeten schrijven, denk ik. Misschien een paar keer bij je op bezoek moeten komen.'

'Je had zeker belangrijker dingen te doen.'

'Ik vraag het me af. Kon je je een beetje redden daar?'

'Ja, hoor. Ik heb een paar vrienden gekregen en mijn best gedaan om niet te veel vijanden te maken, al valt dat niet mee daar. Me gedeisd gehouden, geen vuile handen gemaakt, je snapt me wel. Ik heb zelfs min of meer een vak geleerd, leer- en metaalbewerking. Ik heb deze riem zelf gemaakt. Ik was al aan een zadel begonnen, maar toen zat mijn tijd erop.'

Scotty leek in gedachten elders te zijn. 'Misschien is het geen goede reden,' zei hij, 'maar ik heb horen beweren dat je echt had geprobeerd die vent te vermoorden.'

'Misschien is dat ook wel zo.'

Scott glimlachte weemoedig. 'En toen hoorde ik anderen zeggen dat het misschien zijn verdiende loon was geweest.'

'Misschien is dat ook wel zo.'

'Goed dan, het zit zo: mijn vader had het een en ander over je te zeggen. Je kunt je wel voorstellen wat. Ik probeerde meestal niet vaders oogappeltje te zijn, maar deze keer zal ik wel naar hem geluisterd hebben. Hij zei dat je gek was geworden en dat je gevaarlijk was. Ik moet toegeven dat ik een beetje bang voor je was, bang voor wat er van mijn oude vriend was geworden. Begrijp je dat?'

'Nee.'

'Ik weet wel dat het nergens op slaat, maar daarom heb je na die eerste paar brieven niets meer van me gehoord. Ik heb er spijt van. Als je nog kwaad bent, geef me dan een mep en dan staan we quitte.' Hij keek steels naar Horns enorme hand om het whiskyglas, naar de knokkels die wit waren van de oude eeltplekken. 'Misschien toch niet zo'n goed idee. Kun je me niet gewoon uitschelden?'

Horn onderdrukte een lach. Hij was nog wrokkig, maar het was moeilijk om lang boos op Scotty te blijven. Toch was er nog iets, diep weggestopt, dat hij aan het licht moest brengen. 'Ik heb me een tijd iets afgevraagd,' zei hij. 'Toen ik niets meer van je hoorde, en toen Iris van me wilde scheiden...'

'Dacht je dat ik iets met je vrouw had?' Scotty keek hem perplex aan.

Horn schokschouderde. 'Destijds leek het me aannemelijk.'

'Nou, het is een belachelijk idee. Het is een prima meid en ik heb haar altijd graag gemogen, maar jezus, John Ray, ik heb jullie gekoppeld. Ze zou nooit serieus iets met me willen. Ik was alleen goed om mee te lachen. En trouwens, ze is weer getrouwd.'

'Weet je iets van hem?' vroeg Horn achteloos.

'Weinig. Je weet toch dat ik geen uitnodiging afsla? Nou, ik zou op het feest geweest kunnen zijn waar ze elkaar hebben leren kennen. Zo herinner ik het me althans door een waas van alcohol. Ik geloof ook dat ze op de begrafenis van mijn ouweheer zijn geweest, maar het was zo druk... Ik heb haar al heel lang niet meer gesproken. Hij is een soort zakenjongen. Een paar maanden geleden stond er een foto van ze op de roddelpagina, een of ander gebeuren. Hij ziet er fatsoenlijk uit.' Hij wierp een snelle blik op Horn. 'Ze schijnt er warmpjes bij te zitten.'

'Nou, fijn voor haar,' zei Horn, en hij probeerde het te menen. 'Drie keer is scheepsrecht, zeggen ze.' Het onderwerp zat hem niet lekker en hij vroeg zich af waarom hij eigenlijk in het kantoor van een dode zat. 'Wilde je me dit laten zien?' vroeg hij, naar de kamer gebarend.

Er trok iets over Scotty's gezicht. 'Nee,' zei hij. 'Er is nog iets. Toen de ouwe dood was, hebben mijn moeder en ik al zijn spullen doorgenomen, al zijn paperassen. Hij was ordelijk, zoals te verwachten viel. We hebben zijn kluizen opengemaakt en veel dingen gevonden die verband houden met het bedrijf. Zelfs een verzameling brieven van mijn moeder, die blij was dat hij de moeite had genomen ze te bewaren. Er werd wel gezegd dat hij gewetenloos was, en in zaken kon hij keihard zijn, maar mijn moeder zei dat ze de echte Arthur niet kenden, de man die oude brieven van zijn vrouw bewaarde.'

Scotty zweeg en Horn knikte afwachtend. 'We wisten dat hij een testament had gemaakt,' vervolgde Scotty, 'maar het zat niet in een kluis, dus gingen we hierheen om in het bureau te zoeken. Hij sloot de laden altijd af, maar we hadden alle sleutels van zijn bos, en ja, hoor, het testament lag in de onderste la.'

Scotty leegde zijn glas met een grote teug. 'Er lag nog iets in de la... dit,' zei hij, zich opzij buigend. Hij draaide een sleutel om, maakte de la open en haalde er een simpele bruine envelop uit die hij op het bureau legde. 'Ik heb erin gekeken en tegen mijn moeder gezegd dat het gewoon zakelijke gegevens waren, niets waar ze zich mee hoefde te bemoeien.' Hij bleef Horns blik ontwijken. 'Ik wil dat je ernaar kijkt,' zei hij zacht.

De envelop, die iets groter was dan een vel A4, was blanco, afgezien van het logo van Bullard Development. Horn pakte hem, trok de flap los en liet de inhoud op het bureau glijden. Het was een pakketje foto's met een elastiekje eromheen. Hij haalde het elastiek eraf en spreidde de foto's op het bureaublad uit. Vijftien foto's, beduimeld en gekreukt door Arthur Bullards handen. Horn herkende ze direct. Niet omdat hij deze eerder had gezien, maar omdat hij het soort vaak onder ogen had gekregen. De eerste keer was op een kermis geweest, waar een neefje hem achter een kraam had getrokken en hem een foto in sepiatinten had laten zien die hij op straat in St.-Louis had gekocht, een portret van een vrouw die naakt en met haar benen wijd op een bank lag.

Horn pakte zijn glas. 'Ik heb wel meer vieze foto's gezien,' zei hij. 'Een vent in mijn peloton in Italië had er een heel stel. Hij zei dat het zijn vriendinnetje was, en dat we die foto's met hem moesten begraven als hij New Jersey niet meer haalde.'

'Ik geloof toch dat die anders waren,' zei Scotty.

'O?' Horn bekeek de foto's nog eens. Ze straalden een sinistere energie uit, net als alle eerdere die hij had gezien: ze waren heimelijk, schaamteloos en verboden tegelijk. Mannen en vrouwen die dingen deden die zelden door een camera werden vastgelegd. De vrouwen waren allemaal naakt, maar de mannen droegen wijde mantels die van voren openhingen en hadden hun gezicht bedekt. Zijn ogen gleden over de onontkoombare details, de erecties, de grijpende handen, ongemakkelijk gespreide benen, open monden, verstrengelde lijven. Toen knipperde hij met zijn ogen en boog zich over een foto. Hij had te veel gedronken, en er klopte iets niet. Hij waaierde de resterende foto's over het bureau uit en staarde ernaar.

Er stonden geen vrouwen op de foto's. Alleen meisjes. Kinderen. Hij schatte dat de oudsten hooguit vijftien waren. Zij kwamen voor op de taferelen met mannen en seks. De jongste meisjes poseerden voornamelijk alleen, naakt en met een schijn van verleidelijkheid, en soms betastten ze zichzelf op manieren die ze nog niet konden begrijpen. Ze waren jong, zo jong dat hij niet eens naar hun leeftijd wilde raden.

Horn schoof zijn stoel achteruit en stond op. 'Ik begrijp niet waarom je al die moeite doet, alleen maar om me het fotoalbum van je ouweheer te laten zien. Als je het mij vraagt, had hij een ziekelijke hobby. Misschien had hij de familie beter kunnen vragen die foto's met hem in Forest Lawn te begraven.'

'Wacht even,' zei Scotty. 'Geef me nog even. Gewoon blijven kijken.'

Horn keek hem aan, zuchtte, steunde met zijn handen op het bureau en boog zich over de foto's. 'Ik zie een paar kerels die in de bajes horen, die hun gezicht niet willen laten zien,' zei hij op verveelde toon. 'Ik zie wat meisjes die hier nog heel lang last...'

Hij pakte een foto, hield hem onder de bureaulamp en liet zich langzaam op zijn stoel zakken. Een meisje, niet ouder dan vier of vijf, glimlachte vanuit een deuropening in de lens. Ze stond met gedraaide heupen, rustend op haar ene been, het andere licht gebogen. Met haar rechterhand omvatte ze een niet-bestaande borst en haar duim speelde met de piepkleine tepel. Haar gezicht was met rouge en lippenstift opgemaakt, maar onder dat groteske masker had ze een brede, gretige glimlach, alsof ze degene die het fototoestel bediende wilde behagen.

Het was het gezicht dat hem aan het schrikken maakte. Zelfs in deze kinderlijke vorm herkende hij bepaalde trekken. Hij kende die volle bovenlip, die goed gedefinieerde kaaklijn en die lichte, wijd uiteen staande ogen. Toen kende ik haar nog niet, dacht hij afwezig, ik kende haar later pas.

Hij keek op, recht in Scotty's ogen. 'Ik had gelijk,' zei Scotty. 'Ze is het, hè?'

Horn knikte langzaam om de naam nog niet te hoeven zeggen. 'Ja, het is Clea.'

3

Ze luisterden een tijdje naar de verkeersgeluiden in de diepte. Horns gezicht stond hard, maar zijn blik was ongericht, alsof hij naar iemand wilde uithalen, maar zijn tegenstander niet voor zich zag.

Een schoonmaakster opende de deur en stapte met haar dweilemmer achter zich de kamer in. Toen ze de beide mannen zag, bleef ze staan. 'Dit is de kamer van meneer Bullard,' zei ze aarzelend en met een zwaar accent.

'Ik ben de andere meneer Bullard, de jonge,' zei Scotty niet onvriendelijk. 'Kunt u later terugkomen?'

Ze deed de deur achter zich dicht. 'Ik zit vijftien jaar bij dit klotebedrijf,' zei Scotty zacht, 'en nog steeds kent niet al het personeel me. Het zal wel m'n verdiende loon zijn omdat ik maar halve dagen werk, hm?'

Horn staarde zonder iets te zeggen naar de foto van het meisje dat ooit zijn stiefdochter was geweest. 'Weet je waar hij die foto's vandaan had?' vroeg hij uiteindelijk.

Scotty schudde zijn hoofd. 'Er moeten honderden fotografen in L.A. zitten en het zou me niets verbazen als veel van die lui dit soort rommel verkopen. Ken je de zaak van Geiger aan Hollywood Boulevard, die met die zeldzame boeken? Daar verkopen ze pornografische boeken onder de toonbank – dure, in leer gebonden en zo – als je het geld ervoor hebt en weet waarnaar je moet vragen. Mijn vader had veel geld en ik weet zeker dat hij mensen kende die dit voor hem konden krijgen. In deze stad kan iedereen aan z'n trekken komen.'

'Jij bent goed op de hoogte van die handel, hè?'

'Ik ben van allerlei dingen op de hoogte, John Ray. Niet zo schijnheilig. Je vroeg ernaar en ik heb je verteld wat ik weet. Ik heb het al moeilijk genoeg met de vraag waarom mijn vader al die foto's van kleine meisjes verzamelde.'

'Eén ding weet ik zeker,' zei Horn. 'Je vader hield die foto in zijn handen en keek ernaar. Hij was gestoord.' Hij leunde met een vermoeid gezicht achterover en wreef in zijn ogen. 'Hoe is Clea er in godsnaam toe gekomen...'

'Om zich zo te laten fotograferen? Dat zit mij ook dwars. Wie heeft hem genomen? Waar? Waar was haar moeder toen dit gebeurde? Hoe oud is ze volgens jou op die foto?'

'Vier, vijf, denk ik. Ze was vijf toen ik met Iris trouwde, en hier lijkt ze iets jonger. Ze...' Hij zweeg even en slikte moeizaam. 'Ze groeide toen als kool. Dit moet gebeurd zijn toen Iris nog met haar vader getrouwd was of kort na de scheiding.'

'Zou Iris ervan geweten kunnen hebben?'

Het idee was ook bij Horn opgekomen, en de grimas op zijn gezicht verried iets dat dicht bij pijn in de buurt kwam. 'Hoe moet ik dat weten? Hoor eens, ze is momenteel niet een van mijn favoriete mensen en ik weet zeker dat dat wederzijds is, maar één ding staat vast: ze houdt van die meid.'

Scotty knikte. 'Je haalt me de woorden uit de mond.'

Horn keek naar hem op, en zijn blik was niet welwillend. 'Waarom laat je me dit allemaal zien?'

Scotty schoof zijn stoel achteruit tot hij tegen de boekenkast achter zich stond. Horn had hem nog nooit zo moe gezien. 'Misschien om het mijn ouweheer betaald te zetten,' zei hij met dikke tong. 'Omdat hij geen dag voorbij liet gaan zonder te laten doorschemeren dat ik hem teleurstelde. Misschien wilde ik gewoon dat iemand zou weten dat hij niet de fantastische, machtige Arthur van die foto's aan de muur was. Ik wil niet dat zijn naam in de kranten komt of zo. Mijn moeder is een taaie, maar ik weet niet of ze dit aan zou kunnen. Ik wil er niet mee naar de politie. Die foto's zijn oud, en wie kunnen ze na al die tijd nog arresteren? Ik wilde gewoon dat iemand het zou weten. Jij zult die iemand wel geweest zijn.' Hij zweeg, zwaar ademend, en Horn hoorde de stokdweil van de schoonmaakster verderop in de gang tegen de emmer kletteren.

'Nou, ik weet het nu,' zei Horn. 'Maar wat wil je dat ik doe?'

'Iemand moet het aan Iris vertellen.'

'Ga je gang.'

'Kom nou. Ik ben maar een vriend, en ik heb haar al jaren niet meer gesproken. Clea is een tijdje jouw dochter geweest.'

'Ja. Mijn stiefdochter, in elk geval. En Iris was mijn echtgenote, tot ze voor de eer bedankte. Je kunt moeilijk beweren dat ik nog bij dat gezin hoor.' Horn begon het gevoel te krijgen dat Scotty hem een kant op duwde die hij niet op wilde. 'Wat heeft het trouwens voor zin om het haar te vertellen? Het zou haar alleen maar misselijk maken. Ik hou het op wat jij net hebt gezegd: die foto is meer dan tien jaar oud. We weten niet waar je ouweheer hem vandaan had en daar komen we waarschijnlijk nooit meer achter. Clea is inmiddels een grote meid. Laten we het vergeten.' Horn stond op. 'Ik ben moe.'

Scotty gebaarde naar de foto's. 'Wat moet ik hiermee doen, vind je?' vroeg hij.

Horn wierp nog een laatste blik op het opgeverfde gezichtje, jonger dan hij het ooit had gezien, en gooide de foto op het bureau bij de andere. 'Verbranden,' zei hij, en hij liep de kamer uit.

Vlak voor hij de deur achter zich sloot, hoorde hij Scotty zacht zeggen: 'Ik hoop dat het goed met haar gaat.'

Het ochtendlicht was nog grijs toen hij door een dwingend geklop op de deur van de blokhut werd gewekt. Hij deed open en zag een kleine, kalende man met een onwaarschijnlijk borstelige snor. Harry Flye.

'Ik wil het terrein vanmiddag laten bezichtigen,' zei Flye zonder enige inleiding en zoals altijd luider dan nodig. 'Ik heb het met je over het onkruid gehad. Het ziet er verschrikkelijk uit. Je had gezegd dat je het zou wieden. Doe dat dan vandaag, oké? Vanochtend.'

'Goed,' zei Horn.

'Het ziet er verschrikkelijk uit,' zei Flye weer, alsof het hem net was opgevallen. 'Zo kan ik het niet verkopen. Jij hoort de boel te onderhouden.'

'Dat doe ik ook, meneer Flye,' zei Horn met, naar hij hoopte, gepaste eerbied in zijn stem. Je was toch acteur? hield hij zichzelf voor. Speel dan dat die man geen gluiperd is en doe aardig tegen hem. 'Vandaag.'

'Vanochtend,' zei Flye, die al van de treden naar zijn auto stommelde. 'Het zwembad kan nog wel even wachten, maar het onkruid niet. Als jij het terrein niet wilt onderhouden, staan er genoeg anderen voor die baan te trappelen, dat weet ik wel zeker.'

'Fijn u weer te zien,' zei Horn toen hij de deur dichtdeed.

Na het ontbijt trok hij een T-shirt en een tuinbroek aan, pakte de zeis met de lange steel en liep het pad af dat om zijn blokhut heen de steile heuvel door de bomen op voerde.

De blokhut stond op een dichtbeboste heuvel vlak bij het begin van Culebra Canyon, die als de slang waarnaar hij was vernoemd naar de bergen van Santa Monica kronkelde en daar doodliep. Het kleine bouwsel was opgetrokken uit ruw, oud hout, maar het had een degelijke fundering en een open haard, allebei van steen, en een stenen schoorsteen die maar een paar graden overhelde. Het bevatte een woonkamer van normale afmetingen met de bank waarop hij sliep, een badkamer en een keukentje achter een gordijn.

Harry Flye, de enige ander die een sleutel van het toegangshek had, was Horns huisbaas. Flye had de oorlog aangegrepen om een indrukwekkend imperiumpje van nieuw geld op te bouwen: goedkoop kopen en duur verkopen, onroerend goed op exact het juiste moment van eigenaar laten verwisselen om er goed aan te verdienen, en hij las de markt zoals een waarzegster de lijnen in een hand leest. Hij was momenteel de eigenaar van het voormalige landgoed van Ricardo Aguilar hier in Culebra Canyon, een overblijfsel uit de tijd van de stomme film, toen de groten van Hollywood villa's lieten bouwen die bij hun filmimago pasten. Van de villa restte nauwelijks meer dan een ruïne, maar de blokhut van de opzichter stond nog overeind en daar mocht Horn gratis wonen, op voorwaarde dat hij het terrein onderhield. Flye wist dat hij in de gevangenis had gezeten, maar leek het niet belangrijk te vinden. Wat hij nodig had, was een goedkope arbeidskracht.

Binnen vijf minuten stond Horn op een groot, met eucalyptusbomen omzoomd bergplateau van waaraf hij de Stille Oceaan kon zien, ver weg in het zuidwesten. Vijfentwintig jaar eerder had Aguilar hier zijn landgoed laten bouwen, een renaissancepaleis in Griekse stijl waar Rudolf Valentino en Gloria Swanson, Douglas Fairbanks en Mary Pickford, de goden en godinnen van de stomme film, bijeen waren gekomen om hun zwelgpartijen te houden. Toen de film eind jaren twintig geluid kreeg, kon Aguilar met zijn krassende tenor alleen nog de lachlust van het publiek opwekken. Hij trok zich op zijn heuveltop terug, tot jaren later een brand zijn huis verwoestte en hem van het leven beroofde. Horn kende de verhalen dat Aguilar de brand zelf zou hebben aangestoken in een poging een laatste moment van dramatiek te creëren. De Villa Aguilar was nu een geblakerde ruïne; de zwart beroete resten van het huis en de bijgebouwen stonden her en der verspreid als rotte, afgebroken tanden.

Het onkruid was overal tot aan Horns middel opgeschoten. Hij koos een plek bij het oude zwembad uit om te beginnen en ging aan het werk, lange bogen met de zeis beschrijvend. Het ging eerst nog onhandig, maar toen hij in zijn ritme kwam, genoot hij van de soepele beweging, het moment dat het blad het groen raakte, de pauze op het hoogste punt van de boog voordat het gewicht van de zeis besloot terug te keren. Na een uur had hij rondom de tennisbaan en een paar bijgebouwen gemaaid en tekende het vroegere landgoed zich duidelijker af. Horn keek ernaar en dacht: je hebt het hier niet slecht gehad, Ricardo.

Voor hij het onkruid rond de villa zelf te lijf ging, pakte hij zijn shag en vloei, ging op een brok beton zitten dat ooit tot de fundamenten van het huis had behoord en draaide een sigaret. Zijn gedachten dwaalden af en heel even zag hij Clea's gezicht op de foto voor zijn geestesoog, maar hij verjoeg het beeld. Het smalle, genepen gezicht van de jongen uit de huurkazerne kwam ervoor in de plaats. Horn zag voor zich hoe een ongetemde lok haar over het voorhoofd van het joch was gevallen en hoorde hem weer vragen: ben jij Sierra Lane?

Hij had veel van zulke jochies ontmoet, op rodeo's en paardententoonstellingen, of wanneer hij zijn opwachting maakte bij de enige bioscoop van een dorp, handtekeningen aan die jongens uitdeelde en hun vaders de hand schudde. Hij genoot van het beeld dat ze van Sierra Lane hadden: de godverdommeste cowboy die ooit had gedreigd de saloon te verbouwen. Er had al heel lang niemand meer op die manier naar hem gekeken. Zelfs die knul van gisteren – Horn dacht dat hij iets anders in die blik had gezien, iets van teleurstelling, minachting zelfs.

Waarom heb je m'n vader omvergeduwd?

Hij viel zo energiek op het onkruid aan dat de zweetdruppels van zijn gezicht vlogen. 'Ik kan Sunset Carson elke dag van de week een pak rammel geven,' hijgde hij hardop, 'en op zondag twee keer.'

Hij werkte door tot halverwege de middag, nam toen een bad in de roestige kuip op klauwpoten en deed een tukje. Voor het avondeten bakte hij twee karbonades, sneed een tomaat in plakjes, maakte een flesje High Life open en droeg alles naar de schommelstoel op de veranda voor de blokhut, waar hij luisterend naar de vroege avondgeluiden van het ravijn ging zitten eten. Aangezien het dichtstbijzijnde huis bijna een kilometer verderop stond en er aan deze kant van het ravijn vrijwel geen verkeer was, waren de meeste geluiden van natuurlijke aard – een lome bries in de eucalyptusbomen en eiken, een tjilpende vogel af en toe. 's Nachts hoorde hij vaak de roep van de prairiewolven op de helling boven zich.

Hij schrok op toen binnen de telefoon rinkelde. Tot hij zijn achterstallige rekening had betaald, een paar dagen geleden, had hij weken zonder telefoon gezeten, en hij was het geluid ontwend. Hij liep naar binnen en nam op.

'Cowboy.' De stem van Mad Crow was een ontspannen gerommel dat diep uit zijn borst kwam, en Horn stelde zich voor dat hij met een groot, koel glas in de grote stoel in zijn woonkamer hing.

'Ja.'

'Gaat het?'

'Ja hoor.'

'Ik zat te denken. Ik had je misschien beter niet naar Buddy...'

'Dat had je al gezegd.'

'Ik weet zelf wel wat ik zeg, verdomme. Waarom mag ik iets geen twee keer zeggen als ik daar zin in heb?' De indiaan liet zijn stem iets dalen. 'Hé, ik wil niet dat je van je werk gaat balen. Ik heb je nodig. We kunnen elkaar helpen.'

Horn zei niets terug. Hij hoorde ijsblokjes tinkelen toen Mad Crow een slok nam van wat er ook in zijn glas zat.

'Wat jij moet doen, is bezig blijven,' vervolgde de indiaan. 'Ik heb een klus voor je. In de Valley, je oude territorium. Een tandarts. Hij denkt dat hij een godsgeschenk voor de pokerwereld is. Staat voor een paar honderd dollar bij me in het krijt. Het is een pijler van de maatschappij, dus hij betaalt grif en...'

'Nee,' viel Horn hem in de rede. 'Nu niet.'

'Kom op.'

'Er is iets gebeurd. Ik vertel het je later nog wel, goed? Zoek maar een ander.' Het was gelogen. Er was niets anders dat een beroep op zijn tijd deed. Maar de klus van gisteren had hem inderdaad weerzin tegen het werk bezorgd, dat had de indiaan goed ingeschat. En sinds zijn gesprek met Scotty van de vorige avond voelde hij een soort onbehagen waar hij zich niet goed raad mee wist.

Mad Crow zuchtte. 'Goed dan, amigo. Maar denk erom dat ik een zaak draaiend moet houden en dat dit het werk is dat jij kunt doen. De ene hand wast de andere. Er liggen weinig banen voor je op straat.'

Horn kwam weer eens in de verleiding zijn oude vriend de pest te wensen, maar in plaats daarvan zei hij: 'Ik bel je nog,' en hing op.

De zon zakte achter de blokhut en het licht tussen de bomen werd flets groen. Horn rolde een shagje, stak het op en pakte de *Mirror* van de vorige dag. Hij was rusteloos, eigenlijk al sinds hij Scotty had gezien, en bladerde door naar de bioscoopreclames.

In de Hitching Post aan Hollywood Boulevard draaide een dubbelprogramma, een nieuwe film van Gene Autry in combinatie met een heropvoering van *The Lost Mine*, een film van Horn van een paar jaar geleden. Hoewel hij het nooit toegaf, had hij het leuk gevonden zichzelf op het witte doek te zien, tot een van zijn films in de Californische staatsgevangenis in Cold Creek was vertoond. Misschien was het een grap van de bewaker geweest die de wekelijkse film uitzocht. Toen hij in het donker had zitten kijken hoe hij op Raincloud reed, strevend naar gerechtigheid, terwijl zijn medegedetineerden joelden, had hij beseft dat het imago van held nooit meer bij hem zou passen.

De telefoon ging weer. Godver, dacht hij, ik ben wel populair vanavond.

'Hallo. Ik stoor toch niet?' Het was Scotty.

'Welnee. Ik had net mijn limousine besteld. Ik dacht: kom, ik haal Linda Darnell op en dan gaan we naar de Trocadero.'

'Briljant idee. Heeft ze vriendinnen?'

'Ik zal het haar vragen.'

'Je bent een juweel. Een juweel onder de koeienjongens.' Scotty klonk weer vermoeid. Horn vroeg zich af wanneer hij de echte Scott Bullard weer zou horen, de roekeloze playboy die iedereen uit een slechte bui kon trekken. 'Ik heb een lange dag achter de rug. Van hot naar her gereden. Ik wilde vragen of je zin hebt om morgen met me naar de jachthut te gaan.'

'Misschien,' zei Horn. 'Wat wil je gaan doen?'

'O, het leek me gewoon leuk. Even die hitte uit, een frisse neus halen. Misschien een eind lopen, een paar eekhoorns schieten, weet ik veel. Ik neem bier mee. We kunnen vroeg vertrekken en 's avonds laat terugkomen. Hoe klinkt dat?'

'Goed. Zal ik eten meebrengen?'

'Ik zorg overal voor.' Scotty zweeg even.

'Verder nog iets?' vroeg Horn.

'Ik zit over die godvergeten foto's te piekeren.'

Horn maakte een ongeduldig geluid. 'Dus je hebt ze nog niet weggegooid?'

'Nog niet. Dat kan altijd nog. Ik, eh... ik denk dat er meer achter zit dan we dachten. Ik ben benieuwd of je het met me eens bent.'

'Ik begrijp geen woord van wat je zegt, maar ik ben het hoe dan ook niet met je eens.'

'Niet zo snel, cowboy. Gun me nog even de tijd. Als je morgen nog vindt dat we ze moeten verbranden, maken we een kampvuur in de wildernis en dan doen we dat.'

'Klinkt redelijk.'

'Misschien hebben we zelfs tijd voor die oorlogsverhalen die je me nooit hebt verteld.'

'Scotty, ik heb je al uitgelegd...'

'Toch minstens hoe je aan je eremedaille voor gewonde soldaten bent gekomen.'

'Geen oorlogsverhalen van mij. Nooit.'

'Al goed, je hoeft niet kwaad te worden.' Horn meende een geeuw te horen. 'Hé, ik ben afgepeigerd,' zei Scotty. 'Kom morgenochtend om acht uur naar me toe. Ik zit nog steeds in de Mol. We gaan lol maken.'

'Daar ben je vast wel aan toe.'

'Nou en of. Dat krijg je van begrafenissen. Zal ik je eens iets geks vertellen? Ik ben vanochtend een paar uur op kantoor geweest, en toen kwam pa's secretaresse me vertellen dat iemand gisteravond nadat wij vertrokken waren al zijn bureauladen heeft doorzocht. Ook de laden die op slot zaten, kennelijk. Het zou een schoonmaakster geweest kunnen zijn die een aandenken zocht nu die ouwe er niet meer is.' Hij klonk niet overtuigd.

'Waren de foto's weg?'

'Nee, die had ik mee naar huis genomen. Ik wilde er niet de hele dag mee rondlopen, dus heb ik ze ergens verstopt waar de schoonmaakbrigade ze nooit kan vinden.' Scotty gaapte weer. 'Jij wel, waarschijnlijk. En zij ook.'

'Wie ook? Je drukt je niet helder uit, Bullard.'

'Ik ben te moe om me helder uit te drukken,' zei Scotty. 'Kom op tijd morgen.' Hij mompelde een groet en hing op.

Horn bleef nog lang zitten. Het was dat avondlijke uur waarop zijn gedachten uit wandelen gingen als hij niet oppaste, en dan konden ze oude deuren openen en kamers betreden waar ze niets te zoeken hadden. Hij vroeg zich af hoe Iris het had met haar nieuwe echtgenoot, en Clea met haar nieuwe vader. Toen hij haar vader nog was geweest, had hij gemerkt dat niets vanzelf ging. Zijn eigen vader had hem weinig houvast gegeven, dus had hij fouten gemaakt. De flagrantste was het drinken, en de invloed die dat had op zijn relatie met zowel moeder als dochter. Iris dronk ook, en bij tijd en wijle konden ze zo tegen elkaar tekeergaan dat het meisje naar een uithoek van het huis vluchtte. Naderhand lokten ze haar terug en probeerden ze haar te sussen, maar haar ogen flitsten van de een naar de ander als die van een konijntje dat door twee roofdieren in het nauw is gedreven.

Ze hadden Clea geen van beiden ooit geslagen. Hij had graag willen kunnen zeggen dat ze elkaar ook nooit hadden geslagen, maar een paar van hun ergste ruzies waren met klappen beslecht. Hij voelde nog walging als hij eraan terugdacht.

Zijn laatste herinnering aan Clea dateerde van de avond voordat hij naar de gevangenis moest. Ze had zich in haar kamer opgesloten en gilde telkens opnieuw dat hij haar in de steek liet. Hij kon haar kreten nu nog horen, die volslagen radeloosheid in haar dertienjarige stem.

4

Horn ging vroeg weg omdat hij zeker wilde weten dat hij op tijd bij Scotty aan zou komen. De rit over de Pacific Coast Highway verliep gladjes en hij had de rust om te genieten van de manier waarop het krachtiger wordende zonlicht de bochel van het eiland Santa Catalina ver weg in het zuiden benadrukte. Hij had altijd graag 's ochtends vroeg gereden, met de ramen open, zodat de frisse zeelucht rumoerig langs zijn oren kon fluiten. Hij zag Sunset Boulevard liggen, nog in een parelmoergrijs licht gehuld, nog geen zon te bekennen, maar de koele lucht leek ijl, alsof de naderende hitte er op elk gewenst moment doorheen kon breken alsof het vloeipapier was.

Het was pas half acht toen hij het parkeerterrein achter de flat op reed. Scotty woonde in de Blauwe Moor, een U-vormig flatgebouw van zeven verdiepingen met een landschapstuin ervoor dat rijkelijk met Spaans-Moors pleisterwerk was versierd. De flats op de hogere verdiepingen, waaronder die van Scotty, boden een schitterend uitzicht op de Hollywood Hills en het oude bord HOLLYWOODLAND, een gehavend aandenken aan de jaren twintig. De Moor was, zijn naam getrouw, in een bijna schreeuwerige kleur blauw geschilderd; mensen die het voor het eerst zagen, snakten naar adem. Scotty noemde het gebouw graag de Blauwe Mol. De flats werden bevolkt door een assortiment douairières, bemiddelde vrijgezellen en een enkele naam uit de filmindustrie.

Horn zag Scotty's auto op het parkeerterrein staan, een nieuwe Lincoln Continental cabrio die hij twee avonden tevoren, toen ze uit Cole weggingen, voor het eerst had gezien. Het dak was open, reisklaar, en op de achterbank lagen een jas, een degelijke broek, een paar jagerslaarzen en een koeltas. Op het dashboard lag een vettige papieren zak met de naam van een bakkerij erop die Horn herkende. Als ze destijds een uitstapje maakten, was Scotty's hoofdtaak altijd het inslaan van donuts geweest.

Horn nam de achterdeur van het gebouw en liep door een gang naar de ontvangsthal, een hoge ruimte vol varens in potten. De portier zat niet op zijn plaats achter de balie, zag hij toen hij op de liftknop drukte. Achter de grote, glazen entreedeuren kroop het verkeer door de straat. Te langzaam voor dit uur. Aan de overkant stond een groepje buurtbewoners, sommige nog in ochtendjas, naar de voorkant van de flat te kijken.

Misschien is er een ongeluk gebeurd, dacht Horn. Hij aarzelde even bij de lift, draaide zich om, beende door de hal en duwde de deuren open. Op straat, vlak voor het gebouw, stonden een politieauto en een ambulance. Achter de ambulance stonden politieagenten en ambulanciers over een brancard met een laken erover gebogen. Horn liep over het gras naar de stoep. Daar lag een grote, rode plas, die nog glimmend in de naden tussen de stenen sijpelde.

Horn kwam bij de brancard aan. 'Wie is het?' vroeg hij aan een ambulancier.

De jonge, zwartharige man had een slechte huid en ogen die veel hadden gezien. 'Iemand van daarboven,' zei hij, op het blauwe gebouw wijzend. 'Zo te zien is hij gevallen.'

'Ik wil hem zien.'

'Dat is geen goed idee,' zei de jonge man. 'De politie heeft hem net geïdentificeerd, en ze willen niet... Hé!' Hij stak zijn arm uit om Horn tegen te houden, maar die had al een punt van het bebloede laken in zijn hand, en iets in zijn ogen maakte dat de ambulancier zijn arm liet zakken.

Horn trok het laken ver genoeg weg om Scotty's gezicht te kunnen zien. De linkerslaap was verbrijzeld en er kleefde geronnen bloed in zijn haar. Zijn ogen waren open, maar tot spleetjes geknepen, alsof de wereld plotseling te fel was geworden om naar te kijken. De verwrongen, halfopen mond vol bloed leek in niets meer op die van Scotty.

'Kent u hem?' vroeg een politieman op een toon die zei: afblijven.

'Nee,' zei Horn.

'Waarom laat u dat laken dan niet los en gaat u niet weg?' De smeris keek onderzoekend naar Horns voorkomen, zijn versleten schoenen. 'Woont u hier?'

'Nee,' antwoordde Horn. Hij sloeg het laken terug. 'Ik wacht alleen op iemand.'

Het gezicht van de politieman verried niets, maar Horn zag dat de man dacht dat hij hem kon commanderen. De politieman kwam zo dicht bij hem staan dat ze elkaar bijna raakten. 'Terug naar de stoep.'

'Mij best.' Horn deed alsof hij glimlachte, zo gladjes alsof de camera draaide. 'Neem me niet kwalijk.' Hij liep met gebogen hoofd weg, want hij wilde geen arrestatie riskeren, ook geen onterechte.

Hij liep naar het bordes van het flatgebouw, ging zitten, pakte een tandenstoker en begon erop te kauwen. Hij spuwde langzaam de houtvezels uit, met zijn ogen op de stenen aan zijn voeten gericht. Zo bleef hij lang zitten terwijl de ochtend warmer werd, de ambulance met Scotty's lichaam wegreed en de meeste nieuwsgierigen verdwenen. Uiteindelijk vertrokken bijna alle politiemensen, ook de man die hem had aangesproken, tot er nog maar één surveillanceauto stond.

Horn wist niet goed waarom, maar hij wilde Scotty's flat zien. Hij meed de lift en nam de trap. Op de zesde verdieping aangekomen trok hij zijn katoenen colbert en poloshirt uit, vouwde ze op en liet ze op de overloop liggen. Gekleed in een kaki broek, een hemd en dezelfde zware, hoge werkschoenen die hij de vorige dag tijdens het onkruid maaien had gedragen, liep hij door de gang naar Scotty's voordeur. Die stond open, en hij ging naar binnen. Een politieman zat op de bank in de woonkamer een formulier in te vullen.

'Moet hier een gebroken ruit vervangen worden?' vroeg Horn.

'Ik dacht het niet,' zei de man, en hij richtte zich weer op zijn formulier.

'Mag ik even kijken? Ik wil geen gedoe met de huismeester krijgen. Ze noemen hem niet voor niets *Il Duce.*'

De smeris lachte zonder op te kijken. 'Ga je gang.'

Horn ging naar de slaapkamer. Een van de twee ramen stond wijd open. Het HOLLYWOODLAND-bord hoog in de heuvels was moeilijk te zien in de ochtendnevel. Hij leunde uit het raam en zag, zes verdiepingen lager en recht onder het raam, de vlek op de stoep. Verder leek niets op straat anders dan anders. Een vrouw liet een hondje uit en even verderop speelden een paar jongens vangbal op een inrit.

Hij bekeek de kamer en zag niets bijzonders. Het bed was slordig opgemaakt. Hij liep terug naar het raam, boog zich naar het kozijn over en zag drie ondiepe, evenwijdige krassen in de verf, vlak bij de hoek. Ze waren niet erg opvallend en konden door bijna alles veroorzaakt zijn. Ook nagels, dacht Horn, als iemand wilde voorkomen dat hij uit het raam viel of eruit werd geduwd.

Hij zag dat de politieman weg was en de voordeur had opengelaten. Horn besloot hem niet dicht te doen omdat hij dan minder verdacht zou lijken. Maar de tijd begon hoe dan ook te dringen, te meer daar de huismeester of een van de buren hem zou kunnen betrappen. Hij herinnerde zich Scotty's opmerking over het doorzochte bureau van zijn vader. Dezelfde, nauwelijks doordachte impuls die hem net naar deze flat had gestuurd, gaf hem nu in dat hij de envelop met foto's moest zien te vinden. Hij begon de flat gehaast te doorzoeken, te beginnen bij de slaapkamer, waar hij onder het bed en de matras keek, alle laden opentrok, de hangkast inspecteerde. De badkamer en de keuken volgden. De ontbijtafwas stond in de spoelbak, maar verder leek alles op zijn eigen plek te staan.

Hij ging naar de woonkamer, keek om zich heen en dacht terug aan de laatste keer dat hij hier was geweest. Dat was jaren geleden, vlak nadat hij uit de oorlog was teruggekeerd. Iris en hij waren uit eten geweest met Scotty en zijn vlam van dat moment, een jonge vrouw die achter de cosmeticatoonbank van een van de grote warenhuizen aan Wilshire Boulevard stond. Na het diner waren ze hierheen gegaan. Scotty had hen een tijdje vermaakt met grappen over de stijve harken op de club van zijn vader, en Horn had over de baas van de Medallion Studio's verteld, die met rampzalige gevolgen had getracht zijn vriendin tot filmster te transformeren. Toen had Scotty een plaat van Glenn Miller opgezet en een karaf martini's gemixt, en ze hadden allemaal tevreden met hun ogen dicht mee zitten neuriën. Horn had op de bank gezeten, met zijn arm om Iris heen. Het was een leuke avond geweest.

Hij keek onder kussens, onder meubelen en tussen de grammofoonplaten en richtte zijn aandacht toen op de grote vitrinekast met boeken. Het dunne laagje stof dat zich langs de randen van de planken en in de enkele kieren tussen de boeken had verzameld, was verplaatst. Op een paar plekken lag helemaal geen stof meer, alsof er tot voor kort boeken hadden gestaan. Horn kreeg de indruk dat iemand handen vol boeken tegelijk had gepakt, erachter had gekeken en ze weer had teruggezet, maar niet altijd precies op hun oude plek.

Hij hoorde stemmen op de gang, keek nog een laatste keer om zich heen en ging weg. Hij botste bijna tegen twee vrouwen op, onmiskenbaar buurvrouwen, die hem nieuwsgierig aankeken. Hij trok zijn poloshirt en colbert weer aan en nam de achterdeur naar buiten. Op het parkeerterrein wierp hij een snelle blik in Scotty's cabrio. Er lag niets onder de stoelen. Het slot van de kofferbak was geforceerd, zag hij. Er lagen alleen een reserveband en een krik in. Hadden ze gevonden wat ze zochten?

Hij ging in zijn auto zitten. De zon stond hoger, en in het felle licht op de voorruit zag hij Scotty's gezicht. Hij had te veel van zulke gezichten in Italië gezien. Tijdens de mars vanuit Salerno had hij op elkaar gestapelde lijken van Duitsers in een greppel zien liggen, in afwachting van iemand die ze kwam afvoeren. De meeste gezichten hadden dezelfde uitdrukking gehad – toegeknepen oogleden die een verschrikkelijk starende blik omlijstten, ogen die naar iets keken dat te ver weg was om door de levenden gezien te kunnen worden.

Het was niet in hem opgekomen de smeris te vertellen dat hij Scotty kende. Volgens Horns redenatie was een politieman niet iemand aan wie je iets vertrouwelijks kon vertellen. Of de waarheid. De twee jaar in Cold Creek hadden hem geleerd dat je beter niets prijs kon geven.

Hij was niet beschouwelijk ingesteld. Problemen die hij niet meteen kon bestrijden, negeerde hij in de hoop dat ze zichzelf zouden oplossen, wat soms ook gebeurde. Tijdens een van de slechte perioden tegen het einde had Iris tegen hem gezegd dat hij niet om anderen dacht, dat hij niet genoeg rekening hield met consequenties. Toen hij zover was dat hij zich begon af te vragen of ze gelijk had, was het al te laat.

Hij schudde zijn hoofd en probeerde te bedenken wat hij nu moest doen. Scotty had gewild dat hij meeging naar de jachthut, een plek waar ze in geen jaren samen naartoe waren gegaan. Wat had Scotty over de telefoon tegen hem gezegd? *Ik heb van hot naar her gereden.* Zou Scotty er eerder die dag geweest kunnen zijn? En zo ja, met welk doel? En waarom wilde hij terug?

Horn bracht een bezoekje aan de Lincoln en kwam terug met de vettige zak en de koeltas, die hij op de voorstoel legde. Hij stapte in en startte. Een uur later reed hij door Glendale naar de uitlopers van het San Gabrielgebergte. Hij stopte bij een benzinestation en zei tegen de pompbediende dat hij de tank kon volgooien. De oorlog was al jaren voorbij, maar Horn genoot nog steeds van de luxe van een volle tank zonder schuldgevoelens en zonder de gehate bonnenboekjes. Hij had tenslotte twee van die jaren in een cel doorgebracht waar álles op rantsoen was geweest, bedacht hij, en vooral tijd.

Terwijl de jongen de tank volgooide en de auto nakeek, trok Horn zijn colbert aan en ging een kop koffie drinken bij de aangrenzende cafetaria. De serveerster achter de toonbank keek hem vuil aan toen hij een donut uit de papieren zak pakte en opat. Hij gaf haar geen fooi.

De jongen had net de voorruit gewassen. 'Die band rechtsachter heeft heel wat kilometers gemaakt,' zei hij toen Horn afrekende. 'Hij is spekglad. Hou hem maar goed in de gaten.'

'Dank je.' Een half uur later was hij in de bergen en klom hij over de smalle weg langs de kam van de San Gabriels ten oosten van Los Angeles. Hij zat nu anderhalve kilometer boven de stad en hoewel het niet koeler was, was de lucht wel zachter. De weg slingerde eindeloos door de bruine, verweerde bergen die bespikkeld waren met rotsblokken en groenblijvende struiken. Rechts van Horn scheerde de weg langs een tientallen meters diepe afgrond.

De overheid kocht grote delen van de San Gabriels, maar er waren nog lapjes grond in de bergen die het eigendom waren van ondernemingen en rijke particulieren die zich er terugtrokken om te jagen en te kamperen. Arthur Bullard was een van die particulieren geweest.

Een paar kilometer voorbij de weg naar het observatorium op Mount Wilson sloeg Horn linksaf een slecht onderhouden, naamloze, onverharde weg in, die kort daarop overging in een gevoorde, door hoge dennen overschaduwde laan. Nog een paar honderd meter verder stond een degelijk smeedijzeren hek. De ketting waarmee het doorgaans werd afgesloten, was nu losjes om de spijlen gewikkeld, en op de een of andere manier verbaasde het Horn niets dat het hangslot was geforceerd. Hij zette het hek open en reed met een slakkengangetje verder. Hij moest uit alle macht aan het stuur trekken om de voren in de laan te nemen. Geen geschikte plek om een lekke band te krijgen. Na vijftig meter bereikte hij een open plek en een grote blokhut met een schuin dak. Drie treden van kiezelbeton voerden naar een veranda met logge, houten meubelen. Het slot van de zware voordeur was ook geforceerd.

De met grenen betimmerde kamers binnen roken naar stof en schimmel, maar verder was er weinig veranderd, zag Horn. De zwartgeblakerde open haard was schoon en gebruiksklaar en het brandhout lag ernaast. De grote banken, stoelen en tafels in de woonkamer waren grof en functioneel. In elk van de drie kleine slaapkamers stond een bed met matras en een ladekast. Op een ervan lag een beduimelde *Collier*. In de keuken stelde hij vast dat er nog steeds fris smakend bronwater uit de kraan kwam.

Hij nam tien minuten de tijd om alle kasten en laden in de blokhut te doorzoeken. Hij kon met geen mogelijkheid zeggen of er iets ontbrak, maar de kapotte sloten getuigden ervan dat iemand hem vóór was geweest.

Hij ging op de bank zitten met de laatste donut en een flesje bier uit Scotty's koeltas. De foto's, dacht hij. Het was natuurlijk maar een gok dat het om de foto's ging, maar dat uitgangspunt leidde tot de volgende redenatie: iemand wilde ze hebben en had er in het kantoor van Bullard senior naar gezocht. Die iemand was er op de een of andere manier achter gekomen dat Scotty ze had en Scotty was vermoord om ze te pakken te krijgen. Horn, die de politie haatte en vreesde, begon te denken dat hij geen andere keus had dan dit toch aan te geven. Hij betwijfelde of ze zijn vliesdunne theorie zouden geloven op basis van het weinige dat hij kon vertellen, maar het deed er niet toe of ze hem geloofden of niet. Hoe langer hij erover nadacht, hoe meer zijn gok een zekerheid voor hem werd.

Hij veegde zijn handen, die vol poedersuiker zaten, aan de zitting van de bank af en keek gedachteloos om zich heen. Zoals hij herinneringen had aan Scotty's flat, had hij die ook aan de jachthut. Een keer 's winters, toen Scotty er zelf niet zat, had Scotty Iris, Clea en Horn in een opwelling uitgenodigd voor een lang weekend in de bergen. Ze hadden in de sneeuw gewandeld, schijfschieten geoefend en 's avonds bij het licht van het haardvuur gepokerd. Het was bij dat ene bezoek gebleven. Later, toen Arthur Bullard ervan hoorde, had hij zijn zoon uitgekafferd en hem te verstaan gegeven dat niemand van buiten de familie welkom was in de jachthut.

De open haard, twee meter bij hem vandaan, rook indringend naar roet. Clea was dat weekend een jaar of negen geweest, herinnerde hij zich, en opvallend stil. Na het eten, toen de drie volwassenen een glas dronken, had ze zacht in zichzelf pratend voor de open haard met een verzameling kiezelstenen zitten spelen die ze gedurende hun wandelingen had opgeraapt. Toen ze naar bed ging, had ze de stenen in een weckpot gedaan die ze tot de volgende ochtend had verstopt. Ergens in de open haard, herinnerde hij zich.

Wat had Scotty tijdens hun telefoongesprek nog meer gezegd? Iets over die foto's. Hij had ze ergens opgeborgen waar de werkster ze nooit zou kunnen vinden. *Jij waarschijnlijk wel,* had hij gezegd. *En zij ook.*

Horn liep naar de open haard. De schoorsteen rechts zat zo hoog dat een klein meisje er maar net bij zou kunnen. Hij had de losse steen snel gevonden. Hij stak zijn pennenmes tussen de steen en de voeg, bewoog het heen en weer tot de steen een paar millimeter naar voren kwam en pakte hem toen met zijn vingertoppen. In de opening van ongeveer vijfentwintig centimeter diep vond hij de bruine envelop, in een V-vorm gevouwen om hem erin te laten passen.

Hij spreidde de foto's over de kleine tafel voor de bank uit. Daar lagen ze, als een stel obscene speelkaarten, en die donkere energie kwam hem weer tegemoet, een vleug zwavel uit een verborgen oord. De jonge gezichten en lichamen, de mannelijke organen en het hele kermistafereel van kinderen die in het soort kennis worden gesleurd dat doorgaans verboden terrein is maakten hem misselijk. Hij was niet onbekend met zijn eigen dierlijke kant, had zich er zelfs gretig aan overgegeven toen hij jonger was, en hij moest toegeven dat de foto's een bepaalde kracht hadden die die kant aanspraken. Toen keek hij weer naar de meisjesgezichtjes en voelde hij geen lust meer, maar alleen walging.

Zijn vader zou natuurlijk nooit van die gemengde gevoelens hebben gehad, want hij zag het leven in zwart-wit. John Jacob Horn zou naar de foto's hebben gekeken, de zwavelgeur hebben opgesnoven en hebben geweten waar hij mee te maken had. Zondig, zou hij het hebben genoemd.

Horn gebruikte dat woord zelf nooit. Sierra Lane zou het niet met hem eens zijn, maar Horn had lang geleden al vastgesteld dat maar weinig op aarde zich gemakkelijk tot goed of kwaad liet reduceren. Maar in dit geval... Hij keek naar de foto van Clea. In dit geval zou het woord 'zondig' misschien terecht kunnen zijn.

Er figureerden een stuk of tien meisjes op de foto's. Sommigen blank, zoals Clea, maar ook een paar zwarte meisjes en een paar die er Mexicaans uitzagen. En er was er een bij die Aziatisch zou kunnen zijn, dacht hij.

Omdat hij de gezichtjes niet langer kon aanzien, begon hij andere details van de foto's te bestuderen, zoekend naar bijzonderheden. De jongste meisjes poseerden soms alleen, soms met een enkele man. De seksuele tableaus met de oudere meisjes werden steeds door een of twee mannen gecompleteerd. De gemaskerde mannen in hun gewaden bleven onherkenbaar, maar er waren verschillen in bouw en huidskleur. Een van de mannen was zo te zien niet besneden. Een ander was aan de gezette kant en droeg aan beide handen een brede ring. Als Horn moest raden, zou hij zeggen dat er twee, misschien drie mannen op de foto's stonden. En mogelijk had een vierde het fototoestel gehanteerd.

De foto's waren allemaal van uitstekende kwaliteit, viel hem op, en op stevig papier afgedrukt. De details waren scherp, de kadrering was vakkundig en zelfs de belichting was goed verzorgd. Uit de ensceneringen kon hij vrijwel niets opmaken. Er waren nauwelijks meubelen te zien, afgezien dan van de alomtegenwoordige matrassen. Aangezien er geen ramen te zien waren, kon hij niet bepalen of de foto's overdag of 's nachts waren gemaakt. Het enige opvallende dat hij zag, was iets op de enige foto van Clea. Vlak naast de deur waartegen het meisje leunde, zag hij een strook van een schrootjeswand. Grenenhout, zo te zien, want vlak bij haar schouder zat een vreemd gevormde kwast met een doorsnede van een centimeter of vijf. Nog vreemder was dat die kwast hem bijna bekend voorkwam.

Hij stond abrupt op en begon alle kamers weer te bekijken. In de slaapkamer aan het eind van de gang draaide hij zich om en daar zag hij het. Hij hield de foto er voor de zekerheid naast. De kwast had de vorm van een onregelmatig hoefijzer, een hoefijzer voor een piepkleine pony, misschien, een pony die zou kunnen voorkomen in het verhaal dat je een klein meisje voor het slapengaan vertelt.

Hij liet zich zwaar op de stoffige matras zakken. Hier was het gebeurd. De foto's waren hier gemaakt. *Ik denk dat er meer achter zit dan we dachten,* had Scotty de avond voor zijn dood tegen hem gezegd. Zijn vader had de foto's niet van iemand gekocht; hij was erbij geweest toen ze werden gemaakt. Hij en een paar vrienden. Ze hadden kinderen naar de jachthut meegenomen, en een van die kinderen was Clea geweest. En toen ze er jaren later met haar ouders was teruggekomen, was ze stil en teruggetrokken geweest, had ze in haar eentje gespeeld en alleen tegen haar kiezelstenen gepraat.

Nu begreep hij waarom.

5

Ik denk dat ik je mijn oorlogsverhaal nu wel kan vertellen. Het wordt niet wat je ervan had verwacht, aangezien de meeste oorlogsverhalen een held hebben en het mijne niet. Maar je hebt er zelf om gevraagd. En nu je toch dood bent, heb je maar te luisteren, oké?

Horn zat achter in de kerk, die bijna vol was, want Scotty had veel vrienden gehad. Een grote staande ventilator vlak bij hem trok warme lucht aan, vermengde die met de penetrante geur van de bloemstukken en stuwde hem luidruchtig door het op een kier staande onderste paneel van de Bergrede in gebrandschilderd glas. Door het gonzen kon Horn de eentonige stem van de dominee nauwelijks verstaan, maar het gaf niet, omdat hij er zeker van was dat de dominee Scotty niet eens had gekend.

Het was in de bergen bij Cassino. We probeerden al maanden de oude abdij in te nemen. Ik kan je niet half vertellen hoe erg het was, mijn afgekeurde vriend, maar laat ik zeggen dat ik blij ben dat je er niet bij hoefde te zijn. Overdag plakte de modder als stroop aan je laarzen en 's nachts bevroor hij keihard om je heen in je schuttersputje. We waren altijd moe en hongerig. We waren maar aan het graven, in ijs en sneeuw, en het was schieten of neergeschoten worden. Soms beeldde ik me in dat ik een heldhaftige cowboy op een groot paard was die boeven ving en brave mensen redde. Dan keek ik om me heen, besefte hoe bang ik was, schoot in de lach en voelde me beschaamd.

Hij liet zijn blik afwezig over de aanwezigen glijden, zoekend naar Iris, maar hij wist niet of ze er was. De grijze vrouw met de waardige houding op de voorste bank was Scotty's moeder, de weduwe Bullard. De dominee memoreerde lichtelijk melodramatisch dat Scotty bereid was geweest in de voetsporen van zijn vader te treden als 'steunpilaar van de ondernemerswereld'. Maak daar liever de golf- en nachtclubwereld van, dacht Horn.

Op een ochtend werd ik wakker en zag dat drie van mijn vrienden door een mortiergranaat waren opgeblazen. Gewoon weg waren ze, er was amper iets van ze over om te begraven. Daarna moet ik een beetje raar en onvoorzichtig hebben gedaan, want een Duitse sluipschutter joeg een kogel door mijn schouder, vlak boven het sleutelbeen. Ik werd naar een veldhospitaal gebracht waar ik twee dagen pijn lag te lijden. Op de derde dag raakte ik in gesprek met de jongen naast me, die op het punt stond terug naar Amerika te gaan. Hij had zich liggen afvragen of zijn vriendin nog wel van hem zou houden nu hij het grootste deel van zijn kaak miste. Hij zweeg plotseling, kuchte en was dood. De artsen zeiden dat er een bloedprop door zijn aderen had gezworven die uiteindelijk zijn hersenen had bereikt.

Ik huilde de hele dag en de volgende dag was ik mijn stem kwijt. Ik zag wazig, kon niet eten, niet opstaan om te plassen, ik kon helemaal niks. Ik werd ontslagen en lag de rest van de oorlog in het ziekenhuis. Uiteindelijk knapte ik op en kon ik bijna weer als een normaal mens lopen en praten, maar ik was niet normaal. Dat bewees ik die dag toen ik Bernie junior te lijf ging.

Zo zie je maar, Scotty, het is maar goed dat je me al die tijd niet hebt opgezocht, want je was niet blij geweest met wat je te zien had gekregen.

Ik ben niet degene voor wie je me aanzag. Ik ben iemand die zich altijd zal herinneren dat hij zo bang was dat hij liever doodging dan zo bang te moeten blijven.

Hij hoorde gekuch en schuifelende voeten en het drong tot hem door dat de dienst was afgelopen.

Het spijt me dat je dood bent. Ik weet nog niet of ik er iets aan kan doen.

De menigte druppelde de kerk uit en voerde hem traag mee. Helen Bullard, Scotty's moeder, stond bij de deur condoleances in ontvangst te nemen. Horn kende haar nauwelijks, en de weinige keren dat hij haar had gezien, had de spanning van haar slechte verhouding met haar zoon in de lucht gehangen. In haar lange, zwarte jurk en hoed met voile stond ze er klein en eenzaam bij, maar ze hield haar rug recht en hij herinnerde zich dat ze de reputatie had een taaie te zijn. 'Mijn ouders zijn aan elkaar gewaagd,' had Scotty hem ooit verteld. 'Ze hebben allebei een scherpe neus voor de zwakheden van anderen.'

Hij wilde doorlopen, maar tot zijn verbazing stak Helen Bullard haar hand naar hem op. Tot zijn nog grotere verbazing wenkte ze hem.

'Dank je, John Ray,' zei ze zacht, en ze gaf een kneepje in zijn hand.

'Je was zijn beste vriend. Ik weet zeker dat hij blij geweest zou zijn dat je er was.'

Horn kneep terug, glimlachte, prevelde iets gepasts en wilde doorlopen, maar ze liet zijn hand niet los. 'Zou je eens bij me langs willen komen? Overmorgen misschien, 's middags, als het schikt? Ik wil je graag spreken.'

Omdat hij geen uitvlucht kon verzinnen, zei hij: 'Met genoegen, mevrouw Bullard.' Toen kwam een vrouw met een zwaar, bloemig parfum de hand van de weduwe overnemen en kon hij het bordes af lopen. Daar bleef hij in de schaduw van een boom staan wachten. Zijn blauwe serge pak was te warm voor de middagzon. Het was zijn enige goede pak, maar het was te dik voor de tijd van het jaar. Toen kwam Iris eindelijk de kerk uit. De man aan haar arm moest haar nieuwe echtgenoot zijn, dacht hij. Voorzover Horn het van die afstand kon zien, droeg de man zijn pak zoals sommige mannen dat kunnen, degenen die er hun best niet voor hoeven te doen. Tot zijn teleurstelling hadden ze Clea niet bij zich.

Iris droeg een zwart, duur uitziend mantelpakje met brede schouders en een smalle taille die haar figuur benadrukten. Afgezien van een parelsnoer droeg ze geen sieraden. Ze zag er bijna elegant uit, dacht hij. Het woord had nooit van toepassing geleken op een vrouw die eerst met een hotelreceptionist en toen met een B-acteur was getrouwd, maar nu was ze het. Hij voelde een steek jaloezie jegens die nieuwe man, en woede omdat ze er voor hem zo goed uitzag.

Ze bleven boven op het bordes staan, op zo'n vijftien meter afstand. Iris keek om zich heen en ontdekte hem. Hij groette met een knikje, maar ze wendde haar blik haastig af.

Horn nam zijn hoed af en veegde de binnenkant met zijn zakdoek droog. Dit kan niet op een gemakkelijke manier, dacht hij, en hij begon naar Iris toe te lopen. Ze zag hem naderen, legde haar hand op de arm van haar man en zei iets tegen hem. Ze daalden de treden af en liepen over het gras naar het parkeerterrein, in een diagonale lijn bij hem vandaan. Hij versnelde zijn pas tot hij bijna rende. Iris keek over haar schouder en Horn zag de spanning in haar ogen. Ze bleef staan, trok haar man naar zich toe en begon op hem in te praten. De man aarzelde en leek bezwaar te maken, maar na een duistere blik op Horn te hebben geworpen liep hij alleen door naar het parkeerterrein.

Toen Horn op haar af liep, streek Iris haar rok glad en zette een beleefde glimlach op. 'Hallo, John Ray.' Ze haalde een zonnebril uit haar handtas en zette hem op. Hij betwijfelde dat ze zich alleen tegen de felle zon wilde wapenen.

'Iris.'

'Wat vreselijk, van Scotty. Zo kort na zijn vader.'

Hij knikte.

Haar verlegenheid met de situatie verbaasde hem enigszins, want Iris was allesbehalve weerloos. De jaren dat ze als secretaresse had gewerkt en een dochter had opgevoed in weerwil van een slecht huwelijk – nee, twee, dacht hij – hadden haar geleerd hard te zijn als dat nodig was. Zijn verbazing maakte plaats voor voldoening. Ik maak haar nerveus, dacht hij. Net goed.

Hij nam haar op. Het was voor het eerst in drie jaar dat hij haar van dichtbij kon bekijken. Ze zag er patent uit. Nee, nog beter. Iris was nooit een grote schoonheid geweest, maar dat had geen beletsel voor haar gevormd. De mannen hadden altijd gereageerd op iets geënerveerds in haar, een soort hunkering die zich in seksualiteit manifesteerde. Die zette haar er ook toe aan haar dochter te koesteren en als een leeuwin te beschermen. En wie haar goed kende, kon nóg een hunkering in Iris bespeuren: de dringende behoefte aan comfort en zekerheid – rijkdom, zelfs. Horn had er tijdens hun huwelijk wel eens een glimp van opgevangen en geweten dat hij die kant van haar nooit zou kunnen bevredigen. Nu had ze kennelijk een man gevonden die dat wel kon.

Haar lichtbruine haar onder het hoedje was iets langer dan vroeger. Het golfde langs haar gezicht over haar rug, waar het in zachte krullen over haar schouders uitwaaierde. Ze had nog steeds die twee nerveus gespannen pezen in haar hals. Hij kon de wijd uiteen staande bruine ogen achter de zonnebril niet goed zien, maar de scherpe jukbeenderen waren nog hetzelfde, evenals de volle bovenlip die ze met Clea gemeen had. En ze droeg nog steeds Soir de Paris, een geur die hij altijd lekker had gevonden. Al had hij natuurlijk nog steeds een bloedhekel aan haar.

'Ik hoop dat het goed met je gaat.' Ze begon haar zenuwen in bedwang te krijgen. En haar stem, een van de dingen die hij het mooist aan haar had gevonden, was ook nog hetzelfde: zacht en toch op de man af.

'Ik? Ik maak het uitstekend. Was dat je nieuwe man?'

Ze knikte. 'Paul. Hij is de auto aan het halen. Ik heet tegenwoordig Fairbrass.' Ze spelde het voor hem.

'Fairbrass.' Hij vond het een naam van niets, maar dat had hij ook verwacht. 'Wilde je hem niet aan me voorstellen?'

'Niet echt.' Ze zei het zonder nadruk en stond zichzelf toen een lachje toe, als een bevestiging van de ongemakkelijke toestand.

'Ook goed. Wat doet hij?'

'Hij heeft Fairbrass Pipe Fittings in Long Beach.'

'Hij is loodgieter.'

'Nee, hij is...' Ze zweeg. 'Je maakt een grapje. Nee, hij is geen loodgieter. Zijn bedrijf installeert pijpfittingen van stoomcentrales, oliepompsystemen en weet ik wat nog meer. Paul heeft de zaak na de dood van zijn vader overgenomen. Toen kwamen de oorlog en de overheidscontracten. Ze hebben veel voor de marine gedaan. Hoe dan ook, Paul heeft goed geboerd.'

'Fijn voor je,' zei hij. Hij vroeg zich af of ze kon horen dat hij het niet meende. 'En waar woon je tegenwoordig?'

'Hancock Park.'

'Een goeie buurt, hè?'

'Dat zal wel.'

'De burgemeester schijnt daar ook ergens te wonen.'

Ze haalde zwijgend haar schouders op. Hij vond het bijna jammer dat ze niet hapte, dat ze zijn verhulde sarcasme niet beantwoordde met een bijtende opmerking uit haar eigen koker. Iris was nooit teruggedeinsd voor een woordenwisseling.

Ze pakte een sigaret uit een koker, viste, toen hij haar geen vuur aanbood, een sierlijke aansteker uit haar zwartleren tas en klikte een vlammetje tot leven. Ze bleef zo lang naar het puntje van haar sigaret kijken dat hij begon te denken dat ze de echtscheiding ter sprake wilde brengen, maar ze zei niets.

'Hoe is het met Clea?' vroeg hij. 'Ik had haar hier verwacht, want ik weet zeker dat ze Scotty graag mocht.'

'Ze kon niet komen,' zei Iris ontwijkend. Ze keek over haar schouder of de auto al kwam.

Hij wilde eerst babbelen, langzaam naar het gruwelijke onderwerp toe werken, maar er was geen tijd voor. Scotty's begrafenis zou de enige gelegenheid kunnen zijn waarbij ze haar afweer lang genoeg liet varen om naar hem te luisteren. Het was nu of nooit.

'Ik moet je iets vertellen,' zei hij. 'Kort voor zijn dood heeft Scotty me iets laten zien dat hij in het kantoor van zijn vader had gevonden. Een pakketje foto's, wat je vieze foto's zou kunnen noemen.' Iris, die net het haar uit haar gezicht wilde strijken, liet haar hand zakken. Haar gelaatsuitdrukking, of wat hij ervan kon zien achter de bril, veranderde niet. Jezus, dacht hij, zou ze het weten? 'Het waren geen gewone vieze foto's. Er stonden kleine meisjes op. Heel klein.' Hij wist dat hij te snel praatte, maar er was geen weg terug meer. Hij ploegde door en voelde dat het zweet hem uitbrak. 'Hij wilde me een foto in het bijzonder laten zien. Hij... Het was een klein meisje dat op Clea leek.'

Ze hield haar adem in. Zo. Het was eruit. Er bleef nog maar één ding over. Hij haalde de foto uit zijn binnenzak en liet hem aan haar zien.

Ze bekeek hem zonder haar zonnebril af te zetten. Hij zag dat ze in elkaar kromp, haar mond strak trok en haar hoofd schudde. 'Mijn god,' zei ze. 'Het arme kind.'

'Ik weet het,' zei hij schutterig. 'Ik wilde het je niet laten zien, maar...'

Ze gaf hem de foto terug. 'Ze is het niet,' zei ze vlak.

'Wat?'

'Ze is het niet. O, ze lijkt wel een beetje op hoe ze er toen uitzag, voordat jij haar kende, maar het is Clea niet. Zij had langere benen toen ze zo oud was, en haar hoofd was anders van vorm. Dat weet ik beter dan wie ook.' Ze schudde haar hoofd. 'Maar ik word misselijk als ik naar die foto kijk. Ik heb zoveel medelijden met haar. Hoe kan iemand...'

'Kom op, Iris.' Hij voelde dat hij kwaad werd. 'Scotty herkende haar. Ik ook.'

Ze deinsde een pas achteruit. 'Wat wil je van me? Je hebt een idee en het blijkt niet te kloppen. Lief van je dat je je bezorgd om ons maakt, maar het had niet gehoeven.' Ze keek weer over haar schouder. 'Daar is Paul.'

Hij was ten einde raad. 'Volgens mij is Scotty hierom vermoord,' flapte hij eruit.

Dat zorgde ervoor dat ze haar aandacht op hem richtte. Ze keek hem onderzoekend aan. 'Volgens de krant was het vermoedelijk een ongeluk,' zei ze behoedzaam.

'Luister nou naar me. Hij is vermoord. Door iemand die die foto's terug wilde.'

Ze aarzelde, liet zijn woorden op zich inwerken, stak haar hand uit en legde hem op zijn arm. 'O, John Ray toch,' zei ze, en hij hoorde verdriet in haar stem. 'Je hebt een moeilijke tijd gehad, en dat is voor een deel aan mij te wijten. Het spijt me. Ik hoop alleen maar dat je je leven weer op orde krijgt. Ik wil echt graag dat je gelukkig wordt.'

'Dank je,' zei hij met een stem die droop van het sarcasme. 'Zou je me één gunst willen verlenen?'

Ze wachtte, frunnikend aan de schouderband van haar tas.

'Ik wil Clea nog een keer zien. Alleen maar met haar praten. Mag dat?'

Haar gezicht werd hard en ze schudde haar hoofd. 'Nee, dat mag niet,' zei ze.

'Ze was mijn dochter,' zei hij. 'Zo lang het duurde.'

'Je had haar kunnen adopteren, maar dat heb je niet gedaan. Paul wel.'

Hij hoorde de spanning in haar stem. 'Ik wilde het heus wel,' zei hij sussend. 'We hebben het erover gehad.'

'Eén keer maar,' zei ze. 'Toen je dronken was. Je beloofde me gouden bergen als je dronken was.'

'Als ik dronken was, is de kans groot dat jij het ook was. Weet je nog?'

Ze wendde zich af. 'Ik moet nu weg, John Ray. Ik geloof niet dat we elkaar nog eens moeten zien.'

'Neem maar van me aan dat ik je echt niet lastig wil vallen,' riep hij haar na. 'Maar waarom mag ik haar niet zien, één keertje maar?'

'Omdat ze is weggelopen,' zei Iris zonder om te kijken.

Aangezien de cafetaria in Glendale waar hij op weg naar de jachthut was gestopt, vlakbij was, ging hij daar lunchen. De dagschotel was een warm broodje kalkoen met tomatenpuree en appel- of kersentaart toe. Hij at langzaam en probeerde niet aan Iris te denken, omdat hij dan weer kwaad zou kunnen worden. Daarom richtte hij al zijn aandacht op zijn eten. Hij bedacht hoeveel beter de plakjes kalkoen en jus op witbrood zouden smaken als ze hadden gelegen op het maïsbrood dat zijn moeder bakte, maar hij was zelden kieskeurig en at zijn hele bord leeg.

Hij rolde een sigaret voor bij de koffie met kersentaart en zag dat hij weer dezelfde serveerster had, de vrouw die naar zijn idee op hem had neergekeken omdat hij zijn eigen donuts bij zich had gehad. Vandaag zag ze er alleen maar moe uit, niet hooghartig, en ze stond achter de toonbank te wiebelen alsof ze zere voeten had. Deze keer gaf hij haar wel een fooi.

Bij zijn blokhut aangekomen vond hij een briefje op de deur. 'Zwembad niet vergeten,' stond erop, en het was getekend met de initialen HF. Een week daarvoor had Harry Flye hem opgedragen het oude zwembad uit te mesten. Het had geen brandschade opgelopen, maar er had zich in de loop der jaren een laag bezinksel ontwikkeld die de bergen rotzooi aan het oog onttrok die erin waren gegooid door de generaties zwervers en trekkers die er een poosje hadden overnacht voordat ze verder waren getrokken. Nu het onkruid was gemaaid, was dit Horns volgende project.

Hij trok zijn werkkleren aan, hees een oud, opgevouwen stuk zeildoek over zijn schouder, pakte een spade en liep naar het zwembad. In het diepe gedeelte stond de gedroogde modder een halve meter hoog. Hij begon te graven, gooide spaden vol over zijn schouder en stopte af en toe om een stuk afval uit de modder te plukken en op het zeil te gooien. De berg troep groeide gestaag. Lege sigarettendoosjes, bier- en whiskyflessen, blikken waarin ooit bonen, tomaten, soep of perzikpartjes hadden gezeten. Voddige kleding. Een lekke voetbal. Verkoolde overblijfselen van kampvuren.

Na drie uur had hij het grootste deel van de modder uit het zwembad geschept en was het kleed met inhoud bijna te zwaar om terug naar de blokhut te slepen. Hij zou het later met de auto naar een van de grote stortplaatsen bij de snelweg aan de andere kant van de canyon brengen, besloot hij.

Hij nam een bad en trok een fles bier en een blik stamppot open. Na de maaltijd zette hij zijn bord in de spoelbak, veegde zijn handen schoon aan een theedoek en ging naar de woonkamer, waar hij wat platen op de wisselaar van zijn koffergrammofoon legde. Ze waren allemaal van Jimmy Rodgers, 'de zingende remmer', die in de jaren twintig zes jaar had gezongen en toen was overleden. Horn zat op de veranda te schommelen en te roken, luisterend naar 'Blue Yodel no. 9' en langzaam bier drinkend.

Hoe kon het dat hun zo goed begonnen huwelijk zo slecht was afgelopen? Hij wist dat hij van haar had gehouden en zij van hem. Waar was het misgegaan? Was de drank de grote boosdoener geweest? Horn had een handvol herinneringen aan zijn leven die bijna te beschamend waren, te pijnlijk om op te halen. Die tijd in Cassino was er een van. En de slechte perioden met Iris. En de verdrietige. En de agressieve. Vandaag had hij stiekem naar haar linkerarm gekeken, de blote huid tussen haar handschoen en haar elleboog, om te zien of hij er anders uitzag dan de rechter. Wat natuurlijk niet het geval was, maar hij wist dat als hij met zijn duim over de pees onder haar elleboog zou wrijven, hij het uitsteeksel van een gebroken, niet goed genezen bot zou kunnen voelen. En zich herinneren hoe het was gebroken.

Een van de ergste herinneringen was die aan de laatste keer dat hij Clea had gezien. Hij had een dag de tijd gekregen om zijn zaken te regelen voordat hij zich moest melden voor de tocht naar de gevangenis in Cold Creek. Clea had zich in haar kamer opgesloten en door de dichte deur naar hem geschreeuwd. Je bent mijn echte vader ook niet eens, had ze geroepen. Geen wonder dat ik je niet kan vertrouwen. Hij had geweten dat het maar de hysterie van een jong meisje was, maar toch hadden haar woorden hem gekwetst. Hij had gedacht dat hij haar zou kunnen bewijzen dat ze ongelijk had als hij terugkwam, maar in de gevangenis had hij op een dag de brief van Iris ontvangen waarmee dat hoofdstuk van zijn leven voorgoed werd afgesloten.

Toen hij weer vrij was, had hij geen contact met Clea gezocht. Hij had zichzelf voorgehouden dat hij nog te veel haat jegens Iris koesterde, en daar zat een kern van waarheid in. Maar had hij door afstand te bewaren Clea's eigen woorden niet bevestigd – dat ze hem niet kon vertrouwen?

Clea was niet het meisje op de foto, had Iris gezegd. Ze had zeker van haar zaak geklonken. Had ze gelogen, of had ze zich gewoon vergist?

Clea was weggelopen. Het was niet de eerste keer. Ongeveer een jaar voordat hij naar de gevangenis was gegaan, had Clea hem de stuipen op het lijf gejaagd door ervandoor te gaan. Samen met een vriendinnetje, haar naam was hij vergeten, had ze de bus naar Santa Monica genomen, en daar waren ze verder gelift naar een plek aan de kust waar Iris en hij ooit een dagtochtje met Clea naartoe hadden gemaakt. Hij vermoedde waar ze zat en had twee dagen met haar foto langs de kust lopen leuren voordat hij de meisjes eindelijk in een motel had gevonden, rokend en filmtijdschriften lezend. Toen ze hem zag, had haar gezichtsuitdrukking gezegd: ik wist dat je zou komen.

De hele rit terug in de auto hadden de meiden giechelend op de achterbank herinneringen aan hun avontuur opgehaald. Hij had Clea weliswaar een preek gegeven over de gevaren van het liften, maar heimelijk bewonderde hij haar omdat ze het lef had gehad er in haar eentje vandoor te gaan. Dat had hij ook kunnen doen toen hij zo oud was. Iris ook.

Nu was ze dus weer weg. Haar moeder wilde niets met hem te maken hebben en zelfs Clea had tegen hem geschreeuwd, die laatste keer dat hij haar had gezien. Hij had nog steeds sterke vermoedens aangaande Scotty's dood, maar hoe kon hij weten of er een verband met Clea bestond? Misschien was ze er met een vriendin vandoor, leuke dingen doen die verboden waren. Uiteindelijk zou ze wel naar huis bellen of uit zichzelf terugkomen. Horn had van zijn ouders geleerd zich niet met andermans zaken te bemoeien. Waarom zou hij hierbij betrokken raken? Kon haar nieuwe vader haar deze keer niet beter gaan zoeken?

Hij bleef nog een poos buiten zitten en ging toen naar bed. Kort voor de dag aanbrak, toen de eerste vogels de stilte in de canyon begonnen te verstoren, zweefde hij half dromend weg in een herinnering aan een klein meisje, niet veel ouder dan zes, dat met een van angst en fascinatie verstard gezicht haar hand uitstak om voor het eerst in haar jonge leven een paardenhoofd te aaien. Later in de droomherinnering tilde hij haar voor zich op Raincloud. Zijn grote handen omvatten haar middel en ze schudde met haar glanzende, korenblonde paardenstaart en kraaide opgetogen toen hij de teugels pakte en met paard en meisje door de veekraal liep.

Toen kreeg haar gezicht een andere uitdrukking, en het was of ze hem om iets vroeg, en hij wilde haar beschermen tegen een gevaar dat ze geen van beiden zelfs maar konden zien. Hij voelde zijn borst verkrampen van verdriet in de wetenschap dat ze nooit meer zes zou zijn en dat niemand ooit nog op Raincloud zou rijden. Hij probeerde zich uit de droom los te maken, maar vlak voordat het hem lukte, zag hij de jongen met het smalle gezicht en het kreupele been in de verte tegen de omheining van de kraal geleund staan. De jongen keek hem aan met ogen vol treurnis en minachting.

Hij schrok zwetend wakker en ging op de veranda zitten, waar hij zag hoe de ochtendschemer de bomen zichtbaar maakte. Hij voelde dat zijn gedachten op dezelfde manier vorm begonnen te krijgen. Hij herinnerde zich wat Scotty die avond in de kamer van zijn vader had gezegd: *Ik hoop dat het goed met haar gaat.*

Hij besefte dat hij haar moest zoeken.

6

In Horns oude films had het opsporen van de slechteriken geen noemenswaardige moeite gekost; meestal ging het erom een bepaald brandmerk op een paardenflank te vinden, een kenmerkende, met de hand gemaakte holster of een hoefijzer van een pony dat een afwijkende indruk achterliet. Sierra Lane had zijn mannetje altijd binnen een paar filmspoelen te pakken. Horn daarentegen had geen specifieke politie- of rechercheopleiding gevolgd. Wel had hij na een jaar schulden innen voor de indiaan een paar dingen geleerd over het traceren van mensen.

Hij begon vroeg, meteen na het ontbijt. Hij reed welbewust langs de kust naar Santa Barbara en stopte onderweg bij alle motels, benzinestations en souvenirwinkels om naar Clea te informeren. Hij zette zijn acteursgezicht op, zoals hij het noemde, en speelde de ontredderde vader die zijn dochtertje zocht. Hij was vergeten een foto van haar mee te brengen, zei hij verontschuldigend tegen iedereen, maar ze was zestien en blond, vrij groot voor haar leeftijd, en ze zou iemand bij zich kunnen hebben. Na haar drie jaar niet te hebben gezien wilde hij niet te specifiek op haar uiterlijk ingaan, op de kleren die ze droeg of hoe haar haar zat. De meeste serveersters en motelhouders leken met hem mee te leven en niet de neiging te hebben hem uit te horen.

De rit leverde niets op. De volgende dag reed hij helemaal tot aan Laguna en deed weer overal navraag. Weer niets. Al rijdend pijnigde hij zijn hersenen om nieuwe zoekmethoden te bedenken, nieuwe wegen die hij kon inslaan. Een meisje loopt van huis weg. Waar gaat ze naartoe? Het zou helpen als hij wist waarom ze was weggelopen, maar hij nam aan dat alleen Iris hem dat kon vertellen, en die was niet erg toeschietelijk. Als Clea weg bleef, zou haar moeder zijn hulp op den duur misschien met open armen ontvangen.

Waarschijnlijk reisde ze met een vriendin of logeerde ze bij iemand, en dat hij niet wist met wie ze tegenwoordig omging, vormde een belemmering. Hij wist eigenlijk maar weinig van Clea. Toen hij haar voor het laatst had gezien, had ze van paarden, haarlinten, Edgar Bergen en Charlie McCarthy gehouden. Nu gebruikte ze waarschijnlijk lippenstift en ging ze met jongens uit, bedacht hij onbehaaglijk.

Toen hij weer thuis was, belde hij Inlichtingen en kreeg het telefoonnummer van de heer en mevrouw Fairbrass, evenals een adres in Hancock Park. Toen Iris opnam, zei hij: 'Met John Ray. Heb je al iets van Clea gehoord?'

Ze zuchtte. 'Alsjeblieft...'

'Ik maak het je niet moeilijk. Ik wil het alleen weten.'

Hij hoorde een mannenstem op de achtergrond. Iris hield haar hand even voor de hoorn en kwam toen weer aan de lijn. 'Nou, er is toch goed nieuws,' zei ze iets te opgewekt. 'Clea heeft gebeld. Ze zei dat we ons niet ongerust moesten maken en dat ze gauw thuis zou komen.'

'Waar zit ze?'

'Dat heeft ze niet gezegd, maar...' Ze zweeg abrupt. Iets in haar stem, iets dat hij altijd had kunnen horen, verried haar.

'Ik geloof niet dat je me de waarheid vertelt.'

Ze gaf geen antwoord. Hij probeerde het nog eens: 'Is ze wel echt weggelopen?'

'Ja,' zei ze zacht.

'Wil je me ook vertellen waarom?'

'Het gaat je niets aan.'

'Vertel me dan wie haar vrienden zijn.'

'Niet doen, ik moet ophangen.'

'Heb je de politie erbij gehaald?'

'Natuurlijk hebben we dat gedaan,' zei ze verbitterd. 'Waarom houd je je er niet gewoon buiten?'

'Omdat ik dat niet kan,' zei hij, en hij hing op.

Zoals de meeste mensen die in en om Hollywood hadden gewerkt, kende Horn Hollywood Boulevard als zijn vestzak, althans van het Hollywood Palms Hotel bij Vine Street tot en met Graumans Chinese Theatre, een aantal kruispunten verderop, maar hij was nog nooit bij Geigers antiquariaat geweest. Om te beginnen was hij niet dol op lezen, en daar kwam nog bij dat wat hij achter de luifel en de gordijnen voor het raam van het interieur kon zien, hem altijd aan een herensociëteit deed denken: hoogpolig tapijt, leren fauteuils en planken vol zeldzame, duur ogende boeken achter glazen vitrinedeuren. Niet de uitgelezen plek om *Dolende in de prairie* of *Het laatste huifkarrenspoor* aan te schaffen.

Scotty had hem echter verteld dat Geiger ook in meer verboden materiaal handelde, en hij hoopte uit te vinden of de oude Bullard en zijn vrienden de winkel hadden gefrequenteerd. Het was het enige nieuwe idee dat hem op dat moment te binnen wilde schieten.

Toen hij de deur opende, klingelde er een belletje, alsof hij een ouderwets theehuis betrad. Het was er koel na de hitte van de straat, en het rook naar leer, schimmelige bladzijden en pijptabak. Geen klanten, alleen een man achter de toonbank die opkeek toen Horn binnenkwam.

'Zoekt u iets speciaals?' De man, die eruitzag alsof hij voor in de veertig was, had regelmatige trekken en dunner wordend haar dat hij in Romeinse stijl naar voren had gekamd. Hij droeg een gesteven, wit overhemd met een vlinderdasje en simpele zwarte bretels. De dikke brillenglazen in het ziekenfondsmontuur gaven hem het aanzien van een kamergeleerde, maar hij leek fitter en sportiever dan de gemiddelde boekverkoper.

'Meneer Geiger?'

'Nee, meneer Geiger is overleden,' zei de man, die van achter zijn brillenglazen met zijn ogen naar hem knipperde. 'Ik ben zijn neef.'

'Ik ben Horn.' Hij stak zijn hand uit.

'Calvin St. George,' antwoordde de man, die Horns hand krachtig aanpakte. 'Gaat uw belangstelling uit naar romans of non-fictie?'

'Ach... Eerlijk gezegd weet ik niet veel van zeldzame boeken. Je zou kunnen zeggen dat ik geïnteresseerd ben in het soort dingen dat je normaal gesproken niet bij de boekwinkel vindt.'

Calvin St. George knikte bemoedigend en Horn zag een zweem van een glimlach op zijn gezicht. 'Iets speciaals?'

'Tja,' zei Horn, die zijn stem liet dalen en over de toonbank leunde, hoewel er verder geen mens te bekennen was, 'een vriend heeft zich laten ontvallen dat ik hier ongebruikelijke dingen zou kunnen vinden.'

De flauwe glimlach week niet van St. Georges gezicht, maar het was duidelijk dat hij op een nadere verklaring wachtte.

'Als hij er nog was, zou hij het vast niet erg vinden als ik hem noemde. Arthur Bullard. Heel spijtig dat hij is heengegaan. Ik kende hem al jaren. En zijn familie.'

Door de bril was St. Georges gezicht moeilijk te lezen. 'Er zijn heren die hier al een eeuwigheid komen, maar me nog nooit hebben verteld hoe ze heten.'

'Daar heb ik alle begrip voor,' zei Horn. 'Hebt u die gemaakt?' Hij wees over de schouder van de boekhandelaar naar een paar ingelijste foto's aan de wand, een portret van een jonge vrouw in badpak die tegen een grillig gevormd stuk wrakhout aan het strand leunde en nog een aan zee genomen foto, ditmaal van een vier- of vijfjarig meisje dat een strooien sombrero met een enorme rand voor zich hield. Beide zwartwitfoto's waren dramatische composities van licht en schaduw.

'Ja, toevallig wel,' zei St. George zichtbaar gevleid. 'Ik ben amateurfotograaf.'

'Ze zijn heel goed.' Horn keek op zijn horloge. 'En, denkt u dat u me kunt helpen?'

De ogen achter de glazen knipperden weer. Toen trommelde St. George licht met de vingers van zijn beide handen op de toonbank en zei: 'Gaat u toch zitten. Ik ben zo terug.'

Horn had zich nog maar net in een van de ossenbloedkleurige leren kuifstoelen laten zakken toen St. George al terugkwam. Hij hield een in leer gebonden boek in zijn beide handen, dat hij met zorg op de bijzettafel naast de stoel legde. 'Hier heb ik een Franse vertaling van de eerste vier delen van de memoires van Casanova, uitgegeven in 1890. Leest u Frans?'

'Ik lees amper, in welke taal dan ook.'

'U bent vast te bescheiden. Dit zou een waardevolle aanvulling van uw bibliotheek zijn, ook als u de taal niet vloeiend spreekt, vanwege de prachtige, met de hand bewerkte band en ook vanwege de twintig paginagrote gravures.' Hij gebaarde dat Horn moest kijken. 'Ga uw gang.'

Op de illustraties, die beschermd werden door transparant papier, was een variëteit aan atletische seksuele bezigheden te zien. De details waren aanschouwelijk.

'Mooi,' zei Horn, de bladzijden omslaand.

'Ik heb ook net een *Justine* binnengekregen die u zou moeten zien, ook in het Frans. Ik denk dat u veel interesse zult hebben voor...'

'Hebt u ook plaatjes?'

St. George keek hem niet-begrijpend aan.

'Foto's, bedoel ik.'

'Ik ben bang van niet.'

Horn haalde een van de meer expliciete jachthutfoto's uit zijn zak. 'Dit werk.'

St. George wierp er een blik op. 'Waar... eh, hoe bent u...?'

'O, die heb ik van Arthur gekregen. En nog een heel stel andere in dat genre. Ik geloof dat hij ze zelf had genomen, of een van zijn vrienden. Aangezien hij uw winkel had genoemd, ging ik er natuurlijk van uit dat u er bekend mee zou zijn.'

St. George schudde zijn hoofd. Er was niets van zijn flauwe glimlach over.

'Hebt u ooit dit soort foto's verkocht?'

'Eh, niet echt. Weet u, deze zijn... wat je hoogst ongebruikelijk zou kunnen noemen.'

'Vanwege de leeftijd van het meisje, bedoelt u?'

'Juist.'

'Maar iemand moet ze toch genomen hebben?'

'Ja, dat wel,' zei St. George geduldig, 'maar we weten toch niet of ze voor commerciële doeleinden waren?'

'Ik begrijp u niet.'

'Ze zouden uitsluitend voor privé-gebruik gemaakt kunnen zijn. Daar durf ik eigenlijk wel om te wedden. Ik kan u verzekeren dat de markt voor dit soort dingen beperkt is en zo, eh, problematisch dat je zulke foto's waarschijnlijk nergens in de stad kunt krijgen.' St. George gaf de foto terug. Hij had er geen tweede blik op geworpen.

'Tja, ik weet zeker dat ik u kan vertrouwen,' zei Horn, die opstond. 'Mag ik u mijn telefoonnummer geven? Ik weet dat de kans klein is, maar mocht u ooit meer van dit soort foto's tegenkomen, wilt u me dan bellen? Ik zal niet moeilijk doen over de prijs, als u begrijpt wat ik bedoel.'

Buiten sloeg de namiddaghitte hem in het gezicht alsof er een ovendeur werd opengezet, maar hij merkte het amper. Hij dacht aan de manier waarop St. George zijn blik vluchtig over de foto had laten glijden, bijna alsof hij hem eerder had gezien.

Heb je tegen me gelogen, Calvin? En wat voor foto's maak je nog meer?

Huize Bullard stond in Pasadena. Horn verbeeldde zich dat de huizen in de straat zacht van grote sommen geld spraken, oud en nieuw. Het was een grote, voornamelijk uit steen opgetrokken villa in een stijl die Horn ooit als Tudor had horen bestempelen. De mensen met geld hier leenden elementen uit elke architectuur die hun beviel. Van sommige kanten gezien leek het huis hier te horen, van andere leek het meer op een buitenlandse bezoeker. In het midden van de ronde oprit met grind was een vijver vol koikarpers die, herinnerde hij zich, liefdevol werden verzorgd door de Japanse tuinman. De door hoge bomen beschaduwde achtertuin liep geleidelijk af naar een lage stenen muur waarachter de grond wegviel in de Arroyo Seco, een diepe, droge kloof die westelijk Pasadena als een ongeheelde wond doorsneed.

Hij parkeerde de stoffige Ford naast een stenen leeuw met een schild, beklom de treden van het bordes en tilde de messing klopper op. Een paar tellen later deed Helen Bullard de deur voor hem open. 'John Ray,' zei ze, hem met een glimlach verwelkomend. 'Ik ben echt blij dat je kon komen.'

'Mevrouw Bullard,' beantwoordde hij haar groet. Hij nam zijn hoed af en ging naar binnen. Voorzover hij het zich herinnerde, was het pas de derde keer dat hij het huis bezocht. Arthur en Helen Bullard hadden maar weinig vrienden van Scotty aardig gevonden, en Horn had vermoed dat ze hem, als tweederangs acteur in vergetenswaardige films, een uitgesproken ongewenste gast vonden.

'Weet je, als je me wat beter had leren kennen, had je me nu waarschijnlijk al Helen genoemd,' zei ze, terwijl ze voor hem uit de twee treden naar een grote salon af liep, waar de gordijnen waren geopend om de middagzon binnen te laten. Ze bood hem een gemakkelijke stoel bij het raam aan en al snel kwam een Mexicaans dienstmeisje een blad met een karaf citroenlimonade en twee glazen brengen. Hij keek om zich heen, naar de oude boeken op de planken, de verse bloemen op de salontafel, de foto's van Helen en haar man op de piano. Ergens boven, had Scotty hem eens verteld, in een kamer waar geen gasten kwamen, hing een foto van zijn moeder als revuemeisje op Broadway. 'Pa heeft haar uit de armen van Flo Ziegfeld gegrist,' luidde Scotty's versie, 'en ze heeft nooit meer omgekeken. Hij zei tegen haar dat Californië de staat was waar mensen een nieuw leven konden beginnen, en ik mag doodvallen als zij geen nieuw leven is begonnen als de meest volmaakte gastvrouw die de stad ooit heeft gezien. Dat moet ik haar nageven,' had hij met onwillige bewondering toegegeven.

Helen Bullard was nog in de rouw, maar haar zwarte jurk was modieus, met een smalle taille en zwart fluweel langs de kraag en manchetten. Haar grijze haar zat in een strakke knot. 'Ik hoop dat je van limonade houdt,' zei ze. 'Ik had gezegd dat ik iets voor je had.' Ze reikte naar iets op tafel en gaf het hem aan. Hij dacht dat het een boek was, maar toen hij het opensloeg, zag hij dat het een leren fotolijst was. Hij herkende de foto. Scotty had hem jaren geleden gemaakt, tijdens een tocht langs de andere kant van de San Gabriels. Er stonden drie mensen te paard op: Horn, Iris en een vriendinnetje van Scotty wier naam lang geleden al in de vergetelheid was geraakt. Hij woog de lijst in zijn hand en zag hoe goed de kwaliteit van het leer was. Hoewel de foto van Scotty's gebruikelijke bedrevenheid met de camera getuigde, bleef het gewoon een kiekje, en de lijst was bespottelijk overdreven. 'Ja, heel mooi,' zei hij uiteindelijk.

'Hij zou gewild hebben dat je hem kreeg,' zei ze simpel. 'Je was zijn beste vriend.'

'Dat zal wel.'

'Soms denk ik dat we, Arthur en ik, bedoel ik, meer moeite hadden moeten doen om Scotty's vrienden te leren kennen, maar...' Ze liet het erbij, alsof ze wilde zeggen: Je weet hoe dat gaat, hè?

Waarom zou je mensen leren kennen die je voor uitschot houdt? dacht hij onwillekeurig, maar hij wist wat ze van hem verwachtte. 'Het spijt me heel erg voor u,' zei hij. 'Het kan niet gemakkelijk voor u zijn, eerst uw man verliezen en dan uw zoon.'

Ze knikte. 'In Arthurs geval waren we tenminste enigszins gewaarschuwd,' zei ze. 'Hij had al een paar lichte hartaanvallen gehad. We wisten allebei dat het eraan zat te komen. We hadden zelfs de kans erover te praten, om ons... erop voor te bereiden. Daar ben ik dankbaar voor. Maar Scotty... Ik heb me altijd laten vertellen dat er geen erger verdriet is dan dat van een ouder om de dood van een kind, en het is waar. En als je kind plotseling sterft, onverwacht, door een ongeluk... Je vraagt je af hoe God plaats voor zoiets kan hebben in de plannen die Hij voor ons maakt.'

Ze zat stijfjes op het puntje van de luie stoel, alsof ze bang was dat ze zich te zichtbaar aan haar verdriet zou overgeven wanneer ze haar rug niet recht hield. *Zij is de taaie,* had Scotty tegen hem gezegd. *Taaier dan mijn ouweheer zelfs. Als ze al zwakheden heeft, heb ik er nooit iets van gemerkt, op één ding na: ze durft geen enkel gevoel te laten blijken.*

Ze keek hem een tijdje aan, alsof ze hoopte dat hij iets zou zeggen, maar hij nipte afwachtend van zijn limonade. Ze wil iets van me, wist hij, en die foto was maar een excuus geweest om hem hier te krijgen.

Hij leegde zijn glas en ze schonk hem nog eens in. 'Heb je zin om te wandelen?' vroeg ze. 'Ik voel me zo opgesloten sinds Arthurs dood. Laten we naar buiten gaan. Neem je limonade maar mee.'

Ze leidde hem naar de achtertuin. De groene, door een tuinarchitect beplante helling liep na een meter of vijftig steil af in de gigantische *arroyo*. Horn wees naar een grote eik. 'Had Scotty daar zijn boomhuis niet toen hij nog klein was?' vroeg hij. 'De laatste keer dat ik hier was, kon je er nog stukken van zien. Hij zei dat hij daar speelde dat hij Robin Hood was en dat zijn Marian naar hem toe klom om bij hem te zijn.' Hij verzweeg de rest: *Het was de enige plek waar ik ze niet tegen elkaar hoorde gillen,* had Scotty gezegd. *Of tegen mij.*

'Ja, hij had een fantasiewereldje daarboven,' zei ze lachend. 'We probeerden hem wel naar beneden te krijgen op feestjes, om hem aan de gasten voor te stellen, maar hij was onvermurwbaar. Hoe dan ook, die hut was helemaal vervallen, niet om aan te zien gewoon. We hebben hem een paar jaar geleden weg laten halen.'

Ze pakte zijn arm toen ze over een tegelpad naar een tuinkoepel afdaalden. 'Scotty was een beetje wild in zijn jeugd,' zei ze. 'En zelfs als jong volwassene leek hij... ongericht. Maar de laatste jaren leek hij rijper te worden, zijn draai in het bedrijf te vinden. Ik ben ervan overtuigd dat hij een prima zakenman was geweest, hij had de teugels van Arthur overgenomen als hij maar...'

'... meer tijd had gekregen,' maakte Horn de zin voor haar af.

'Ja. Meer tijd.' Ze waren bij de tuinkoepel en gingen op een bank met uitzicht op de kloof zitten. In de hitte leek de zinderende lucht boven de droge geul net vuil water, en de huizen aan de andere kant waren onscherp, met vervaagde randen.

'John Ray, ik wil open kaart met je spelen,' begon ze omzichtig, met haar blik op de verte gericht. 'Mijn man had veel interesses buiten mij om, en één in het bijzonder. Ik wist ervan en ik keurde het niet goed, maar ik wist dat het belangrijk voor hem was. Begrijp je waar ik het over heb?'

'Ja, mevrouw,' zei hij. Scotty probeerde haar te beschermen, dacht hij verbaasd, maar ze wist het al die tijd al.

'Goddank,' zei ze verbeten, 'want ik weet niet of ik in staat was geweest het je uit te leggen. Ik had zo'n gevoel dat je het zou kunnen weten. Had Scotty het je verteld?'

'Ja, mevrouw.'

'Nog maar een week geleden had ik gezegd dat die kennis van jou iets verschrikkelijks was. Ik had liever gehad dat geen levende ziel ervan had geweten. Je kunt je wel indenken waarom. Ik wil dat mijn man in de herinnering voortleeft om de goede dingen die hij heeft gedaan, de dingen die hij heeft opgebouwd, en niet om... dát.' Haar stem klonk verbitterd bij het laatste woord. 'Maar nu ben ik daar niet meer zo zeker van... Iets zegt me dat als Scotty het wist, jij het ook mag weten. Ik moet er alleen zeker van kunnen zijn dat je Arthurs nagedachtenis niet zult bezoedelen. Kan ik je vertrouwen?'

Al zijn afkeer van Arthur Bullards nagedachtenis rees in zijn keel op, maar hij moest het vertrouwen van die vrouw zien te winnen. 'Ik denk dat u erop mag rekenen dat ik zal doen wat juist is,' zei hij behoedzaam.

Ze keek hem aan. 'Misschien moet ik daar maar genoegen mee nemen. Als je maar één ding goed onthoudt. Ik ben een ouwe taaie. Mij wil je niet onder je vijanden hebben. Dat weet je toch, hoop ik?'

Hij zette een overdreven bezorgd gezicht op. 'Ik ken uw reputatie, mevrouw Bullard.'

'Mooi zo.' Ze gaf een klopje op zijn arm, maar er sprak weinig genegenheid uit. 'Heb je het gevoel dat er iets niet klopte aan Scotty's dood?'

Een snuggere tante, dacht hij. 'Ja, inderdaad.'

'Ik ook. Ik ben er zelfs van overtuigd dat het geen ongeluk was. Bovendien geloof ik dat wat hem is overkomen, een gevolg is van wat hij van Arthur wist. Ik kan het niet duidelijker zeggen, en ik weet zeer zeker niet wie erbij betrokken geweest zouden kunnen zijn, wie er van Scotty's dood zou kunnen profiteren, maar mijn zoon is niet uit dat raam gevallen en al helemaal niet gesprongen.'

'Ik ben het met u eens, mevrouw Bullard.'

'Ik durf er niet mee naar de politie te gaan. Er zouden te veel vragen worden gesteld. Maar ik leg het nu aan jou voor in de hoop dat jij me kunt helpen. Kun je me meer vertellen?'

'Ik vrees van niet,' zei hij. 'Ik ben ongeveer even ver als u. We zitten met veel verdenkingen en weinig informatie.'

'Als je iets over Scotty's dood aan de weet komt, vertel je het me dan?'

Ze zag hem aarzelen en vervolgde gejaagd: 'Ik vraag nooit gunsten, John Ray. Als jij mij helpt, kan ik jou helpen.'

'Als u het over geld hebt...'

'Ik heb het over wat dan ook. Als je de mensen naar me vraagt, zullen ze zeggen dat ze me bewonderen, haten of vrezen. Maar waar ze het allemaal over eens zijn, is dat ik in de positie verkeer dat ik mensen kan helpen als ik dat wil. Vorig jaar heb ik tweehonderdduizend dollar voor oorlogswezen bij elkaar gebracht, en ik vraag me af hoeveel vrouwen in deze stad daarin waren geslaagd. Ik ben een goede vriendin. Scotty had me verteld dat je moeite had een vaste baan te vinden. Daar zou ik iets aan kunnen doen.'

'Laten we niet op de zaken vooruitlopen,' zei hij. 'Zullen we maar gewoon afwachten hoe het gaat?'

Hij wachtte haar antwoord af, maar het bleef uit. Ze keek naar de grote eik die ooit de boomhut had gehuisvest. 'Geloof jij in een herkansing, John Ray?' vroeg ze.

'Ik wíl erin geloven.'

'Misschien ben ik niet zo'n goede moeder geweest. Arthur en ik wilden allebei dat Scotty net zo sterk zou worden als wij waren. Ik denk dat we wel eens te streng voor hem zijn geweest, en telkens als we probeerden hem bij te brengen wat kracht is, maakte hij zich uit de voeten – hij ging de confrontatie nooit aan, hij liep ervoor weg. Hij maakte een grapje of trok zich terug. We wilden dat hij fier rechtop zou staan en zich verweren, maar hij boog als een rietstengel.'

'Zo ken ik hem ook,' zei Horn. 'Niemand kon zo goed ruzies ontwijken als Scotty. Hij was een geboren diplomaat.'

'Ik weet het,' zei ze. 'Is het niet triest dat ik daar geen oog voor had? Ik dacht dat hij een mislukkeling was, terwijl hij gewoon zijn eigen aard trouw bleef: een zachtaardig man, een goed mens.'

Ze pakte zijn arm, en nu voelde hij hoe belangrijk dit voor haar was. 'Dit is mijn herkansing. Ik wil tot het uiterste gaan om erachter te komen wat er met hem is gebeurd. Ik heb er alles voor over. Geloof je me?'

'Ja, mevrouw.'

'Mooi.' Ze stond op ten teken dat het bezoekuur was afgelopen. 'Bedankt dat je gekomen bent.'

7

Horn en Mad Crow zaten aan een glimmend gelakte tafel in de South Seas aan Western Avenue. Het was een doorsnee nachtclub met een bar, een stuk of twintig tafels, een podium en een dansvloertje. De inrichting was quasi-Polynesisch: bamboeschermen, serveersters met rieten rokjes en barkeepers met Hawaïhemden. Het was laat in de middag en er waren nog bijna geen klanten. Hun bier werd gebracht en ze begonnen het weg te werken.

'Het spijt me echt van Scotty Bullard,' zei de indiaan toen hij een grote teug uit zijn fles had genomen. 'Ik kende hem niet zo goed, maar ik weet dat jullie bevriend waren.'

'Dank je.'

'Had je hem nog teruggebeld?'

'Ja.' Horn aarzelde even en vertelde toen alles wat er de afgelopen dagen was gebeurd. Tegen de tijd dat hij daarmee klaar was, was de tweede ronde gebracht en zat de indiaan hem met gefronst voorhoofd en een verstard gezicht met een bijna ongelovige uitdrukking aan te kijken.

'Godverdomme,' zei hij ten slotte. 'Denk je dat er een verband is...'

'Tussen de moord op Scotty en de vermissing van Clea? O, zeker. Het is gewoon te toevallig dat hij haar foto vindt en dan op zo'n manier aan zijn eind komt. Ik kan niet bewijzen dat er een verband is, maar ik weet het zeker. Daarom moet ik haar zien te vinden.'

'Ze zeggen dat ze is weggelopen.'

'Misschien. Dat is op zich al erg genoeg. Maar ik denk dat Scotty is vermoord door iemand die iets met die foto's te maken heeft. Misschien hetzelfde gestoorde stuk stront dat vieze foto's van Clea heeft gemaakt toen ze nog een klein meisje was. Dat betekent dat er iets veel ernstigers aan de hand zou kunnen zijn dan een van huis weggelopen meisje. Misschien is ze ontvoerd, misschien hebben ze...' Hij zweeg, want hij wilde de gedachte niet afmaken.

'Ik snap het. Wil je de politie erbij halen?'

'Dat heeft Iris al gedaan. Laten zij hun werk maar doen, dan doe ik het mijne.'

'Wedden dat je haar zo weer thuis hebt?'

'Dat zou leuk zijn, hè? Weet je, ik maak mezelf niet wijs dat ze echt mijn dochter is, maar toch ben ik bezorgd om haar. Dat recht heb ik.'

'Sterkte dan maar, amigo,' zei Mad Crow. 'Ik heb haar in geen jaren gezien, maar het was altijd een leuk klein kind. Ik heb zo'n gevoel dat het niet zo erg is als je denkt, dat ze gewoon lol aan het maken is, net als die andere keer. Dat doen jongelui toch? Ze wil dat lekkere gras aan de andere kant van de schutting proeven. Ik wed om een rol pokerfiches dat ze uit zichzelf thuiskomt. Binnen drie dagen.'

'Wie weet,' verzuchtte Horn. 'Er kan van alles gebeuren met een meisje van zestien. Voor ik hierheen ging, heb ik een tijd over de pier van Santa Monica gelopen, gewoon op en neer gelopen. Ze kwam er zo graag...'

'Dat weet ik nog. Ze temde de wilde paarden van de carrousel, is het niet?'

'Ik ben er een paar keer op haar verjaardag met haar geweest. Ze wilde altijd op hetzelfde witte paard rijden, want dat had net zo'n kleur als Raincloud, zei ze. Je had haar op dat ding moeten zien zitten, hoe haar gezicht dan straalde. Hoe dan ook, daar liep ik dan zo'n beetje naar haar uit te kijken. Ik hoorde de muziek en zag de stelletjes die zich vermaakten. Maar bij elk meisje dat ik zag, dacht ik: is ze gelukkig, of zit ze in de nesten? Zijn haar ouders ongerust?' Hij drukte zijn sigaret met kracht uit.

'Kom op,' stelde Mad Crow hem onzeker gerust. 'Niet zo somber. Ik wed dat ze het reuze naar haar zin heeft. Ze is met een jongen naar Tijuana gereden...'

'Dat is níét wat ik wil horen.'

'Ook goed. Misschien is dat niet wat ze aan het doen is. Ik kan je één ding zeggen: als ik haar vader was, zou ik overwegen haar wat strakker te houden.'

'Haar in haar kamer opsluiten, bedoel je?' Horn trok een lelijk gezicht. 'Het is nog maar een kind. Voorzover ik weet, is het pas de tweede keer dat ze zoiets doet. Ze heeft de afgelopen tien jaar drie verschillende vaders gehad. Laat haar maar gewoon volwassen worden.'

Mad Crow stak zijn handen op in ik-geef-me-overstijl. 'Mij best. En hoe is het met de lieftallige Iris?'

'Ik heb haar maar een paar minuten gezien, na de begrafenis. Die vent met wie ze is getrouwd is een rijke pijpfitter uit Long Beach. Ze wonen in Hancock Park, waar het onroerend goed niet goedkoop is. Na haar pech met echtgenoot nummer een en nummer twee heeft ze nu misschien eindelijk haar fatsoenlijke burgerman aan de haak geslagen.'

'Jij was fatsoenlijk genoeg, althans tot alles in de soep liep. Naar wat ik heb gehoord, was de echte ramp nummer een, die Wesley weet-ikveel. Je bent eens over hem begonnen, maar toen raakte het bier op, naar ik me herinner.'

'Wendell. Wendell Brand. Ik weet niet veel over hem,' zei Horn. 'Ze heeft me een paar foto's laten zien. Hij zag er best aardig uit, dat ventje, maar hij had weinig persoonlijkheid of ambitie, maakte ik op uit wat Iris me vertelde. Hij vond het best om aan de balie van het Hollywood Palms Hotel te zitten destijds, toen het nog van Scotty's pa was. Hij was maar een receptionist. Kort na Clea's geboorte moet ze beseft hebben dat het een vergissing van haar was geweest om met hem te trouwen.'

'Dus toen heeft ze hem geloosd,' zei Mad Crow.

'Het jaar voordat ik haar leerde kennen. Hij was ziekelijk... Ik geloof dat ze zei dat hij tbc had. Hij verhuisde naar familie in San Francisco en een paar jaar later was hij dood. Ik weet nog dat ze naar de begrafenis ging omdat ze altijd zo goed met zijn zussen kon opschieten. Ik vond het lief van haar, alles in aanmerking genomen.'

Mad Crow staarde hem aan. 'Weet je wat ik me afvraag?'

'Jij vraagt je af,' zei Horn lijzig, 'of Wendell iets met die foto van Clea te maken had. Ik ook. Iemand moet haar naar de jachthut gebracht hebben.' Hij spande zijn kaakspieren. 'Als hij het was, is het maar goed dat-ie dood is, want anders...'

'Als Iris naar zijn begrafenis is gegaan, zag ze volgens mij geen kinderverkrachter in hem,' bracht de indiaan ertegen in. 'Trouwens, ik denk dat we niet veel kans meer hebben om erachter te komen.'

Een vrouw liep onvast van de bar naar de jukebox en gooide er een stuiver in. De zaal vulde zich met het gejengel van een Hawaïaanse elektrische gitaar. Horn trok een gekweld gezicht.

'Ik blijf maar terugkomen bij Scotty en de manier waarop hij aan zijn eind is gekomen,' zei hij. 'Stel dat Wendell en Scotty's pa met kleine meisjes speelden, dat ze foto's maakten en al die andere dingen met ze deden. Als je naar de foto's kijkt, kun je zien dat er minstens drie mannen geweest moeten zijn. Laten we het op drie houden. Dat betekent dat er nog iemand moet zijn. En aangezien ik denk dat Scotty vanwege die foto's is vermoord, betekent dat dat die derde man zich niet koest houdt, maar mensen uit de weg ruimt om hun spelletjes geheim te houden.' Niet aan Clea denken, hield hij zichzelf voor.

'Ik snap waar je naartoe wilt en ik zal je iets vertellen wat je al zou moeten weten,' zei Mad Crow vlak. 'Die films die we hebben gemaakt, waren niet echt. We hebben nooit echt slechte *hombres* met een lasso gevangen en naar de territoriale rechter gesleurd om ze te laten veroordelen. We hebben nooit vuurgevechten met veedieven in canyons gehouden. Dat waren maar verzinsels...'

'Kom op,' probeerde Horn hem de mond te snoeren.

'Ik meen het. We dachten waarschijnlijk wel dat we stoere jongens waren omdat we op snelle paarden reden en de andere kerels altijd omvielen als we ze een stomp gaven, maar we waren maar actéúrs.' Hij beklemtoonde het woord alsof Horn hardhorend was. 'Ik ben nu zakenman en ik krijg een pens van al die goede maaltijden die ik me kan veroorloven. En jij bent iemand die zich beter nergens mee kan bemoeien, *comprende*? Als je iets weet over iemand die mensen vermoordt, ga je er maar mee naar de politie.'

'Ik heb het niet zo op de politie. En waarom zouden ze naar zo'n halfzacht idee van mij luisteren?'

Mad Crow boog zich naar hem over. 'Als jij je stomme nek uitsteekt en in de problemen komt, zouden ze je wel eens opnieuw kunnen opsluiten. En wie moet mijn schulden dan voor me innen?'

Toen Horn geen antwoord gaf, keek de indiaan zoekend naar hun serveerster om zich heen. 'Ik dacht dat we hier waren gekomen om ons te amuseren,' zei hij. Hij hief zijn glas en dronk het leeg. 'Op alle echtgenoten van de lieftallige Iris,' zei hij theatraal. Hij kreeg de serveerster in het vizier, wenkte haar en bestelde er nog twee. 'En een voor Annie,' zei hij, naar de ingang wijzend.

'Annie mag niet drinken onder werktijd,' zei de serveerster.

'Geef haar dan limonade.' De zilveren armband van Mad Crow schitterde toen hij wat geld op haar dienblad legde. 'Laat maar zitten.'

Portugese Annie was de legendarische portier annex gastvrouw annex uitsmijter van de South Seas. Ze zat met haar gewicht van meer dan honderdvijfentwintig kilo op een kruk vlak achter de deur. Het eerste dat klanten zagen, was vaak de blauw met rode tatoeage van een anker op Annies enorme biceps. Als je Mad Crow mocht geloven, had ze ooit een lastige dronken man naar de andere kant van de stoep geschopt, waar hij tegen een taxi was afgeketst.

Horn had ergens opgepikt dat ze als Mary Ann Rourke ter wereld was gekomen, en ze leek het leuk te vinden als hij haar Mary Ann noemde. Hij was niet meer in de South Seas geweest sinds hij naar de gevangenis was gegaan, en toen de indiaan en hij die middag waren binnengekomen, had ze gegrinnikt en 'hallo daar, revolverheld,' tegen hem gezegd.

Hun bier werd gebracht. 'Is Mick nog steeds de baas van de tent?' vroeg Horn.

Mad Crow knikte.

'Ik hoorde dat jullie niet zo goed met elkaar overweg konden. Had ik niet beter een andere tent kunnen uitzoeken?'

'Nee, het geeft niet. We hebben het bijgelegd. Hij wilde een deel van het casino en ik wilde hem er niet bij hebben. Het was puur zakelijk. Het is al geregeld. Trouwens, hij komt hier zelden zo vroeg.' Mad Crow keek gedachteloos een voorbijkomend rieten rokje na. 'Toen je me belde, zei je dat je me iets wilde vragen.'

'Klopt. Kan ik Douglas van je lenen? Voor adressen en zo. Het zou binnen een paar dagen gepiept moeten zijn.'

Douglas Greenleaf was een van de 'huurlingen' – de neven, zwagers en verre verwanten van Mad Crow die allerlei klusjes voor hem opknapten. Hij was getrouwd met de zus van een politieman, en een van zijn gokmaten werkte bij Kentekenregistratie. Wanneer Horn op wanbetalers joeg, liet hij Greenleaf vaak een naam, kenteken of telefoonnummer natrekken.

Mad Crow aarzelde even. 'Ja, waarom ook niet?' zei hij toen. 'Als je hem maar niet overbelast, goed? Hij werkt nog steeds voor mij.'

'Weet ik. Bedankt.' Horn keek op. 'Ik geloof dat Mick zijn horloge moet laten nakijken.'

'Hm?' Mad Crow volgde Horns ogen door de zaal en zag Mickey Cohen aankomen.

'Sla de boel nou niet aan puin,' zei de gangster toen hij bij hun tafel was. 'Als jullie in een saloon komen, verbouwen jullie de tent altijd. Ik heb een paar van die films van jullie gezien. Jullie waren allebei acteurs van likmevestje.'

'Hallo, Mick,' zei Mad Crow.

'Zorgen mijn meiden goed voor jullie?' Mickey Cohen was klein en gedrongen, en hij had een rond gezicht met hamsterwangen en een mond met een cupidoboog die vloekte bij zijn uitdrukkingsloze ogen onder borstelige wenkbrauwen. Hij droeg een zijden overhemd, dichtgeknoopt tot zijn nek, een duur linnen colbert en een broek met scheermesvouwen en tweekleurige schoenen.

'Ja, hoor,' zei Mad Crow, die zich niet op zijn gemak leek te voelen.

'Ik hoorde dat je een nieuwe compagnon hebt,' zei Mick, die iets naar Mad Crows kant van de tafel overboog. Zijn rechterhand zat diep in zijn broekzak en Horn hoorde ritmisch sleutelgerammel.

'Klopt,' zei de indiaan glimlachend. 'Gewoon een zakelijke beslissing.'

'Gewoon zakelijk,' herhaalde Cohen, die met een nog steeds uitdrukkingsloos gezicht knikte. 'Misschien doen wij ook nog eens zaken.'

'Waarom niet?' Mad Crow hield zijn ogen op het tafelblad gericht en veegde met zijn servet een vochtige plek weg.

Cohen wendde zich tot Horn. 'En hoe zit het met jou? Het grote opperhoofd mag me niet. Misschien kunnen jij en ik zaken doen. Ik heb gehoord dat je een kei in het innen van schulden bent. Wil je voor mij komen werken?'

'Nee, maar bedankt voor het aanbod.'

Cohens gezicht verried niets. 'Vertoonden ze die films van jou ook in de bak, of hadden ze daar meer smaak?'

'Nee, het was er te intellectueel,' zei Horn. 'Voornamelijk oude Shirley Temple-films, zodat de jongens niet helemaal hitsig werden.'

'Ik word wel hitsig van haar,' zei Cohen. 'Ze is nu meerderjarig, maar toen ze nog te jong was, wond ze me ook al op.' Het gerammel in de broekzak werd krachtiger. 'Als ze hier ooit binnenkomt, zeg ik tegen haar dat ik iets voor haar heb.'

Horn stond op. 'Ik moest maar eens gaan,' zei hij tegen Mad Crow. 'Ga je mee?'

Buiten bleven ze bij de witte Cadillac cabrio van de indiaan staan, die blonk in het veelkleurige licht van het neonbord boven de ingang van de South Seas. De stoelen waren bekleed met pintoleer.

'Jij bent het ingetogen type, hè?' zei Horn met een knikje naar de auto.

'Jezus, man, ze verwachten het gewoon van me. Het is goed voor de zaken.'

'En, wie is je nieuwe compagnon?'

'Niemand die je kent,' zei Mad Crow schouderophalend. 'Hij komt uit Reno. En hij heeft maar een minderheidsbelang, dus de tent is nog steeds van mij. Die jongens uit Reno snuffelen al een tijdje rond, en het leek me beter om ze een vinger te geven dan zo iemand als Mick een hele hand.'

'Waarom zeg je dat nou?' zei Horn. 'Het is zo'n schat.'

'Overigens zou het geen kwaad kunnen als je beleefd tegen hem deed. Je kunt best wat meer vrienden gebruiken.'

'Misschien. Ik ben alleen niet in de stemming om iemand over minderjarige meisjes te horen praten, snap je?'

'Ja.' Mad Crow stompte hem vriendschappelijk op zijn schouder. 'Toch vraag ik me iets af. Hoe ik de lieftallige Iris ook altijd heb bewonderd, ze heeft je helemaal uitgekleed. Het verbaast me dat je haar wilt helpen. Na zo'n scheiding als die van jullie zouden sommige kerels diep verbitterd zijn.'

'Wie zegt dat ik haar help?'

'Oké, dan help je haar niet. Heb je genoeg geld?'

'Voorlopig wel. Ik heb mijn deel van die ouwe Buddy Taro nog.'

'Kom maar weer werken wanneer je eraan toe bent,' zei Mad Crow. 'En maak je geen zorgen om je dochter. Je vindt haar wel.'

'Dank je. Saluut.'

'Hé, had ik je al verteld dat ik Maggie heb gezien? Tijdens een paardenshow een paar maanden geleden, en ze zag er goed uit. Ik moest je de groeten doen. Ik wil wedden dat ze het niet erg zou vinden als je haar eens opbelde, wat bijpraten...'

Maar Horn liep al weg.

De volgende ochtend wilde hij zijn zoektocht voortzetten, maar hij voelde de druk van de klus op de heuvel die hij nog moest afmaken.

Hij kon het zich niet veroorloven Harry Flye tegen zich in het harnas te jagen en de blokhut kwijt te raken, dus werkte hij een aantal uren aan Ricardo Aguilars oude zwembad. Aan het begin van de middag had hij hem tot op het beton leeggehaald, en hij laadde het vergaarde afval in zijn auto en reed door de canyon naar een van de grote vuilcontainers langs de snelweg. Hij maakte een late lunch voor zichzelf en onder het eten schoot hem plotseling de naam van een vriend van Clea te binnen. Peter Binyon, een jongen van haar leeftijd, had met zijn ouders niet ver van het huis van de Horns in de Valley gewoond. Ze hadden vanaf hun tiende samen gespeeld, bij hem en bij haar thuis. Op hun twaalfde waren ze samen naar dezelfde middelbare school gegaan. Horn was de jongen uit het oog verloren, maar nu moest hij hem spreken.

Na een half uur belde Douglas Greenleaf hem terug met het adres en telefoonnummer. Het gezin was naar het oosten van de stad verhuisd en woonde tegenwoordig op een paar kilometer afstand van hun oude adres. Hij draaide het nummer en kreeg Peters moeder aan de lijn, een vrouw die hij nooit goed had gekend. Omdat hij niet wist hoe ze het zou vinden iets van hem te horen, maakte hij haar wijs dat hij een enquêteur van de onderwijscommissie was en een paar dingen aan haar zoon wilde vragen.

'Hij werkt deze zomer,' zei ze trots. Ze vertelde hem waar.

Hij ruimde snel op, trok een schoon overhemd aan en vertrok. Het was halverwege de middag. Het verkeer op Sunset begon aan te zwellen toen hij het centrum naderde, de stank van uitlaatgassen werd indringender en Horn werd er weer eens op gewezen hoe sterk de stad in die paar jaar was veranderd.

Voor de oorlog hadden Iris en hij een kleine ranch in de San Fernando Valley gehad met een lap grond erbij, een gazon, een wei en paardenkralen, bijna helemaal omringd door sinaasappelbomen. Destijds had het geleken of je nooit meer dan twintig minuten hoefde te rijden om de zee of onbebouwd land te zien, waar je ook was in Los Angeles. Maar toen hij uit de oorlog terugkwam, was die uitbottende adolescent van een stad die hij had gekend gerijpt tot iets groters, ruigers en rancuneuzers, waar de geur van de sinaasappelbloesem het moest opnemen tegen die van de uitlaatgassen. Een paar jaar geleden was de nieuwe, brede weg tussen L.A. en Pasadena in het noordoosten voltooid; een snelweg was het, verboden voor vrachtverkeer. Er werden er meer aangelegd, want de stad had haast gekregen.

Reed ik nu maar op zo'n snelweg, dacht hij toen hij het gemeentehuis voor zich zag opdoemen, wit en scherpgepunt, de kolos van het centrum. Twintig minuten later parkeerde hij bij een magazijn in de pakhuizenbuurt bij het spoor aan de rand van het centrum van L.A., een paar kilometer ten zuiden van de witte toren. Het magazijn was van een speelgoedfabriek. Binnen vertelde een voorman hem waar hij Peter Binyon kon vinden. Hij zag hem in een gangpad tussen hoge planken waar hij met veel moeite kratten op een handkar laadde. 'Hé, Peter,' zei hij.

De jongen, die alleen een hemd en een tuinbroek aanhad, zweette in de stilstaande lucht in het magazijn. Hij was veel groter dan Horn zich herinnerde, tien centimeter langer en met schouders die gespierd begonnen te worden. Het jonge gezicht was grover geworden, met resten van oude acneputjes.

'Ik heet Pete,' snauwde de jongen op een toon die zei: ik heb nu een stoere naam.

'Goed dan, Pete. Ken je me nog?'

Pete tuurde door zijn wimpers. 'Ja-ha,' zei hij traag. 'U bent Clea's pa.'

'Dat klopt. Kun je even pauze nemen? Ik wil je iets vragen.'

De jongen keek om zich heen. 'Ach, ja.' Ze liepen naar de schaduw van de laadzone buiten, waar tinnen speelgoedsoldaatjes uit een gescheurde kartonnen doos waren gevallen. Ze lagen op een slordige hoop, verstard in diverse vechthoudingen – granaten werpend, geweren richtend, mortieren ladend. Een van de soldaatjes plantte een vlag; de rode en witte strepen fonkelden op het metalen oppervlak. Horn bukte en pakte een officier die met zijn rechterarm naar een denkbeeldige vijandelijke stelling wees.

'Neem maar mee,' zei Pete. 'We nemen van alles mee. Ik neem ook speelgoed mee voor mijn broertje.'

'Nee, dank je,' zei Horn, en hij legde de officier terug. 'Je weet zeker wel dat ik Clea's pa niet meer ben?'

De jongen knikte wantrouwig. Waarschijnlijk weet je nog wel meer van me, dacht Horn. Hij vervolgde: 'Ik moest je moeder iets op de mouw spelden, want ik wist niet of ze het goed zou vinden dat ik met je praatte, maar de echte reden waarom ik hier ben is dat ik ongerust ben om Clea. Haar moeder heeft me verteld dat ze van huis is weggelopen, en ik wil helpen haar te zoeken. Ik hoopte dat jij misschien een idee zou kunnen hebben waar ze naartoe is gegaan, en met wie.'

De jongen lachte. 'Clea en ik zijn niet bepaald vrienden meer.'

'Hoe komt dat?'

'O, ik kreeg op den duur het idee dat haar moeder me niet mocht. Misschien vond ze me niet goed genoeg voor haar dochtertje.'

Net iets voor Iris, dacht Horn. Ze was niet snobistisch, maar voor Clea wilde ze alleen het allerbeste.

'Ging je wel eens met haar uit?'

'Eén keer.' Pete haalde een pakje Old Golds tevoorschijn en stak er een op. Hij hield de sigaret secuur tussen zijn duim en wijsvinger, alsof hij nog maar kort rookte. 'Ze zei dat het niet meer mocht van haar moeder.'

'En Clea zelf? Vond die je wel aardig?'

'Ja, ik geloof het wel. Clea was leuk, ik mocht haar graag, maar mensen groeien uit elkaar, weet u? Ik heb nu een nieuwe vriendin.'

'Fijn voor je. Met wie ging ze dan om? Wie waren het afgelopen jaar haar beste vrienden?'

Pete dacht na en schraapte met zijn schoenzool over het ruwe beton van de laadzone. 'Tja, Addie Webb, geloof ik.'

Addie. Het was een bekende naam. Adele Webb. Met haar was Clea weggelopen, die keer toen ze naar de kust waren gegaan. Een klein, knap meisje met zwart haar. Hij vroeg waar ze woonde en Pete gaf hem het adres.

'Nog meer mensen?'

'Ja.' Pete vertrok zijn gezicht tot een honende grimas. 'Die gast. Tommy weet-ik-veel. Hij was ouder. Misschien een stuk ouder. Hij zag eruit alsof hij studeerde of zo.'

'Wat moest hij met haar?'

'Weet ik niet. Ik heb gehoord dat hij een broer of zus op school had, dat hij haar zo had leren kennen. Hoe dan ook, hij kwam haar altijd van school halen. Hij had een cabrio.'

'Wat voor een?'

'Een Chrysler. Lichtblauw. Hij was een echte bink. Of dat dacht hij tenminste.'

'Weet je waar hij woonde? Of waar ze samen naartoe gingen?'

Pete schudde zijn hoofd.

'Was ze gek op hem?'
'Ja, dat zal wel.' De jongen keek verveeld. 'Misschien pasten ze wel goed bij elkaar.'
'Hoe bedoel je?'
'O, u weet wel. Misschien vond ze zichzelf te goed voor ons, wilde ze liever een oudere jongen. Iemand met een blitse auto en een fles drank onder het dashboard.'
'Dus ze dronk?'
Pete knikte. 'Ze was niet echt een wilde, maar dat probeerde ze wel te zijn, snapt u?'
'Zo te horen mag je haar niet echt.'
De jongen schokschouderde. 'Vroeger wel. Voordat ze zo arrogant werd en mensen van haar eigen leeftijd niet meer zag staan.'
'Weet je Tommy's achternaam ook?'
'Nee. Denkt u dat ze in moeilijkheden zit?'
'Het zou kunnen.'
'Hoe erg?'
'Ik wil geen paniek zaaien, maar...'
De jongen raapte een tinnen soldaatje op en keek ernaar. 'Tja,' zei hij toen. 'Vroeger vond ik haar leuk.'
'Dank je, Pete.' Horn pakte een paar zilveren dollars en gaf ze aan de jongen. 'De volgende keer dat je met je meisje uitgaat, trakteer ik.'

8

Hij reed terug door de stad, stopte in Olvera Street, waar hij een Mexicaanse maaltijd at, maakte een ommetje langs de oude gebouwen en bleef op het plein zitten tot de hitte was afgenomen. Tegen de tijd dat hij zijn afslag aan het begin van Culebra Canyon bereikte, was het bijna helemaal donker. De dichtbeboste bodem van de canyon was diepzwart rond de tunnel die zijn koplampen erin uitsneden, en hij reed langzaam, alert op overstekend wild.

Toen hij links afsloeg, de grindweg naar zijn blokhut in, streken zijn lampen langs een auto. Er was hier 's avonds zelden verkeer. Een enkel stelletje nam wel eens de moeite de hele canyon door te rijden op zoek naar een onbespied plekje, maar Horn was nerveus. Hij stopte en stuurde de Ford achteruit terug tot tien meter voorbij de andere auto, die nu recht in het licht van zijn koplampen stond.

Het was een nieuwe Packard, die half op de weg geparkeerd stond, vlak voorbij zijn afslag, met zijn neus naar hem toe en de lichten gedoofd. Er zaten twee mannen voorin.

Horn leunde uit zijn raampje en riep: 'Hé, jongens, het is niet zo slim om in het donker op de openbare weg te gaan staan. Als jullie een slaapplaats zoeken, kun je het bij het kampeerterrein een paar kilometer verderop proberen. De padvinders zitten er wel eens. Kijk maar uit naar de tenten.'

De bestuurder, een forsgebouwde man in een gekreukt lichtgewicht pak, stapte uit en liep naar Horns auto, met zijn ogen half dichtgeknepen in het licht van de koplampen. De lichten beschenen een spierwit verband dat diagonaal van zijn linkeroor naar zijn kaak liep. Toen hij bij Horns auto was, legde hij zijn vingertoppen licht op het portier en zei: 'Die man daar wil je spreken.'

Hij zei het beleefd, maar Horn rook smerissen. Of ex-militairen. Of allebei. De man straalde niet echt dreiging uit, maar meer het soort gezag dat niet hoefde te dreigen.

'Je bent toch niet van de politie?'

'Absoluut niet.'

'Waar wil hij me over spreken?'

'Dat mag hij je zelf vertellen.'

'Laat hem uitstappen, dan kan ik hem zien.'

De man grijnsde flauwtjes, liep terug naar de Packard en praatte even door het raam aan de bestuurderskant. De tweede man stapte uit, liep naar Horns Ford en bleef in het felle schijnsel van de koplampen staan.

'Meneer Horn? Ik heb geprobeerd u te bellen. Ik ben...'

'De man van Iris. Ik heb u bij de begrafenis gezien.'

'Paul Fairbrass. Ik hoop dat u het niet erg vindt dat ik u heb opgewacht.'

Horn stapte uit en liep naar hem toe. 'Wat ik wel erg vind is dat ik als een boodschappenjongen word gesommeerd,' zei hij. 'Kan ik iets voor je doen?'

Toen hij Fairbrass aarzelend om zich heen zag kijken, zei Horn: 'We kunnen hier praten. Ik had je wel binnen willen vragen, maar het is laat en ik ben niet in de stemming voor bezoek.'

Paul Fairbrass droeg een pak van goede snit, lichter van kleur dan het pak dat hij naar de begrafenis had gedragen. Hij had enigszins jongensachtige trekken en een conventioneel knap gezicht dat nogal nietszeggend was, afgezien van de ogen, die Horn nauwelijks kon zien, doordat ze onder de rand van een hoed schuilgingen. Ze leken bijna droevig onder de overhangende oogleden.

'Wie is die vriend van je?' vroeg Horn met een gebaar naar de andere man, die weer achter het stuur van de Packard was gaan zitten.

'Hij werkt voor me,' zei Fairbrass alsof het vanzelfsprekend was. 'Hij zal ons niet lastigvallen.' Er klonk ongeduld in zijn stem door. Híj wil graag degene zijn die de vragen stelt, dacht Horn.

'Goed dan.' Horn leunde op zo'n manier tegen de bumper van de Packard dat hij beide mannen in de gaten kon houden.

Fairbrass schraapte zijn keel. 'Iris weet niet dat ik hier ben. Ik doe niet graag iets achter haar rug om, maar ik geloof dat het niet anders kan. Ze heeft me verteld wat je na de begrafenis tegen haar hebt gezegd. Over Scott Bullards dood. Over de foto van het kleine meisje, het meisje dat je voor Clea aanziet...'

'Het ís Clea.'

'Ook goed. Waar het om gaat is dat ze me gisteren, nadat je had gebeld, vertelde dat je vastbesloten bent onze dochter te gaan zoeken.'

'Dat klopt,' zei Horn, 'en ik zal haar vinden ook. Om de een of andere reden schijn ik de enige te zijn die zich echt ongerust om haar maakt...'

'Dat zie je verkeerd.'

'Je bent hier met je handlanger gekomen om me op andere gedachten te brengen.'

'Nee, ik ben gekomen om te helpen.'

'Wat houdt dat in? Geloof je wat ik tegen Iris heb gezegd?'

'Ik weet het niet. Iris gelooft je niet, maar waar het mij om gaat, is dat je onze dochter zou kunnen vinden. Als dat lukte, zou ik je heel dankbaar zijn.'

'En hoe kun jij daarbij helpen?'

Horn zag vanuit zijn ooghoek dat de man in de auto een plotselinge beweging maakte; hij reikte uit het raampje om het zoeklicht van de auto aan te doen. Hij richtte het op de weg en keek geconcentreerd voor zich uit. Horn volgde de lichtbundel en zag een prairiewolf roerloos midden op de weg naar hen staan staren. Zijn ogen, die het licht reflecteerden, waren net kleine lantaarns. Het dier bleef een seconde of tien verstard in het licht staan; toen kwam het in beweging en verdween in een flits tussen de struiken.

Fairbrass lachte nerveus. 'Een van de buren?' Het was voor het eerst dat hij zijn beheerste masker liet zakken.

'Het kan hier ruig zijn,' zei Horn. 'Daarom bevalt het me hier. Ik vroeg net, hoe kun jij daarbij helpen?'

'Door je het een en ander te vertellen dat Iris niet weet. Zoals dat Clea al een paar maanden verkering heeft met een jongeman.'

'Die Tommy heet?'

Fairbrass keek hem goedkeurend aan. 'Inderdaad, Tommy Dell. Ze ging stiekem met hem om. Ik hoorde er pas van toen ze was weggelopen en ik vragen ging stellen op school...'

'Wat ben je over hem te weten gekomen?'

'In elk geval dat hij te oud voor haar was, al in de twintig. Heel aantrekkelijk, heel goed gekleed en uiterst beleefd. Ik heb de politie zijn naam en signalement gegeven en verteld wat voor auto hij had, want ze zou bij hem kunnen zijn. Een paar dagen later kreeg ik te horen dat ze de naam niet konden traceren.'

'Gebruikte hij een valse naam?'

Fairbrass knikte gegeneerd. 'Blijkbaar. Dat ze was weggelopen, was al erg genoeg, maar toen ik dat hoorde, werd ik pas goed ongerust. Ik heb er een van mijn mannetjes op gezet, Sykes, die daar in de auto zit...'

'Hoe bedoel je, "erop gezet"? Wie is die vent eigenlijk?'

'Iemand die klusjes voor me opknapt. Hoor eens, ik heb een onderneming, en soms krijg je als onderneming iets voor je kiezen. Voor de oorlog hadden we ernstige personeelsproblemen. Communisten, vakbondsleden. Eerst stakingen, toen kleine sabotageacties. Het was de Depressie, de politie had zijn handen vol. Toen heb ik dus een paar mannen zoals Sykes aangetrokken, die weten hoe je zulke dingen aanpakt.'

'Stakingsbrekers. Ik ken dat type.'

'Misschien, misschien ook niet. Sommigen, zoals Sykes, waren ex-politiemensen, huisvaders. Zij weten hoe je rechercheert, dingen aan de weet komt.'

'En het hard speelt.'

'Desnoods.'

'Ben jij ook een harde, menéér Fairbrass? Ik vraag het gewoon uit nieuwsgierigheid.'

'Als het op mijn vrouw en dochter aankomt... Ja, dan wel.'

Horn lachte zacht. 'Klinkt redelijk.' Hij mocht Iris' nieuwe echtgenoot niet bepaald, maar zijn afkeer begon minder te worden.

'Hoe dan ook,' vervolgde Fairbrass, 'ik heb Sykes een paar ideeën aan de hand gedaan. Clea had een vriendin verteld dat Tommy een keer met haar in Wilshire Avenue was gaan winkelen, dus is Sykes met haar foto de winkels af gegaan. Toen hij uit een zaak kwam, dacht hij Tommy's auto aan de overkant te zien staan. Het was puur geluk. Hij stak over om het kenteken te zien, maar net op dat moment kwam Tommy aanlopen en stapte in. Sykes kon hem tot in de Hollywood Hills volgen. Sykes is goed in het volgen van mensen, en hij was er vrij zeker van dat Tommy hem niet had opgemerkt, maar... Hij sloeg een hoek om en daar stond de auto dwars over de weg, en Tommy stond er ontspannen naast. Hij liep naar Sykes. Sykes stapte uit. Ze praatten met elkaar. Sykes zei dat hij vriendelijk was, maar duidelijk liet merken dat hij niet meer gevolgd wenste te worden. Tommy maakte zijn nagels schoon met een pennenmesje terwijl hij praatte. Hij glimlachte erbij. En midden in een zin gebruikte hij zijn mes, bliksemsnel. Hij sneed Sykes onder zijn oor. En toen was hij weg.'

'Ongelooflijk,' zei Horn met een door woede afgeknepen stem. 'Die vent die uren met haar heeft doorgebracht, die nu ook bij haar kan zijn... Hij heeft jullie bedrogen, hij is stiekem zijn gang met haar gegaan, onder een valse naam. En nu vertel je me dat hij voor de lol mensen met messen bewerkt.'

'Ik weet het,' zei Fairbrass kortaf. 'Ik weet het. Hij is gevaarlijk. Het is mijn schuld. Je begrijpt wel dat ik haar moet vinden, zeker als er een kans is dat ze bij hem is. En je begrijpt wel waarom ik niet wil dat Iris hiervan hoort.'

'En óf het jouw schuld is, verdomme,' zei Horn. 'Je had beter op haar moeten passen.'

'Wat je ook tegen me zegt, ik kan me niet nog beroerder voelen dan ik al doe.'

Horn ijsbeerde even voor de auto heen en weer, waarbij hij lange schaduwen over de weg wierp. Hij haalde diep adem en zei ten slotte: 'Hoe erg was die snee?'

'Twaalf hechtingen,' zei Fairbrass. 'En de bekleding van zijn autostoel was geruïneerd. Hij schaamt zich ervoor. Zo'n fout zal hij niet nog eens maken, zegt hij.'

'Nee, vast niet. Maar ondanks die vergissing lijkt die ouwe Sykes me beter in dit werk dan ik zou zijn. Waarom...'

'Hoor eens, Horn, Iris heeft me twee dingen over je verteld. Dat je koppig bent en dat je van Clea houdt. Ik hoop dat je ons kunt helpen haar te vinden.'

'Heeft ze je ook verteld waar ik tot ongeveer een jaar geleden heb gezeten?'

'Ja, en het kan me niks schelen. Bovendien heeft ze me verteld hoe het is gegaan. Volgens mij ben je erin geluisd.'

Horn wilde er niet op doorgaan, maar de woorden kwamen eruit voor hij er iets aan kon doen. 'Heeft ze je verteld hoe ze haar arm heeft gebroken?'

'Ik ben hier niet gekomen om daarover te praten,' zei Fairbrass met een strak gezicht. 'Als je het per se wilt weten, ik vind je niet bepaald aardig...'

'We waren allebei dronken. We hadden ruzie. Ze is gevallen. Dat je 't maar weet. Ik heb haar niet mishandeld.'

Fairbrass gaf geen antwoord. Het asfalt had de laatste hitte van de dag losgelaten en de nachtlucht begon fris te worden. Horn stapte naar zijn auto, pakte zijn colbert en trok het aan. Fairbrass, die met hem meeliep, haalde een foto uit zijn zak en gaf hem aan Horn.

'Hier heb je een foto van Clea. Ze is waarschijnlijk een paar centimeter gegroeid sinds de laatste keer dat jij haar hebt gezien. Ze kleedt zich zoals de meeste jongelui van haar leeftijd – wijde rokken, sweaters, blouses, opgerolde sokjes en meestal tweekleurige schoenen of instappers. Ze heeft lang haar en ze steekt het vaak op.' Hij zweeg even peinzend. 'Ze knipt graag foto's van paarden uit tijdschriften. Ze zegt dat ze een hond wil, en we hebben haar beloofd dat ze er een krijgt. Ze houdt van aardbeienijs en aardbeienmilkshakes.' Hij zweeg weer even. 'Haar lievelingsplekken zijn de zee en de pier van Santa Monica, denk ik, en vooral de carrousel.'

Dat wist ik al, dacht Horn. 'Heb je daar al gezocht?'

'Ja, al een aantal keer. Ze zei dat haar vriendinnen haar plaagden, want de carrousel was iets voor kleine meisjes. Zij gaan liever in de achtbaan. Maar Clea doet wat ze zelf wil. In sommige opzichten wordt ze snel volwassen, maar in andere lijkt ze het liever kalm aan te doen. Haar moeder zegt dat je van de ene dag op de andere niet weet welk meisje je te zien zult krijgen.'

'Denk je dat je haar goed kent?'

'Ik ben nog niet zo lang haar vader, maar ik doe mijn best.'

'Heb je Addie Webb al gesproken?'

'Ik heb het geprobeerd. Ik heb haar moeder aan de lijn gehad, maar die was niet erg mededeelzaam en leek me niet met haar dochter te willen laten praten. Ze liet wel los dat Addie thuis was, dus ze kan er niet met Clea vandoor zijn.'

'En haar vader?'

'Ik weet niet of die er wel is.'

'Een paar jaar geleden nog wel,' vertelde Horn. 'Addie en Clea zijn een keer samen weggelopen. Ik heb ze teruggehaald, en toen ik Addie thuis afleverde, zei hij niet eens dankjewel.'

'Aha,' zei Fairbanks effen. 'Hoe dan ook, we hebben haar niet te spreken kunnen krijgen. Misschien lukt het jou wel.'

'Ik zal het proberen. We moeten nog iets bespreken. De kans bestaat dat er iets met Clea is gebeurd.'

'Bedoel je...? Ik weet het. We onderzoeken de zaak ook in die richting. Sykes heeft alle ziekenhuizen gebeld en bij het gerechtelijk lab gevraagd of er een niet-geïdentificeerd blank meisje in het mortuarium ligt. Niets.'

'Hoe weet je of die Tommy – of iemand anders – haar niet gewoon heeft meegenomen?'

'Ontvoerd, bedoel je?' Fairbrass' gelaatsuitdrukking deed vermoeden dat het idee al bij hem was opgekomen. 'Ik ga ervan uit dat we niets met zekerheid weten, maar het lijkt me niet waarschijnlijk. Om te beginnen is ze al vaker weggelopen, en ten tweede heb ik gemerkt dat er veel spanning tussen Clea en haar moeder was. Ik kon er de vinger niet op leggen, maar het was er.'

'Hoe erg?'

'Behoorlijk erg.' Fairbrass stopte zijn handen in zijn zakken en keek een paar seconden naar de grond. 'Al vrijwel sinds ik haar vader ben, is Clea boos. Eerst dacht ik dat het door mij kwam en dat ze me vanzelf aardig zou gaan vinden, maar ze bleef boos, en ik kan niet oprecht beweren dat die woede tegen mij was gericht. Het was iets tussen die twee. Ze was met geen mogelijkheid te beteugelen...'

'En die paarden en aardbeienmilkshakes dan? Ik vind het vrij normaal klinken.'

'Ze zal ook wel normaal zijn, denk ik, afgezien van haar gedrag tegenover ons,' zei Fairbrass. 'Telkens als we probeerden grenzen aan te geven, werd het een gevecht. Ik had geen zin om de strenge opvoeder te zijn, niet toen ik er net was, maar na een tijdje drong het tot me door dat we haar geen van beiden aankonden. Ze ging 's avonds uit zonder het ons te vertellen, dat soort dingen. We vermoedden dat ze ergens met vrienden ging drinken...' Hij maakte een vaag gebaar. 'Maar goed, op een ochtend was ze gewoon... weg.'

'Goed,' zei Horn. 'Was dat alles?'

'Zo ongeveer,' zei Fairbrass. 'Alleen nog wat het me waard is.'

'We gaan het niet over geld hebben. Dit is geen werk.'

'En je onkosten dan?'

'Als ik die maak, laat ik het je wel weten. Is je mannetje Sykes er ook nog mee bezig?'

'Ja, als jij dat nodig vindt.' Fairbrass stapte in de auto en Sykes startte. 'Ik zal je niet langer ophouden.'

'Ik weet niet wanneer ik iets van me laat horen.' Horn liep naar de bestuurderskant om nog eens naar Sykes te kijken. 'Heb je ook een voornaam?' vroeg hij.

'Dewey.' Zijn verband was oogverblindend wit in de dashboardverlichting.

'Ik geloof dat ik niet zo aardig ben wanneer ik in het donker door vreemden word opgewacht.'

'Ik geloof dat ik genoeg betaald krijg om er niet mee te zitten,' zei Sykes. 'Als je maar één ding goed onthoudt.'

'En dat is?'

'Als je Tommy vindt, let dan goed op zijn rechterhand.'

Halverwege de ochtend van de volgende dag stopte Horn voor het huis van Addie Webb, een geschakelde bungalow in Echo Park in een van die appartementencomplexen die een jaar of twintig tevoren overal in L.A. als paddestoelen uit de grond schoten. De houtskeletbungalow had een groen spaandak en twee deuren aan de voorveranda, zo'n drie meter uit elkaar. Het binnenhof waaraan de rond de twaalf bungalows waren gebouwd, bestond voornamelijk uit betonnen paden met hier en daar een slecht onderhouden lapje gazon. Op het gras onder de enige boom die schaduw bood lag een half leeggelopen strandbal.

Pete Binyons routebeschrijving was vrij nauwkeurig geweest, maar de twee telefoongesprekken met Douglas Greenleaf de avond tevoren hadden zowel het exacte adres opgeleverd als de voornaam van Addies moeder, die Thelda bleek te heten.

De bungalow die Horn zocht, lag links in het tweede blok. Hij klopte aan, hoorde binnen een vrouw met stemverheffing praten, en toen ging de deur open. Thelda Webb droeg een slobberige ochtendjas en maakte een verstrooide indruk. Ze hield met een hand de deur open terwijl ze met de andere, waarin ze een sigaret hield, het haar uit haar gezicht streek. Ze keek hem zwijgend aan.

'Goedemorgen, mevrouw,' zei hij, met zijn hoed in zijn hand. 'Ik ben John Ray Horn, een vriend van de ouders van Clea Fairbrass. Ze is van huis weggelopen, en ik help mee haar te zoeken.'

Thelda Webb nam hem lichtelijk vrijpostig van top tot teen op. Ze leek een paar jaar jonger dan Horn en was aantrekkelijk op een manier die deed vermoeden dat ze er veel voor deed. Haar kastanjebruine haar – geverfd, dacht hij – was pas geborsteld en viel weelderig over haar schouders, maar ze rook naar sigaretten en iets wat Horn voor parfum van de vorige dag hield.

'Er heeft iemand gebeld...' hief ze aan.

'Haar vader.'

Ze haalde haar schouders op. 'Ik heb tegen hem gezegd dat we niet weten waar ze is.'

Horn hoorde dat ergens binnen een douchekraan open werd gedraaid. 'Is Addie thuis? Ik wil haar graag even spreken.'

De vrouw schudde haar hoofd. 'Ze is met vrienden op stap,' zei ze onverschillig. 'Tennissen of zoiets. Zo gaat het de hele zomer al.'

'Ik wil haar toch graag spreken.' Horn gaf haar een papiertje met zijn naam en telefoonnummer. 'Wilt u haar vragen of ze me wil bellen?'

De vrouw maakte geen aanstalten om het papiertje aan te nemen en haar gezicht werd nog een fractie harder. 'Weet u zeker dat het daarom gaat?'

'Ik begrijp niet wat u bedoelt.'

Ze leunde tegen de deurpost en nam een trek van haar sigaret. 'Hoor eens, ik ben het spuugzat de mannen als vliegen van haar af te slaan. Ik heb tegen haar gezegd dat ze jongens van haar eigen leeftijd moet kiezen, anders krijgt ze het met mij aan de stok. Maar het is de leeftijd, hè. Opeens is ze dol op mánnen.' Ze sprak het woord vol weerzin uit. 'Studenten. En nog ouder. Ze begrijpt niet wat voor problemen ze zich op de hals kan halen.'

Horn moest moeite doen om zijn woede in te houden. 'Mevrouw Webb, ik ben geen studentje. Ik zoek een meisje van zestien dat zelf problemen zou kunnen hebben, en ik wil alleen maar met uw dochter praten.'

'Zou kunnen. In dat geval heb ik u al gezegd dat Addie u niet kan helpen. Ze tuurde door een waas uitgeblazen rook naar hem. 'U komt me bekend voor.'

'Van een paar jaar geleden,' zei hij, 'toen u hier nog niet woonde. Clea en Addie waren er samen vandoor. Ik heb ze teruggehaald en met uw man gesproken. Waarschijnlijk hebt u me toen gezien.' Hij hoorde dat de douchekraan dicht werd gedraaid en keek langs haar heen de kleine woonkamer in. 'Is hij thuis? Misschien kan ik...'

'Meneer Webb is al heel lang weg,' zei ze emotieloos. Ze plukte secuur een draadje tabak van haar tong en keek plotseling belangstellend naar hem op. 'Nou weet ik het weer. U bent toch die cowboy?'

'Ja, dat was ik vroeger.'

'Addie heeft me eens een foto van u in een tijdschrift laten zien.' Haar blik gleed over zijn sleetse schoenen en ongestreken broek. 'U ziet er nu heel anders uit. Hoe dan ook, ze vond u geweldig. U weet wel, zo'n kalverliefde. Jammer genoeg heeft ze de kalverliefdes nu ver achter zich gelaten.'

'Ja, mevrouw.'

'Ik werk in de Coconut Grove,' vervolgde ze monter. 'Als gastvrouw. Ongelooflijk, hoeveel filmsterren daar komen. Errol Flynn was er laatst nog. En Red Skelton. U zou ook eens moeten komen.' Ze nam hem nog eens op. 'Maar de mensen kleden zich er wel voor. U weet wel, elegant.' Ze sprak het laatste woord uit alsof ze er dol op was.

'Weet ik,' zei hij. In hun eerste huwelijksjaar waren Iris en hij op oudejaarsavond in de Coconut Grove gaan dansen. Hij herinnerde zich de overdadige klanken van het orkest, de glinsterende versieringen en de confetti, en het gevoel van Iris naast zich, maar de ooit levendige herinnering was zo vervaagd dat die ook uit een ander leven kon stammen.

Hij nam afscheid van Thelda Webb. Toen ze de deur sloot, hoorde hij haar naar iemand binnen roepen: 'Moet je niet eens aan het werk? Ik wil nu in de badkamer.'

Hij stond op de treden te dralen, nog steeds kwaad om haar houding, toen hij een klein meisje op de veranda van het buurhuis opmerkte. Ze was een jaar of vijf, zes, droeg een lichtblauwe overgooier en stond met haar armen op de leuning van de veranda heen en weer te wiegen en naar hem te kijken.

'Dag,' zei hij.

'Dag.'

'Woon je hier?'

Ze knikte.

'Ken je Addie?'

Nog een knikje. 'Ze heeft me haar póéderdoos gegeven,' zei het meisje, nog steeds wiegend, haar woorden uitsprekend alsof ze een kinderliedje vormden. 'Met een spíégeltje. Omdat ze een níéuwe had gekregen. Wil je hem zíén?'

'Een andere keer misschien, moppie.' Hij liep naar het meisje toe. 'Zou je iets heel belangrijks voor me willen doen?' Hij legde het papiertje naast haar op de leuning, met een kwartje uit zijn zak erop tegen het wegwaaien. 'Het is een soort geheimpje. Als jij dit briefje aan Addie geeft zonder dat iemand het ziet, en het tegen niemand zegt, mag jij dit kwartje houden.'

Ze keek hem ernstig aan. 'Geheimpje?'

'Ja, een geheimpje. En van het kwartje mag je snoep voor jezelf kopen, of iets anders wat je wilt hebben.'

Haar ogen gleden naar het kwartje. 'Noga?'

'Ja, hoor. Hier kun je vijf brokken van kopen. Als je ze maar niet allemaal achter elkaar opeet, afgesproken?'

9

Op weg naar huis stopte Horn bij een fruitstalletje aan de Pacific Coast Highway, waar hij een watermeloen en een zak citroenen kocht. In de keuken perste hij een aantal citroenen uit, schonk het sap in een karaf en deed er water en een schep suiker bij. Hij schonk zich een glas van de limonade in, ging in de schommelstoel op de veranda zitten, liet de ijsblokjes in zijn glas draaien en nam af en toe een slokje. Laat in de ochtend was het warm op de veranda, maar er was ook schaduw, en het koude sap beet zacht in zijn keel als hij slikte.

Verse watermeloenen en limonade waren twee van die dingen die hem in zijn herinnering regelrecht terugvoerden naar het heuvelland in het noordwesten van Arkansas waar hij was opgegroeid. Zijn kleine broertje Lamar en hij jatten wel eens watermeloenen, want als je ze jatte, waren ze lekkerder. Als hun vader hen betrapte, nam hij hen mee naar de gereedschapsschuur en dan kregen ze ervan langs met zijn riem. John Ray kreeg als oudste twee keer zoveel klappen omdat hij zijn broertje op het verkeerde pad had gebracht. Hun vader beheerste de Schrift zo volkomen dat hij de betreffende passage op de maat van zijn klappen kon citeren, elke lettergreep even duidelijk, met een donderend 'amen!' tot besluit op de laatste klap.

De herinneringen zouden pijnlijk moeten zijn, maar de tijd had de wonden geheeld, besefte Horn. De riem landde vertraagd op zijn rug, en het geschreeuw van zijn vader en zijn eigen kreten klonken nu heel veraf. Ze waren pas een paar dagen geleden weer aan de oppervlakte gekomen, toen Horn Scotty had horen zeggen dat hij wraak wilde nemen op zijn vader en zich had gerealiseerd dat hij dat gevoel maar al te goed kende. Amen, broeder.

In zijn laatste brief had Lamar geschreven dat hun vader nog steeds elke zondag preekte, hoewel zijn gemeente was geslonken door de oorlog en andere veranderingen in het gehucht. Horn nam een lange, verkoelende teug. Voor een man Gods, bepeinsde hij, moest het moeilijk zijn zo'n zoon te hebben. Iemand die van huis was weggelopen, in het Sodom dat Los Angeles heette verzeild was geraakt, in de goddeloze bedrijfstak had gewerkt die de filmindustrie werd genoemd en ten slotte in de gevangenis was beland. Gedurende zijn tijd als acteur had Horn nog een poos gedacht dat zijn vader nu reden zou hebben om trots op hem te zijn, maar hij had niets van hem vernomen. Dominee Horn had de film altijd als lichtzinnigheid afgedaan, en cowboyfilms had hij vrijwel zeker geen aandacht waardig gekeurd. Horn vroeg zich af of de predikant nog steeds zo'n krachtige, vaste stem had en of zijn ouweheer nog wel eens aan hem dacht.

Hij pakte een krant van de vorige dag en bladerde hem door. Er draaide een nieuwe film met Bette Davis in de Egyptian, en Horn overwoog erheen te gaan. Enigszins tot zijn eigen verbazing was hij Bette Davis langzamerhand gaan waarderen in Cold Creek, waar de gedetineerden niets te zeggen hadden over de films die ze voorgeschoteld kregen. Toen *Jezebel* werd vertoond, was Horn, die snakte naar afleiding, ernaar gaan kijken. Hij was onder de indruk geweest van het lef van haar personage, haar vastberadenheid en haar bereidheid toe te geven dat ze zich dwaas en destructief had gedragen en het beter anders kon aanpakken. Die vrouw had hem echter geleken dan de meeste mannelijke personages die hij op het witte doek zag, en zeer zeker echter dan iedereen die hijzelf had gespeeld. Sindsdien had hij geprobeerd meer films met haar in de hoofdrol te zien, maar dat verzweeg hij zorgvuldig, en zeker voor Mad Crow. *Waar moet dat heen met jou, amigo?* hoorde hij zijn vriend al temen. *Joan Crawford? Ethel Barrymore? Tallulah Bankhead?*

Hij legde de krant weg, pakte de telefoon, belde inlichtingen-interlokaal en vroeg een nummer op. De telefoniste zei dat ze hem terug zou bellen. Hij wachtte rokend op de veranda en luisterde naar Rose Maddox op de grammofoon die begeleid door haar broers 'I Want to Be a Cowboy's Sweetheart' zong. Horn vond het een goed nummer en hij zette de naald twee keer terug naar het begin.

De telefoniste belde hem terug en verbond hem door. En een paar seconden later hoorde hij een vertrouwde stem.

'Hé, broertje van me,' zei hij.

'Hé, John Ray! Allemachtig. Ik wist dat jij het moest zijn, want ik ken verder niemand in Californië. Hoe gaat het?'

'Goed. Ik dacht: kom, ik bel eens, vragen hoe het met Sally is.'

Horn hoorde dat zijn broer zijn hand voor de hoorn hield en naar zijn vrouw gilde dat John Ray belde om te vragen hoe het met haar was. 'Ze zegt dat ze het heel aardig van je vindt.' De lijn knetterde een beetje en Lamars stem was weliswaar goed verstaanbaar, maar leek door een muur te klinken. Horn en hij leken altijd te schreeuwen als ze elkaar interlokaal spraken, alsof ze niet geloofden dat de apparatuur tegen haar taak opgewassen was. 'Ze is drie dagen geleden uit het ziekenhuis gekomen en ze loopt alweer rond. De artsen zeggen dat een blindedarmoperatie lang niet meer zo erg is als vroeger.'

'Ik ben blij dat te horen. Bedank haar voor die aardbeienjam. Met de kinderen ook alles goed?'

'We maken het allemaal uitstekend. Een paar weken geleden hebben we een van je films gezien, in Rogers.'

'Welke?'

'The Lost Mine.'

'Dat is een oudje. Ze proberen er zeker alles uit te halen wat erin zit.'

'Hij draaide samen met een Charlie Chan. We hadden ze allebei al gezien, maar er komen hier niet veel nieuwe films, zie je? De kinderen hadden hem trouwens nog niet gezien, en ze hebben zich kostelijk vermaakt. Ze hebben het vaak over je.'

'En, eh...' Waarom is het zo moeilijk? dacht Horn. 'Heb je de ouwe de laatste tijd nog gezien?'

'Ja, hoor, pas nog.'

'Hoe is het met hem?'

'Ach, ik weet niet... Hij zal wel gewoon oud worden. Hij loopt nu met een stok, had ik dat al verteld? Hij zou het niet leuk vinden dat ik het je vertelde. En ik geloof dat hij niet meer zo goed kan horen, maar hij staat nog elke zondag op de preekstoel. Sommige gemeenteleden zeggen dat hij twee keer zo hard preekt sinds hij hardhorend is geworden.'

'Hij zal wel niet meegegaan zijn naar die film.' Horn had het niet willen vragen. Het was er zomaar uitgekomen.

'Die met jou erin? Nee.' Lamar zei het zacht, en Horn moest zich inspannen om hem te verstaan. 'Maar weet je, hij gaat sowieso zelden naar de film, of er moet iets over God of Jezus draaien, dus...'

'Ik weet het. Het geeft niet.'
'Moet ik hem een boodschap doorgeven?'
'Nee,' zei Horn. 'Alleen dat je me hebt gesproken en dat ik heb gevraagd hoe het met hem was.'
'Dat zal hem goed doen,' zei Lamar, maar hij klonk niet overtuigd.
Toen hij had opgehangen, liep Horn naar de tafel naast de bank waar hij de foto had gelegd die Paul Fairbrass hem had gegeven. Het was een matte afdruk van ongeveer twaalfeneenhalf bij zeventieneneenhalve centimeter op stevig papier, en hij leek door een beroepsfotograaf gemaakt te zijn. Hij keek ernaar. Clea droeg een sweater op een blouse met een Peter Pan-kraagje. Ze keek glimlachend omhoog en naar links, en haar blonde haar vlamde bijna onder de belichting van achteren. Ze was wat je noemt een bijzonder knap meisje geworden. Ze straalde al iets uit van de vrouw die ze nog niet was, maar die al zichtbaar dichterbij kwam. Haar glimlach kwam hem nog het bekendst voor: open en vol vertrouwen, sprekend van een kleine-meisjesachtig plezier in paarden, kiezelstenen in jampotten, carrousels en sikkelmaantjes. Als je te lang naar dat gezicht kijkt, dacht hij, kan het je hart breken.
Fairbrass had gezegd dat hij haar op de pier van Santa Monica had gezocht. Horn herinnerde zich hoe ze een keer op Onafhankelijkheidsdag op een van de in opzichtige kleuren geschilderde carrouselpaarden had gereden. Ze had haar kaken op elkaar geklemd en ver opzij geleund om de koperen ring te pakken, maar ze zat er elke ronde een paar centimeter naast. 'Wacht maar tot je groter bent!' had hij haar over de kermismuziek heen toegeroepen, maar ze had alleen haar hoofd geschud en zich nog langer gemaakt.
De telefoon rinkelde.
'Meneer Horn? Met Addie Webb.'
'Addie! Wat fijn dat ik je eindelijk heb gevonden.'
'Het verbaasde me dat u me wilde spreken. Ik heb u al zo lang niet meer gezien.' Ze klonk een stuk ouder, zelfverzekerder, maar ze sprak zacht en ingehouden, alsof ze bang was dat iemand haar zou horen.
'Ja, het is lang geleden.' Ze babbelden een tijdje en toen zei hij: 'Addie, luister eens, wist je al dat Clea weg is?'
'Nee,' zei ze niet-begrijpend.
'Haar ouders zeggen dat ze is weggelopen, net als de vorige keer. Ik hoopte dat jij ons zou kunnen helpen...'

'Mijn moeder wordt wakker,' zei ze zacht. 'Ze wil niet dat ik...'
'Addie, ik moet je echt spreken.'
Hij hoorde alleen haar ademhaling. Toen zei ze gejaagd: 'Hoor eens, ik moet vanmiddag naar Malibu. Als u me brengt, kunnen we onderweg praten.'
'Ja, goed. Zal ik je thuis afhalen?'
'Nee, liever niet. Ik krijg een lift tot de Pacific Coast Highway. U kunt het daar overnemen. Weet u de benzinepomp op de hoek van Entrada en de Pacific Coast?'
'Ja?'
'Dan zie ik u daar over een uur.'

Ze droeg een zonnebril, een kort strandjurkje en espadrilles, en ze stond bij een van de pompen van het Flying A-station te wachten. Hij stopte naast haar. 'Dag, meneer Horn,' zei ze enthousiast, en ze liep naar zijn auto.
'Hallo, Addie.' Hij zou haar niet hebben herkend. Ze was groter en voller, maar er was meer. Donkere ogen met uitzinnig lange wimpers die deels schuilgingen achter lichtbruin haar dat loom à la Veronica Lake over een deel van haar gezicht viel. Als Clea's foto de komst van de vrouw aankondigde, was ze in Addies geval al gearriveerd.
Zonder het zelf te willen bekeek hij haar aandachtig. Nog steeds breed glimlachend keek ze brutaal terug, net zoals haar moeder had gedaan. Hij reikte naar het portier rechts en maakte het open. Ze liep om de auto heen en stapte in.
'Ik vind het echt leuk u weer te zien,' zei ze. 'Ik heb met wat vrienden aan het strand afgesproken. Het is niet ver.'
Hij reed de snelweg weer op en vervolgde de rit langs de kust. De zon, die bijna loodrecht boven hen stond, brandde door de kustnevel, maar een briesje van zee temperde de hitte een paar graden. Een paar bungalows balanceerden gevaarlijk tegen de kliffen die aan hun rechterhand opdoemden. De huizen hadden iets tijdelijks, alsof ze er waren neergezet door kinderen van reuzen die ze elk moment in een opwelling konden verplaatsen.
Addie maakte haar ceintuur los en draaide haar raampje open om de warme bries over haar lichaam te laten strijken. Onder haar strandjurk droeg ze een witte bikini. Haar haar werd in toom gehouden door

een eveneens witte haarband, en haar benen waren gebruind. 'Lekker,' zei ze.

'Ik heb je moeder vandaag gesproken,' zei hij. 'Ze wilde niet dat ik je zag.'

'Ik mag van haar niemand zien,' zei ze luchtig. 'De laatste tijd is het helemaal erg. Ze wil dat ik haar kleine Adele blijf, maar die ben ik niet meer. Ze probeert alle jongens weg te jagen...'

'Ze maakt zich niet alleen ongerust om jongens.'

'Ze is jaloers,' zei Addie, en Horn hoorde voldoening in haar stem. 'Ze denkt dat ik haar vriendjes wil afpakken.'

'Doe je dat ook?'

Ze snoof minachtend. 'Ik kan wel wat beters krijgen. Ze heeft nu iemand die auto-onderdelen verkoopt.' Ze giechelde. 'En smakt onder het eten.'

'Heeft ze die in de Coconut Grove leren kennen?'

'Weet niet. Ze heeft zeker verteld dat ze daar gastvrouw is?'

'Ja.'

'Nou, ze is serveerster,' zei Addie. 'Behalve op zaterdagavond, want dan loopt ze met de sigaretten.' Ze leunde achterover in haar stoel en keek hem zijdelings aan. Haar glimlach had iets boosaardigs. 'Ik ben met Clea en een stel anderen van school naar een van uw films geweest. We vonden u ontzéttend leuk.'

'Dat doe ik niet meer,' zei hij. 'Het was gewoon werk, en trouwens, geen mens neemt zulke dingen serieus.' Behalve degenen die ze wél serieus nemen, dacht hij erbij, en hij zag de jongen met het verschrompelde been op de veranda weer voor zich.

'Clea wel.'

'Een tijdje, misschien. Toen ze ouder werd, begon ze het gênant te vinden dat haar vader cowboys speelde. Ze had liever Tony Martin gehad, of John Payne, misschien. Ze had hun foto's aan haar muur hangen.'

'Ze is nog niet thuis, zei u?'

'Dat klopt, Addie. Je moet me alles vertellen wat je kunt bedenken dat me zou kunnen helpen haar te vinden. Vrienden bij wie ze zou kunnen zijn, plekken waar ze naartoe zou kunnen gaan, alles.' Toen ze geen antwoord gaf, vervolgde hij: 'Die Tommy Dell. Ze zou bij hem kunnen zijn. Ken jij hem?'

'Ik ken hem wel.' Ze zei het zacht. 'Het is een griezel.'
'Weet je waar hij woont?'
'Nee, waarom zou ik?'
'Kun je bedenken hoe we achter zijn adres kunnen komen?'
Ze dacht na, klapte plotseling in haar handen en leunde naar voren. 'Dat weet ik precies. Kent u Central Avenue?'
'Ja zeker.' Central Avenue was het Harlem van L.A., dé plek om naartoe te gaan als je naar muziek wilde luisteren, dansen en je buiten de platgetreden paden vermaken. Iris en hij hadden er leuke avonden beleefd.
'Nou, het schiet me net te binnen,' zei ze ademloos. 'Tommy heeft een keer tegen Clea gezegd dat hij zaken deed met een paar nachtclubs daar. Ik weet niet wat hij precies bedoelde, maar hij zei dat hij er vaak kwam. Zoals hij het zei, klonk het alsof... Ik weet het niet, ik heb er altijd eens naartoe gewild. We zouden vanavond kunnen gaan.'
'We?'
'Ja, tuurlijk. Er komen toch zat blanken? Ze zeggen dat ze daar de beste muziek hebben. U houdt toch wel van jazz?'
'Er zijn heel veel clubs aan Central.'
'We kunnen hem club voor club zoeken.'
'Ik weet niet of je wel mee moet gaan, Addie.'
'Doe niet zo stijf, meneer Horn. Iemand moet Tommy toch voor u aanwijzen? En trouwens, u zou minder opvallen als u met een vrouw was. Ik kan uw afspraakje zijn.' Ze giechelde. 'Uw zogenaamde afspraakje. O!' Ze wees naar links. 'Hier. Hier moet ik eruit.'
Hij stopte in de berm. Ze sprong uit de auto en holde naar de bestuurderskant. Links van hen lag de Stille Oceaan uitgestrekt, blauw en indolent onder de zon. Het strand, dat rimpelde als een tweede zee, liep glooiend van de weg af en eindigde vijftig meter verderop, waar tere schuimkopjes aan het zand knabbelden. Aan de strandkant van de weg stonden een paar huizen, krotten eigenlijk, en door een brede opening tussen twee van die krotten zag Horn een groep jongeren op strandlakens liggen. Een van hen zag Addie en zwaaide.
Ze legde haar hand licht op zijn arm. 'Nou?' vroeg ze.
'Goed,' zei hij, 'maar denk erom: als we hem vinden, ga ik hem waarschijnlijk achterna, en dan zal ik je in een taxi moeten zetten.'
'Nee! Dan mis ik het leukste gedeelte.'
'Addie, het is te gevaarlijk.'

'Tommy? Er is niets gevaarlijks...'

'Ik weet dingen van hem die jij niet weet. Als we het niet op mijn manier doen, vrees ik dat je niet met me mee kunt.'

Ze trok een zuur gezicht. 'Goed dan, maar ik vind het onzin.'

Iemand in de verte riep haar naam.

'Je vrienden wachten op je,' zei hij. 'Vanavond, zeven uur. Moet ik bij je aanbellen, alsof we echt een afspraakje hebben?'

'Ben je gek?' zei ze. 'Ik wacht wel buiten.'

Horn reed naar huis en pakte een fles bier uit de koelkast. Het was te warm om buiten te zitten, dus deed hij zijn schoenen uit en ging op zijn slaapbank liggen nippen en nadenken over wat hij aan de weet was gekomen. Fairbrass' verhaal over wat zijn mannetje Sykes was overkomen maakte Horn misselijk. Hij hoopte vurig dat Clea de bloemetjes buitenzette met leeftijdgenoten in plaats van zich op te houden in het gezelschap van zo'n agressieveling, maar voorlopig was Dell zijn enige aanknopingspunt. Hij hoopte hem snel als mogelijkheid te kunnen wegstrepen en door te gaan.

Hij werd doezelig van de hitte. Waar ben je, meisje? dacht hij. Bij wie zit je nu? Heb je het naar je zin? Heb je honger? Pijn? Wil je naar huis? Weet je dat ik naar je op zoek ben?

Hij dommelde weg. Toen hij wakker werd, was de veranda beschaduwd en de hitte iets gezakt.

Rond half zeven friste hij zich op en legde zijn goede pak klaar. Het was tijd om te gaan stappen.

Addie stond op de stoep voor de bungalows op hem te wachten. Toen ze instapte, nam hij haar bewonderend op. Ze droeg een smaragdgroene zijden jurk met een strak aangehaalde ceintuur, zwarte schoenen met hoge hakken en enkelbandjes en een vervaarlijk scheefstaand hoedje.

'Wat ziet u er mooi uit, meneer Horn,' zei ze geanimeerd toen ze zich in haar stoel nestelde. Ze verstelde de achteruitkijkspiegel om haar lippenstift en make-up te inspecteren. Hij moest toegeven dat ze een indrukwekkende metamorfose had ondergaan.

'Jij ook,' zei hij toen ze wegreden, 'maar ik hoop dat je niet van plan bent te gaan drinken.'

'Doe niet zo vervelend,' zei ze vrolijk. 'Ik ben al achttien, hoor. Ik weet dat u me niet gelooft, maar het is toch zo. Ik had wat problemen op de lagere school en ze hebben me een keer laten zitten. Ik ben een jaar ouder dan bijna iedereen die ik ken. Zodra ik mijn diploma heb, ga ik op mezelf wonen.'

'Heel fijn voor je, maar je bent nog altijd niet oud genoeg om te drinken.' Het viel hem zwaar zich Addie als jonge vrouw voor te stellen, maar haar uiterlijk hielp hem eraan te wennen. Hij ving een vleugje zoet parfum op en zag dat ze een verse gardenia op haar middel had gespeld.

'Als we Tommy tegenkomen, zou hij je dan herkennen?' vroeg hij.

'Ik denk het niet. Hij heeft me nooit zo gezien. En trouwens, ik doe deze naar beneden,' zei ze, en ze wees naar de over haar hoed geslagen voile. 'Ik word de wereldwijze dame, die uit dat nummer van Duke Ellington.' Ze zette de radio aan en begon aan de zenderknop te draaien.

'Wat is er met uw radio?'

'Hm? O, dat geknetter, bedoel je? Die radio stelt niet veel voor. Dit is een oude stuntwagen.'

'Een wat?'

'Een stuntwagen. Uit de studio waar ik werkte. Hij is opgeknapt, maar hij werd gebruikt als er auto's moesten omslaan en verongelukken en dat soort dingen. Je weet wel, voor filmseries en gangsterfilms. En als er gescheurd moest worden. Hij heeft een Mercury-motor en de ophanging is overal tegen bestand. Het hoofd van de garage van Medallion vond dat hij genoeg kilometers had gemaakt, en hij heeft hem me voor een prikje verkocht toen ik... toen ik om een auto verlegen zat.'

Ze vond een goede zender, een die ergens een dansorkest vandaan had gehaald, en de klanken van een ballade vulden de auto, een verhaal over een verloren liefde, en de tenorsaxofoons vertelden het met weemoedige stem. Ze reden door Santa Monica en Venice naar het zuidoosten van de stad. Het begon frisser te worden.

'Ik heb over uw problemen gehoord,' zei Addie. 'De hele school weet ervan. De scheiding en al het andere. Het spijt me erg voor u.'

'Dankjewel.'

Ze praatten over koetjes en kalfjes, voornamelijk dingen die Addies belangstelling hadden. Ze vertelde anekdotisch over de keer toen hij haar en Clea uit het motel aan de kust had 'gered'; 'net als in een van uw films'.

'Alleen kwam ik niet bepaald te paard.'

'Geeft niet,' zei ze. 'We waren allebei blij dat u er was. Al die sigaretten kwamen me mijn neus uit.'

Ze vertelde hem over de zangers die meisjes leuk vonden, over nieuwe dansen. Ze zei dat ze hoopte die avond met hem te dansen, en hij zei dat hij erover zou nadenken. Hij stuurde de auto over Sunset het centrum in, waar hij Broadway insloeg en verder naar het zuiden reed. Ze kwamen langs het Million-Dollar Theatre, een bioscooppaleis van vóór de Depressie. 'Mijn moeder is daar nog ouvreuse geweest,' vertelde Addie. 'Volgens haar waren de films toen spannender. Ze keek het liefst naar Clara Bow. U hebt haar gekend, hè?'

'Zo oud ben ik nu ook weer niet, Addie.'

'Weet ik,' zei ze snel, 'ik dacht alleen, omdat u...'

'En ik ben ook nooit een echte filmster geweest. Niet van het soort dat je moeder zich herinnert.'

'Dat meent u niet.'

'Ik weet niet of je het wel zou begrijpen.'

Er kwam een oude herinnering boven. Jaren geleden, kort na zijn huwelijk met Iris, was Horn een keer naar de bar van het Hollywood Palms Hotel gegaan, dat toen nog van Scotty's vader was. Het was een vermaarde drinkgelegenheid geweest, waar de toeristen vaak in de rij stonden in de hoop een beroemdheid te zien. Horn was met een vriend gekomen, een paardenverzorger die aan een paar van zijn films had meegewerkt, en ze waren allebei nog in cowboytenue. Binnen de kortste keren had Horn toeristen vermaakt met verhalen over stunts, opnamen op locatie en rodeo's.

Zoals hij daar had gestaan in zijn bestofte leren overbroek, af en toe een handtekening uitdelend, had hij zich door en door het middelpunt van die wereld gevoeld. Dat wil zeggen, totdat William Powell was binnengekomen. Nick Charles uit de 'Thin Man'-films in eigen persoon. Hij mocht zijn beste tijd dan misschien gehad hebben, het leed geen twijfel dat ze een filmster in hun midden hadden. Horns toehoorders verdwenen een voor een en verzamelden zich rond de nieuwkomer. Horn had die avond te veel gedronken, en eenmaal thuis had hij ruzie met Iris gezocht.

Hij overwoog het verhaal aan Addie te vertellen, maar zag ervan af. Als ze een bepaald beeld van hem wilde hebben, mocht dat toch?

Hij sloeg links af 40th Street in. De lucht was bijna helemaal donker toen hij een paar honderd meter verder Central inreed.

De straat was hel verlicht. Overal waar je keek wemelde het van de mensen, nachtclubs, cafés, bioscopen, cafetaria's, kappers en drogisterijen. De meeste nachtgelegenheden hadden hun deuren openstaan, en ze vingen flarden jazzmuziek op. Toen ze langs een café met open ramen reden, snoof Horn de geur van gegrild vlees op.

'Hoe vind je 't,' zei Addie opgewonden. 'Net Hollywood, maar dan nóg meer. Zullen we uitstappen?'

Hij zette de auto op een parkeerplaats om de hoek van 42nd Place, tegenover Hotel Dunbar. De gezichten op straat hadden alle kleuren tussen lichtbruin en pikzwart, en bijna iedereen was goed gekleed; de mannen in scherpgesneden pakken, de vrouwen in elegante jurken met opzichtige hoeden. Hij zag een paar 'zoot suits', pakken met een lang, wijd jasje en extreem brede schouders, een overblijfsel uit de oorlogsjaren, met uitzinnig plisseerwerk. Nu de oorlog voorbij was en stoffen dus weer volop verkrijgbaar, werden de rokken langer, een ontwikkeling die Horn met enige teleurstelling gadesloeg. Anderzijds had de wijze waarop de vrouwen van Central Avenue hun kleding droegen niets met roklengte te maken, maar alles met zwier. Bevrijd van hun dagelijkse arbeid als dienstmeisje of afwasser flaneerden ze aan de armen van hun man met een houding die zei: kijk mij eens!

Horn leidde Addie naar de Club Alabam op de hoek naast het Dunbar. Als grootste, bekendste nachtclub aan Central was het een goede plek om te beginnen.

Binnen werden ze naar een tafel gebracht. Aan de andere kant van de dansvloer – waarop hij ooit met Iris had gedanst – speelde een orkestje 'How High the Moon'. Zelfs op deze doordeweekse avond was er een groot, enthousiast aantal bezoekers. Iedereen dronk, en er hing een vertrouwde, koppige geur in de lucht, een mengeling van alcohol, pommade, parfum en sigarettenrook – en af en toe iets kruidigs. De serveerster kwam en Addie wilde bestellen, maar Horn sneed haar de pas af. 'Een glas bowl voor de dame,' zei hij. 'Veel fruit, weinig rum. En voor mij een whisky met water.'

Ze trok een lelijk gezicht naar hem, maar was kennelijk te opgewonden om kwaad te blijven. 'Kijk daar eens,' zei ze, en ze gaf hem een por. 'Dat is toch een filmster?'

'Weet ik veel,' zei hij zonder te kijken. 'Addie, denk erom waarvoor we zijn gekomen.'

'Ik weet het.' Ze verschikte haar voile en keek een paar seconden aandachtig om zich heen. Haar hoedje leek op een miniatuur van de hoed die Errol Flynn als Robin Hood had gedragen, compleet met zwierige veer, maar haar stond het schattig en vrouwelijk. 'Ik ben bang dat ik hem niet zie. Moeten we nu weg?'

'Niet meteen. Neem maar een slokje van de bowl als je wilt, maar we moeten nog veel terrein verkennen.'

Twintig minuten later stonden ze weer buiten. Ze gingen van de ene club naar de andere; soms bleven ze een tijdje binnen zitten, maar bij kleine clubs keken ze alleen even de zaal in. De namen volgden elkaar op – de Down Beat, Last Word, Memo, Oasis en zelfs de lounge van het Dunbar. Het vibreerde overal van de muziek en de geestdrift van het uitgaanspubliek, maar Tommy Dell was nergens te bekennen.

Toen ze uit een cafetaria kwamen waar ze met een broodje en een milkshake hadden gepauzeerd, wees Addie naar de overkant van de straat. 'Is dat wat?'

Ze bedoelde de Dixie Belle, die klein en sjofel tussen zijn fel verlichte buren stond, maar Horn had geen ideeën meer en begon spijt te krijgen van het uitstapje. 'Waarom ook niet?'

De Dixie Belle had een lange bar langs de rechtermuur, een klein podium achterin en geen dansvloer. Er speelde een combo dat werd aangevoerd door een mahoniekleurige man met een rond gezicht die met zijn hoofd in zijn nek en zijn ogen dicht altsaxofoon speelde. Het duurde even voor Horn 'My Funny Valentine' herkende, zo complex, ingekeerd en bijna gekweld speelde de leider. Het publiek leek helemaal in de ban van de muziek te zijn, maar Horn, die melodisch ingesteld was, ergerde zich alleen maar.

Het was te donker om veel vanuit de deuropening te kunnen zien, dus vroegen ze een tafeltje. Toen ze zaten, sprak Addie de kelner snel aan en zei: 'Een whisky met citroensap en suiker, alstublieft. En een whisky met water voor meneer.'

Hij keek haar aan, maar besloot niet lastig te doen. 'Wat een vreemde muziek,' zei Addie.

'Dat heet bebop, mevrouw,' zei de kelner. 'Vindt u het mooi?'

'Niet echt,' zei Horn voordat Addie kon antwoorden. Addie, die genoot van haar kleine overwinning op drankgebied, stak een Pall Mall op en grinnikte naar hem. Toen drong het plotseling tot haar door dat ze haar voile in brand zou kunnen steken, en ze sloeg hem om. 'Ik had hem bijna in de fik gezet,' zei ze. 'Wees maar blij dat u geen vrouw bent.'

'Kijk om je heen,' zei hij gebiedend.

Ze deed wat hij zei, nam de zaal van links naar rechts op en nog eens van rechts naar links. Opeens pakte ze zijn arm. 'Daar.'

'Niet wijzen. Gewoon zeggen.'

'Tegen de muur, aan de tafel naast het podium.'

Hij draaide zich onopvallend om. Er zaten vier mannen aan de tafel, twee blanken en twee zwarten, allemaal in donkere pakken. De besnorde blanke uiterst links, die Horn op halverwege de dertig schatte, had hoge jukbeenderen, een gespierde nek en een uitdrukkingsloos gezicht. Zijn buurman was slank en bijna aristocratisch, had achterovergekamd haar en kon bijna een tweelingbroer van Rudolph Valentino zijn. Hij praatte geanimeerd met de zwarte man naast zich.

Horn keerde de tafel de rug toe. 'Hallo, Tommy,' zei hij binnensmonds.

10

'Ik wil hem van dichtbij bekijken,' zei hij tegen Addie. 'Red je je even zonder mij?'

'Ja, hoor.' Haar ogen straalden van opwinding. 'Zeg het maar als ik iets kan doen.'

Hij pakte zijn glas en liep ermee naar de bar, die iets dichter bij de tafel was. Onderweg hield hij een kelner aan, legde een hand op zijn schouder en zei: 'Wil je een oogje op de jongedame houden? Zorg dat ze niets te kort komt.'

Hij vond een plek aan de bar op een meter of zes van de tafel, ging met zijn rug tegen het gehavende hout staan en deed of hij gedachteloos om zich heen keek. Intussen bedacht hij in grote trekken wat hij zou gaan doen. Zijn auto stond achter het volgende kruispunt. Zodra Tommy opstapte, zou hij met Addie weggaan – gewoon een stelletje dat gezellig uit is. Als Tommy naar een andere club ging, gingen zij ook. Er waren die avond zoveel blanke stellen in de clubs dat hij niet bang hoefde te zijn dat ze zouden opvallen. Als hun prooi in een auto stapte – Horn bad dat het de o, zo opzichtige Chrysler cabrio mocht zijn – zou hij Addie geld voor een taxi toestoppen, zich naar zijn eigen auto spoeden en proberen zijn doelwit terug te vinden voor het uit het zicht verdwenen was. Het plan was zacht gezegd slordig, maar hij kon niets beters verzinnen. Het alternatief was de confrontatie met Dell aangaan, en dat idee had Horn snel verworpen. Met zijn strafblad konden ze hem om het minste of geringste opsluiten.

'Hé daar.'

Een pezige, jonge kelner met een leeg blad in zijn handen nam Horn onderzoekend op, met een bijna geamuseerd gezicht. 'Ik ken u,' zei hij. 'Ik heb in de Alabam gewerkt. Uw vrouw en u...'

'Nou je het zegt,' zei Horn. 'Ik weet het weer. Gene, was het toch?'

'Dat ben ik. Eugene. En u bent meneer Horn. U hebt me een keer een handtekening gegeven.'

'Ik deel geen handtekeningen meer uit, Eugene.'

'Weet ik. Het heeft in alle kranten gestaan. Mij maakt het niks uit. U hebt me ook een paar dikke fooien gegeven.'

'Ik vrees dat ik die ook niet meer uitdeel.'

'Nou, tot ziens dan maar,' zei de jongen. Hij draaide een soort pirouette op zijn hak, met zijn dienblad in de lucht, en toen hij een volle draai had gemaakt, had hij een brede grijns op zijn gezicht. 'Geintje. Ik heb nu een dansnummer met mijn broers. We staan elke vrijdag in het Lincoln Theater. Dit doe ik erbij. O-o...' – hij tuurde de zaal in – '... een van mijn tafels heeft me nodig.'

Eugene draafde naar de tafel, nam de bestelling op en was in een mum van tijd terug. Toen de barkeeper de cocktails had gemixt, bracht hij ze naar de tafel en kwam weer terug. 'Hoe gaat het nu met u?'

'Niet al te beroerd. Mag ik je iets vragen? Ken je die blanke aan die tafel daar? De tweede van links?'

Eugene wierp een blik op de tafel. 'Die? O, ja. Ik weet zijn naam niet, maar hij komt hier regelmatig, ongeveer eens per week. Soms voor zijn plezier, soms voor zaken, zoals nu. Dan praat hij met de Creool, mijn baas, naast hem. Hij koopt, verkoopt, ik weet het niet. Daar vraag je niet naar, vat u?'

'Jazeker.'

'Als hij voor zaken komt, heeft hij zijn vriend altijd bij zich, die man die eruitziet alsof je beter geen ruzie met hem kunt krijgen. Ze drinken een glas en gaan weer weg. Als hij een dame bij zich heeft, blijft hij langer.'

Horn voelde een rilling over zijn rug lopen. 'Een dame?' Hij haalde de foto van Clea uit zijn jaszak. 'Zie je een gelijkenis?'

Eugene bekeek de foto en floot. 'Knap. Tja, ik weet het niet. Hij heeft wel eens een blonde dame bij zich gehad, maar die zag er niet zo jong uit als deze. Moeilijk te zeggen. Andere keren, andere dames. De dame die u vanavond bij u hebt...' Hij wees naar Addies tafel. Door een waas van rook zag Horn dat ze in gesprek was met een knappe, jonge zwarte man die deel uitmaakte van het gezelschap aan de tafel ernaast. Ze lachte.

'Wat is er met haar?'

‘Een van zijn dames lijkt een beetje op haar.’

‘Echt waar?’

‘Nu ja, u weet wel. Moeilijk te zeggen hier, met dit licht. En ze heeft die voile. Bovendien vind ik dat alle blanke vrouwen op elkaar lijken.’ Hij grinnikte onzeker. ‘Dat was een grapje, hoor.’ Hij keek de zaal in. ‘Ik moet bedienen.’

Horn, die maar half luisterde, knikte. ‘Dankjewel, Eugene,’ zei hij, en hij legde twee kwartjes op het dienblad van de jongen, die al wegliep.

Hij was de nieuwe informatie nog aan het verwerken toen hij zag dat de besnorde man opstond en opzij ging om zijn metgezel erlangs te laten. Tommy Dell liep naar een deur met een gordijn ervoor links van de bar en verdween. Horn zag een bordje DAMES EN HEREN aan de muur en wachtte. Na vijf minuten begon hij zenuwachtig te worden. Hij keek Addies kant op en zag dat ze nog gezellig met de snuiter van het buurtafeltje zat te kletsen. Ze had ook een nieuw drankje voor zich staan. Hij vroeg zich af of hij zich opgelucht of ongerust moest voelen.

Hij nam abrupt een besluit, liep de zaal door en duwde het gordijn opzij. Daarachter wachtte een schemerig verlichte gang van een meter of zes. Direct links van hem zag hij een deur met het opschrift PRIVÉ. Aan het eind van de gang waren nog drie deuren; twee tegenover elkaar en een derde aan het eind, die openstond, vermoedelijk om frisse lucht binnen te laten. Hij liep de heren-wc in, achter de linkerdeur, en zag dat er niemand was. Toen stapte hij door de open deur een slecht verlichte steeg in en zag een rij vuilnisbakken staan in het licht van de enige straatlantaarn, vijftien meter verderop, waar de steeg op de straat uitkwam.

Tommy Dell stond vlak bij hem tegen de muur geleund, met zijn handen in zijn zakken. Hij tuurde naar zijn schoenen alsof hij was weggedroomd op het gedempte gekerm van de sax binnen in de club.

Horn moest binnen een seconde bedenken wat hij ging doen. Ik speel een dronken man die de verkeerde deur heeft genomen, besloot hij. Hij keek doelloos om zich heen en prevelde iets.

Tommy keek op. ‘Warm binnen, hè?’ zei hij. ‘Ik zweer je dat die roetmoppen de drank met water aanlengen, maar het kan me niet schelen. Het is leuk hier, vind je ook niet?’

‘Reken maar,’ zei Horn licht lallend. ‘Goeie tent.’

'Hoe vind je die altsax?'
'Niet zo best.'
'Nee, iemand van jouw leeftijd zal wel meer van swing houden. Even denken. Miller, Goodman, James, de Dorseys. Al die big bands. Heb ik gelijk?' Tommy klonk speels, maar Horn dacht iets achter die speelsheid te horen.
'Ja, zo ongeveer.'
'Heb je vuur?' Tommy pakte een sigarettenkoker uit een binnenzak en wipte het deksel open. 'Roken?'
'Graag.' Horn liep op hem af, zijn lucifers uit zijn zak vissend. Al zijn zintuigen stonden op scherp. *Let op zijn rechterhand,* had Sykes gezegd, maar Tommy's rechterhand hield alleen de sigarettenkoker vast en zijn linker was geruststellend leeg. Hij reikte naar een sigaret, erom denkend dat hij niet te dichtbij kwam.
Een geluidje achter hem. Horn draaide zich opzij en stak afwerend zijn arm op, maar het was bijna te laat. De slag, met een ontzagwekkende kracht erachter, schampte langs zijn slaap. Horn wankelde, struikelde en viel op zijn ene knie op het gebarsten asfalt. In de korte seconde die hem nog restte, vervloekte hij zichzelf omdat hij de andere man was vergeten, die hem had beslopen terwijl Tommy hem aan de praat hield.
Toen stortte de man zich op hem. Hij haalde uit met zijn rechterarm en zwaaide ermee alsof hij een hamer vasthield, maar het was iets anders. Horn probeerde de klap met zijn linkerarm af te weren. Het voorwerp raakte de aanhechting van zijn deltaspier bij zijn bovenarm. Horn voelde een felle pijnscheut en zijn arm verslapte. De arm zakte, onbruikbaar, en Horn bleef geknield afwachten.
Zijn tegenstander overzag het resultaat en er gleed een voldane uitdrukking over zijn gezicht. Tommy kwam erbij staan. 'Geef die maar aan mij,' zei hij achteloos. 'Jij kunt wel zonder.'
De man gromde en gooide het voorwerp naar Tommy. Horn onderscheidde de omtrekken van een ploertendoder in het zwakke licht. Hij vermoedde dat er een paar pond lood in het leer was genaaid, en hij wist dat hij het zwaar ging krijgen. Je kunt iemands botten breken met een ploertendoder. En als je dat wilt en weet wat je doet, kun je er iemand mee vermoorden.
Hij worstelde zich overeind met zijn bungelende linkerarm en tastte

in zijn jaszak naar de rol pokerfiches die hij had meegebracht. Hij sloot zijn hand om de rol, die erbarmelijk licht aanvoelde. Het was alles wat hij had.

De besnorde man deed zijn colbert uit en slingerde het over het deksel van een vuilnisbak. Toen balde hij zijn gehandschoende vuisten, nam geroutineerd een vechthouding aan en viel Horn aan. Hij nam niet de moeite te dribbelen en schijnbewegingen te maken, maar begon meteen met stevige stoten en hoeken. Horn maakte zich klein, zodat de meeste stoten op zijn verdoofde schouder terechtkwamen, en wachtte op een kans om zijn rechterarm te gebruiken. Hij probeerde ook zijn tegenstander tussen zichzelf en Tommy te houden. Zodra dat hem niet lukte, zwaaide Tommy met de ploertendoder, die een paar keer pijnlijk op Horns rug en schouder landde, maar hij was kennelijk geen ervaren straatvechter. Hij leek er genoegen mee te nemen het eenzijdige gevecht voornamelijk als toeschouwer bij te wonen.

Uit zijn ooghoek zag Horn dat er mensen vanaf de straat de steeg inkeken. Hij hoorde een verontwaardigde stem roepen: 'Laat die man met rust,' maar niemand maakte aanstalten om in te grijpen.

Horn voelde een warm stroompje langs zijn rechterslaap lopen dat kleverig in zijn kraag en nek droop. Zijn linkerarm deed zeer en de stoten begonnen zijn ribben en gezicht te raken. Hij zag een opening en gooide zijn volle gewicht achter een rechtse hoek die met een voldoening schenkende bons op de kaak en nek van zijn tegenstander aankwam, die op het asfalt viel. Hij leek de grond echter nog maar nauwelijks te hebben geraakt of hij maakte een sierlijke koprol achteruit, stond weer rechtop en kwam opnieuw met geheven vuisten op Horn af.

Horn begon vermoeid te raken, maar hij dacht dat hij nog één flinke stoot kon geven. Hij ontweek een onhandige zwaai van Tommy, wachtte een fractie van een seconde en raakte de bokser toen midden op zijn zonnevlecht. Hij had een wijde uithaal gemaakt en het was een rake klap, maar verbazingwekkend genoeg maakte de man weer een koprol achterover en stond alweer. Wat zullen we nou krijgen? dacht Horn.

Hij had zich net iets te lang verbaasd. De ploertendoder trof hem in zijn rug, op de overgang tussen zijn nek en schouders, en hij ging weer door de knieën. Deze keer kon hij niet meer opstaan. Hij bleef geknield zitten, moeizaam ademhalend, en er liep bloedig speeksel uit zijn mond dat een plasje tussen zijn handen vormde.

'Ik heb genoeg lol gehad, en jij?' hoorde hij Tommy zeggen. 'Pak hem beet.'

De bokser ging achter hem staan, nam hem in een hoofdklem, pakte zijn haar en trok zijn hoofd achterover.

Horn zag Tommy aankomen. Het licht van de verre straatlantaarn ketste af op het parelmoerachtig glanzende mes in zijn hand. 'Iemand zou de politie moeten roepen,' klonk een weinig overtuigde stem uit de straat.

Tommy knipte het mes met een precieuze beweging open en boog zich naar Horn over. 'Zoek je iemand?' fluisterde hij. 'Misschien wil ze niet gevonden worden.'

Het lemmet rustte licht op Horns jukbeen, vlak onder zijn linkeroog. In een reflex kneep hij beide ogen stijf dicht, maar hij had zijn doel al gezien. Hij trok zijn ingeklemde hoofd iets naar rechts om het mes te ontwijken en liet zijn gewicht op zijn verdoofde rechterarm zakken om de linker vrij te maken. Op hetzelfde moment tastte hij met zijn linkerhand naar Tommy's ballen, vond ze en draaide er met zijn laatste restje kracht aan. De schreeuw zei hem dat dat laatste restje voldoende was.

De besnorde man smeet hem op de grond. Horn rolde zich op toen de man hem begon te schoppen.

Toen hoorde hij boven Tommy's schorre kreten uit een auto met gierende banden remmen. 'Po-lí-tie,' riep iemand vanuit de straat. 'Po-lí-tie.' Er sloeg een portier.

'Kut,' zei de man die boven hem uittorende zacht. 'De juten.' Horns enige antwoord was een gekreun. 'Kom op,' hoorde hij de man zeggen, gevolgd door schuifelende voetstappen.

Horn bleef buiten adem liggen. Hij wist niet hoeveel tijd er was verstreken toen hij weer een stem hoorde. 'Meneer?' hoorde hij. 'Kunt u zelf opstaan?'

Even later leunde hij tegen een burgerauto van de politie, nog suizebollend, tussen een massa omstanders. De politieman die hem overeind had geholpen, een rechercheur in burger, wiens partner vlakbij stond, draaide het zoeklicht van de auto en deed het aan, zodat Horn en de stoep door een felle lichtbundel werden overspoeld. Horn bleef met gebogen hoofd tegen de auto hangen terwijl de politieman hem nonchalant fouilleerde en naar zijn legitimatie vroeg.

'U weet dat u een risico neemt als u hier komt,' zei de rechercheur, die met uitgestoken hand op Horns portefeuille wachtte. Hij was ergens in de veertig en zijn stropdas reikte net niet tot zijn omvangrijke buik. Uit zijn gezicht en gedrag sprak dat hij alles al had meegemaakt. 'Bent u gerold?'

'Ik geloof van niet.'

'Twee blanken,' zei een omstander. 'Ze wilden hem doodsteken, en toen kwamen jullie.'

'Blanken? Klopt dat?'

'Ja,' zei Horn. 'Ze waren door het dolle heen.'

'Tja, je moet oppassen,' zei de rechercheur. 'U moet u door een arts laten onderzoeken.' Hij maakte de portefeuille open, keek erin en verloor van het ene moment op het andere zijn beleefde houding. 'Asjemenou. Hé, Chick, weet je wie we hier hebben? John Ray Horn. Weet je nog? Zat vroeger bij de film. Hij heeft iemand afgetuigd die maar half zo groot was als hij en ervoor gezeten. Ik kende de collega die hem heeft aangehouden, die heeft me er alles over verteld. O, ja, dit is een echte slechterik. Ja toch, cowboy?'

'Niet speciaal.'

'Nee, vanavond in elk geval niet.'

De andere politieman, die een jaar of tien jonger was, liep naar de auto en keek belangstellend naar Horns gezicht. 'Hebben ze u beroofd of zo?'

Horn begon op adem te komen en rechtte zijn rug. 'Nee, ze besprongen me gewoon,' zei hij. 'Het ging over muziek. Ik zei dat ik van swing hield en dat bebop naar vechtende katten klonk. Toen gingen ze door het lint. Ze namen hun jazzmuziek wel erg serieus, geloof ik.'

Het gezicht van de jonge politieman verried niets. 'Dat geloof ik ook.'

Horn pakte zijn zakdoek en bette het bloed van zijn slaap. Nu zijn hoofd niet meer tolde, begon het pijn te doen.

'Volgens mij lul je maar wat,' zei de rechercheur, maar hij klonk niet zeker van zijn zaak.

'Nou, maar zo is het gegaan,' zei Horn.

De rechercheur pakte een zaklamp uit de auto, liep de steeg in en liet de lichtbundel over het asfalt glijden.

'Wil je partner me mee naar het bureau nemen?' vroeg Horn aan de jonge politieman.

'Titus? O, wie weet,' was het antwoord. 'Maar ik denk dat ik het hem wel uit zijn hoofd kan praten. Weet je, als we een veroordeelde tegenkomen die onder het bloed zit, worden we achterdochtig. Mij kan het niks schelen of je een strafblad hebt. Als je vanavond geen misdaad hebt gepleegd, hoef je nergens bang voor te zijn.'

'Dank je,' zei Horn. 'Hoe heet je?'

'Loder. Hoezo?'

'Ik ben maar weinig smerissen tegengekomen die eerlijk tegen me waren, daarom.'

De forse rechercheur kwam met Horns rol pokerfiches uit de steeg terug. 'Zijn die van jou?'

'Ik zou ze kunnen hebben laten vallen, ja.'

'Dan heb je om een hoge inzet gespeeld, hm?' Hij maakte de verzegeling aan het uiteinde met zijn duimnagel los, wipte de bovenste fiche uit de rol en hield hem in het licht. 'Mad Crow Casino,' las hij. 'Werk je daar?'

'Soms.'

'Ik hou er een paar als aandenken,' zei hij, Horn de rest teruggevend. 'Misschien kan ik er een drankje voor krijgen.'

'Daar is hij, mevrouw,' zei een gespannen stem. Horn keek om en zag Addie en Eugene, de kelner.

'O, nee!' Addie pakte zijn arm. 'Nee toch. Wat is er gebeurd?'

'Dat vertel ik je nog wel,' zei hij met een blik die seinde: niet hier.

Eugene gaf hem zijn hoed, die hij binnen had laten liggen. 'Ik zag wat er gaande was,' zei hij. 'Ik ging u zoeken en toen zag ik het. Ik ben naar Central gerend. Meestal rijdt er op dit uur wel een po-lí-tieauto. Ik heb ze geroepen.'

'Dank je.'

De vlezige rechercheur gaapte Addie aan. 'We zien hier liever geen vrouwen, dame. Het is niet vertrouwd.'

'Ik ben niet bang,' zei ze. 'Ik heb een begeleider.'

'Hij kon zichzelf vanavond niet eens beschermen.'

Ze wendde zich tot Horn. 'Waarom gaan we niet gewoon weg?'

'Goed idee,' vond hij. 'Gaan jullie nog iemand arresteren?' vroeg hij aan de politiemannen.

De oudste wilde net iets terugzeggen toen er een zwarte man in een wit jasje naar hem toe kwam en zacht tegen hem begon te praten. Horn zag dat het de barkeeper van de Dixie Belle was. De rechercheur luisterde en richtte zich tot Horn. 'Ga even met me mee,' zei hij. 'Het duurt niet lang.'

Een minuut later stonden ze in de gang achter de bar van de club en klopte de rechercheur op de deur met het opschrift PRIVÉ. Hij kreeg antwoord, deed open en ging naar binnen. Even later kwam hij terug en wenkte Horn.

'Dank je, Titus,' zei de man achter het bureau tegen de rechercheur, die de kamer verliet en de deur achter zich sloot. 'Ga zitten,' zei hij tegen Horn.

Het was een klein kantoor, zonder ramen en slordig ingericht met een gehavend bureau en een paar stoelen. Het podium stond nog geen drie meter achter de muur links van Horn, zodat de vloer meetrilde met de vibraties van de bas en de drum. De dranklucht uit de zaal werkte zich door de kieren en iemand moest veel sigaren in de kleine ruimte hebben gerookt. Horn werd misselijk.

'Ik heb een beetje haast,' zei hij, terwijl hij de man opnam die Eugene de Creool had genoemd. Zijn gezicht was een volkenkundige kaart van de bayou, met scherpe jukbeenderen en een huid die bijna goudkleurig was in het licht van de plafondlamp. Zijn golvende haar glom van de pommade. Hoe zijn neus eruit had gezien was niet meer te achterhalen, aangezien het bot in de loop der jaren was vervormd door contact met vuisten of hardere voorwerpen.

'Dan zal ik niet veel beslag op uw tijd leggen,' zei de man, die met een halve dollar in zijn rechterhand speelde. 'Ik wil alleen mijn verontschuldigingen aanbieden voor wat er buiten is gebeurd. Ik heb gehoord dat ze u in de steeg hebben aangevallen. Dat bevalt me niet. Zo gaan de mensen denken dat het hier niet veilig is. Dat is slecht voor Central, begrijpt u? Slecht voor de zaken. Mag ik u iets aanbieden?' Zijn zachte, haast zijdeachtige stem contrasteerde met zijn harde gezicht. Hij was zo iemand die zijn stem niet hoeft te verheffen, dacht Horn. Soms was het een handigheidje, zachter spreken om mensen beter te laten luisteren, maar het kon ook echt zijn.

Horn schudde zijn hoofd. 'Waar is Addie?'

'De jongedame? Die redt zich wel. Een van mijn jongens zit met haar bij het podium. Ze vermaakt zich wel.'

'Ik moet...' Hij werd opeens door een duizeling overvallen en tastte naar de rand van het bureau.

'Hé, man.' De Creool stond op en hield hem in een stoel. 'Wacht even.' Hij kwam binnen een paar minuten terug met een dampende kop die hij op het bureau zette. 'Drink dat maar op.'

'Wat is dat?'

'Thee met sinaasappelschil, cichorei en van alles.' Hij glimlachte en Horn ving een flits op van wat een gouden voortand zou kunnen zijn. 'Dat gaf mijn mama me ook als ik ziek was. Ik maak het achter de bar voor mezelf en een paar vrienden. Alcohol drink ik niet meer.' Hij klopte op zijn buik. 'Maagzweer.'

Horn nam een slokje, toen nog een. 'Dank u wel.'

'En, hebt u gezien wie u te lijf gingen?'

'Jazeker,' zei Horn, die zijn beide handen om zijn kop vouwde. 'Het zijn vrienden van u. Of is "zakenrelaties" wellicht een beter woord?

'Hm?'

'Ik zag u eerder vanavond met ze praten, aan uw tafel.'

Het gezicht van de Creool werd vlak. Hij wist er niets van, dacht Horn. 'Heeft die agent u dat niet verteld?'

'Een paar blanken, zei hij, meer niet.'

'Hij was er niet bij. Het waren die twee met wie u een paar minuten geleden iets zat te drinken. Ze moesten zeker opeens weg, hm?' Horn vroeg zich af of hij er een nieuwe vijand bij had, en hij wilde deze man niet als vijand hebben. Hij wist dat hij heel snel moest beslissen of hij zijn mond verder zou houden of het hele verhaal vertellen.

Wat maakte het ook uit, hij was te moe en beurs om geheimzinnig te doen, en bovendien smaakte die thee uitstekend.

Hij leunde voorover in zijn stoel. 'Het zit zo,' zei hij, 'ik kwam hier naar mijn dochter zoeken. Ik heb niets met de politie te maken en het kan me niet schelen wat voor zaakjes u met anderen doet. Als ik van de politie was, had die vette agent met wie u zulke dikke maatjes bent wel wat beleefder tegen me gedaan.'

Dat ontlokte de Creool een glimlach, en nu wist Horn zeker dat hij goud zag blinken.

'Ze wordt vermist. Die Tommy Dell of hoe hij ook mag heten... Ik denk dat ze bij hem zit. Ze is pas zestien en hij heeft het recht niet haar bij zich te houden.' Hij haalde de foto van Clea uit zijn zak en schoof hem over het bureaublad. De Creool keek ernaar. Als hij Clea herkende, liet hij dat niet blijken.

'Tommy en zijn maat wisten dat ik ze zocht en ze hebben me er in de steeg ingeluisd. Nu zijn ze weg. Ik zou graag willen weten waar ze zitten.'

'Maar als u het aan de politie vraagt, zeggen ze het niet,' zei de Creool lijzig. Hij geeuwde en rekte zich uit. 'Omdat u een strafblad hebt.'

'Heeft-ie u dat ook al verteld? Wat nog meer?'

'O, dat u in films speelde voordat u in moeilijkheden kwam. Ik geloof dat ik er wel een paar heb gezien. Ik hou zelf meer van Bob Steele. Dat is een kleine taaie, hm? Niemand deelt zulke stoten uit als hij. Maar goed, tegenwoordig bent u dus de loopjongen van Joe Mad Crow en zijn casino.' Hij speelde nog even met de munt en gooide hem toen op het bureau. Het was geen halve dollar, maar een van de pokerfiches die de politieman had gepakt.

'Joseph,' zei Horn. 'Hij wordt liever Joseph genoemd.'

'Als die man zijn officiële naam wil gebruiken, vind ik dat ook goed.' De Creool schoof de foto terug over het bureau. 'Knappe jongedame,' zei hij. 'Maar ik kan niets voor u doen. Het zijn mijn zaken niet.'

'Wat zijn uw zaken dan wel? Heeft Tommy er iets mee te maken?'

De nachtclubeigenaar leunde achterover en deed zijn ogen half dicht, alsof hij Horn wilde bewijzen dat hij zich geen zorgen maakte. 'Mijn zaken zijn voor het grootste deel legaal, net als die van uw vriend Mad Crow, naar ik heb gehoord. En die Tommy, zoals u hem noemt, opereert doorgaans ook binnen de wet. Als u denkt dat u ons iets kunt maken, zit u ernaast.'

'Ik blijf hier terugkomen,' zei Horn. 'Tot ik hem heb gevonden.'

'O, nee, niet in mijn club.' Het klonk niet als een dreigement, maar als de constatering van een feit. 'U komt hier niet meer binnen. Mijn jongens brengen u regelrecht naar buiten. En zo niet...'

'Dan doet uw vriend Titus het wel.'

'Wie weet. Al wil ik niet de schijn wekken dat hij bij me in dienst is. Hij is gewoon een rechercheur die hier is gestationeerd, en hij heeft vrienden in de hele straat. Soms helpt hij een vriend uit de brand, u kent dat wel.'

'En zijn partner? Is dat ook een vriend van u?'

De Creool haalde zijn schouder op. 'Ik zou het niet weten.'

Horn stopte de foto in zijn zak en stond wankel op. 'Nog bedankt voor de thee.'

'U kunt dat overhemd maar beter meteen in het sop zetten,' zei de Creool zonder veel belangstelling. 'Bloedvlekken zijn hardnekkig. En zorg dat u koud water neemt. Dat heb ik ook van mijn mama geleerd.'

Horn draaide zich bij de deur om. 'Er speelt meer dan alleen een vermist meisje,' zei hij afgetobd. 'Er is ook een vriend van me dood. En er is nog meer. Ik heb iets gehoord over een groep mannen die kleine meisjes misbruiken. Seksueel. Die meisjes zijn zo jong, dat wil je niet weten. En het houdt allemaal verband met elkaar, maar ik weet niet hoe.'

'Waar hebt u het over?' De Creool hield zijn hoofd schuin en keek hem aan.

'Ik weet niet hoe ik kan bewijzen...'

'Over die jonge meisjes.' Er flikkerde iets op in de ogen van de Creool. Was het belangstelling?

Horn leunde tegen de deurpost. 'Ik heb foto's die ze hebben gemaakt,' zei hij. 'Ze zijn van verschillende leeftijden.'

'En wat heeft dat met uw vriend te maken?'

'Hij had die foto's. Ik denk dat hij daarom is vermoord.'

De Creool zweeg. Hij had even geïnteresseerd geleken, maar Horn voelde dat hij zijn aandacht kwijtraakte.

'Mijn dochter stond op een van die foto's.'

De Creool staarde even naar zijn bureau, alsof hij geen besluit kon nemen, maar toen hij weer opkeek, verrieden zijn ogen niets. 'Het spijt me dat u zich hier niet hebt geamuseerd,' zei hij. 'Rij voorzichtig als u naar huis gaat.'

'U had gezegd dat ik u mocht helpen.' Addie zat te mokken, maar ze moest er moeite voor doen, en ze was duidelijk nog in een roes van drank en opwinding. Horn was blij dat ze kon rijden. Hij zat tegen de deurstijl aan de passagierskant geleund, met bonzend hoofd en de bloedige zakdoek verfrommeld in zijn hand. Het bloeden was opgehouden tijdens zijn gesprek met de Creool.

'Je hébt me ook goed geholpen,' zei hij. 'Jij hebt hem aangewezen.'

'Het spijt me zo, meneer Horn,' zei ze. 'Ik voel me medeschuldig omdat ik u heb gevraagd...'

'Je hoeft je niet schuldig te voelen,' zei hij bijna onverstaanbaar door zijn gekneusde lippen. 'Jij kon er niets aan doen.'

'U moet naar een dokter. Uw overhemd zit onder het bloed.'

'Nee, dat hoeft niet. Het lijkt erger dan het is. Toen ik nog op rodeostieren reed, lang geleden, heb ik de nodige botten gebroken. Zo erg was het vanavond niet. Ik heb morgen overal pijn, maar dat is alles.'

'We hebben Tommy in elk geval gevonden.'

'Zo meteen rechtsaf, Broadway in.' Hij zuchtte. 'Ja, al heeft het niks opgeleverd. Ik moet weten waar die vent woont, en dat weet ik nog steeds niet.' Hij deed zijn ogen dicht. 'Ik ben nog geen stap dichter bij Clea, maar ik heb nu tenminste het gevoel dat ik die Tommy ken. Misschien kan ik hem de volgende keer vóór zijn.'

Ze reden zwijgend door tot ze bij haar huis stopte.

'Dankjewel, Addie. Ik kan zelf wel thuiskomen.' Ze stapte uit en hij schoof achter het stuur. 'Je zult een tijdje niets van me horen. Het was vanavond iets te gevaarlijk.' Hij wees naar zijn overhemd. 'Voor ons allebei. Maar ik stel je hulp zeer op prijs.'

'Oké,' zei ze. Met het licht van de straatlantaarn achter zich leek ze plotseling ouder, alsof ze in de loop van de avond in haar uitgaanskleding was gegroeid. Hij herinnerde zich hoe ze er vanaf de andere kant van de zaal had uitgezien toen ze lachend haar glas whisky hief, omhuld door rook en jazzmuziek.

'Welterusten,' zei hij.

Ze plukte geeuwend de gardenia van haar middel. 'Moet je zien,' zei ze met gefronst voorhoofd. 'Hij wordt nu al bruin.' Ze liet de bloem op straat vallen. 'Welterusten, meneer Horn.'

'Addie,' zei hij terwijl hij startte, 'we hebben vanavond zoveel lol gehad dat je me voortaan wel John Ray mag noemen.'

11

De volgende ochtend liet Horn het bad vol warm water lopen en bleef er lang in liggen om de stramheid uit zijn spieren te weken. Hij ontdekte lelijke bloeduitstortingen in allerlei kleurschakeringen op zijn ribben, schouders en rug en ter hoogte van zijn nieren – die laatste had hij ongetwijfeld aan de afscheidstrappen van zijn tegenstander te danken. Onder het scheren bekeek hij zijn opgezette gezicht. 'Je zou filmster moeten worden,' zei hij door zijn gezwollen lippen tegen zijn spiegelbeeld. De wond die de ploertendoder bij zijn rechterwenkbrauw had gemaakt, was het ergst. Nu hij niet meer bloedde, was hij met een dikke, donkere korst bedekt. Een paar hechtingen zouden geen kwaad kunnen, maar hij had geen zin om tijd uit te trekken om een arts te zoeken. In plaats daarvan drukte hij een strak gevouwen rechthoek verbandgaas op de wond en bevestigde die met diverse lagen hechtpleister. Toen keek hij naar zijn overhemd. De bloedvlek op het boordje en de spatten daaronder waren donker en stug opgedroogd. Hij overwoog vluchtig het advies van de Creool op te volgen, besloot dat het te laat was en gooide het kledingstuk in de open haard.

Hij had Tommy Dell gevonden, was hem weer kwijtgeraakt en had een pak rammel gekregen. Geen goede score voor een avond werken. En er was nog iets. Toen hij tegenover die twee mannen in de steeg stond, had hij iets in zich voelen opkomen, en hij wist dat het de angst was die hij ook in de bergen onder het oude klooster had gevoeld, die verschrikking tot in het merg die je geest uitschakelt en je ledematen verlamt. In de steeg had de angst niet genoeg tijd gekregen om hem te overmeesteren, maar Horn had wel net genoeg tijd gehad om hem te herkennen. Zijn oude vijand, wiens gezicht hij al jaren niet meer had gezien, was teruggekeerd. Hij wist dat hij er nu overal door overrompeld kon worden, in elke straat, om elke hoek en achter elke deur.

Hij had hoofdpijn, en dat kwam niet alleen door de vechtpartij. Nadat hij afscheid had genomen van Addie, was hij naar de Dust Bowl aan de rand van Hollywood gegaan. Daar, te midden van de troostende geur van gemorst bier en sigarettenrook en de vertrouwde, neuzelige Zuidelijke accenten van de stamgasten, had hij een paar glazen whisky-puur achterover geslagen om de pijn te verdoven en beter te kunnen slapen. Hij had maar even willen blijven, maar iemand was de jukebox stuivers blijven voeren en hij had telkens opnieuw een nummer gehoord over je zo eenzaam voelen dat je wel kon janken. Het werd gezongen door de een of andere Hank, een nieuwe stem, maar wel een stem die een hele wereld aan ervaring en verdriet in zich droeg, en Horn had niet van zijn kruk kunnen komen tot de laatste stuiver op was en de laatste klank van het nummer verstomde.

Het verbaasde hem dat zijn maag ondanks al het ongemak knorde, maar toen herinnerde hij zich dat hij de vorige dag maar weinig had gegeten. Hij bakte bacon en drie roereieren en toen hij daarna nog steeds honger had, veegde hij met een bijna te oude boterham het vet uit de pan. Toen ging hij met zijn kop koffie naar de schommelstoel. De ochtend was nog koel en de stilte in de canyon werd alleen zo af en toe door de roep van een vogel verbroken.

Hij had een paar gedachten die elkaar probeerden te verdringen. Om te beginnen dat Clea bij Tommy Dell moest zijn, of hoe hij ook heette. Hij had geweten dat Horn haar zocht en was tot veel bereid om te voorkomen dat hij haar vond. De tweede gedachte had betrekking op de man die hem de vorige avond had bewerkt, de man met de bijzondere vechttechnieken. Het ging niet om zijn manier van boksen, die niet meer dan competent was, maar om de sierlijke wijze waarop hij stoten incasseerde en met een koprol overeind was gekomen. Een soort sportman, dacht Horn. Een koorddanser, turner of acrobaat, bijvoorbeeld.

Of een stuntman.

Dát was het. In de loop der jaren had Horn tientallen cascadeurs aan het werk gezien, onder wie de beste van Hollywood. Als ze hun stunts, of 'gags', niet met de dood of verminking wilden bekopen, moesten ze het evenwichtsgevoel hebben van een koorddanser, het herstelvermogen van een turner en het vuistenwerk van een straatvechter. Ze verkeerden in topconditie. Ze wisten hoe ze effectief en overtuigend voor de camera moesten vechten, maar ook, nog belangrijker, hoe ze konden vechten zonder zichzelf te bezeren. Hoe ze rollend op de grond konden neerkomen.

De man met wie hij de vorige avond had gevochten, had bij de film gewerkt, daar durfde hij om te wedden, en misschien werkte hij er nog steeds. Horn was niet dichter bij de ongrijpbare Tommy Dell gekomen, maar heel misschien wist hij nu hoe hij diens handlanger kon vinden.

Zijn gedachten werden door de telefoon verstoord. 'Paul Fairbrass,' zei de stem zonder enige inleiding. 'Ik ben vergeten je een telefoonnummer te geven. Heb je een potlood bij de hand?'

Horn noteerde het nummer. 'Het is mijn nummer op kantoor in Long Beach,' vervolgde Fairbrass. 'Daar kun je Sykes ook bereiken. Je kunt me beter niet thuis bellen. Ik wil Iris niet van streek maken, zoals ik al zei.'

'Ik ook niet. Ik heb Tommy gevonden.'

'Wat?'

'En verloren. Het is een lang verhaal, maar hij heeft een compagnon.'

'Wat is er gebeurd?'

'Ik werd iets te roekeloos. Ik zal je de details besparen, maar Sykes en jij hadden gelijk, hij is gevaarlijk. En dan nog iets: hij weet dat ik Clea zoek.'

'Hoe kan hij dat weten?'

'Geen idee. Misschien heeft iemand het hem verteld.'

Fairbrass zweeg even. 'Nou, ik kan het niet geweest zijn.'

'Ik maak niemand verwijten. Het maakt me alleen nog ongeruster om haar. Zoekt de politie haar ook nog steeds?'

'Ja.'

'Blijf ze op hun nek zitten. Zeg dat je hebt gehoord dat Tommy wel eens in de Dixie Belle zit, een tent aan Central Avenue, en dat hij meer clubs daar zou kunnen bezoeken. Ik hoop dat ze hem vinden, want ik weet niet of ik mezelf wel in staat acht het tegen die gast en zijn maat op te nemen.'

'Ik had niet gedacht dat je zo'n angsthaas was.'

Horn voelde zijn oorspronkelijke weerzin jegens Paul Fairbrass weer opwellen.

'Dan heb je je vergist.'

Hij parkeerde de Ford aan Gower, een zijstraat van Sunset, liep terug naar het kruispunt en keek om zich heen. Links en rechts hingen mannen in cowboykledij rond – hoeden, laarzen, spijkerbroeken, zakdoeken om hun nek. Ze zaten in groepjes van twee of drie op auto's of stonden ertegenaan geleund.

Dit was 'Gower Gulch'. In het tijdperk van de stomme film had er een studio op de hoek van Sunset en Gower gestaan. Later waren er meer kleine studio's in de buurt geopend, waarvan sommige het maar een paar jaar hadden volgehouden. Het kruispunt was op de een of andere manier een verzamelplaats geworden voor cowboyacteurs die tijdelijk zonder werk zaten. Het waren geen sterren. Sommigen waren niet eens cowboy, maar konden de kleren dragen en lang genoeg in het zadel blijven zitten om voor figurantenrollen in aanmerking te komen. Er zaten echter ook doorgewinterde cowboys tussen voor wie paarden en lasso's geen geheimen kenden en die zowel voor de camera konden werken als achter de schermen, als paardenverzorger.

Ze troffen elkaar in Gower Gulch, waar ze samen koffie of iets sterkers dronken en verhalen uitwisselden. Sommigen vonden er zelfs werk, want er reed wel eens een getergde producent van low budget films langs die een paar van de meest authentiek ogende mannen aanwees en zei: 'Jij daar met die hoed, jij met dat fraaie vest, jij met die brede riem, jij met die lasso...'

Horn herkende maar één van de ongeveer vijfentwintig mensen. Hij wilde erheen lopen, bedacht zich en bekeek Tuck Brown eerst een tijdje van een afstand. Brown was van gemiddelde lengte, pezig en verweerd en ergens halverwege de veertig. Hij droeg een grote hoed die hij ver over zijn voorhoofd had getrokken, een effen overhemd en versleten laarzen waarover hij de pijpen van zijn spijkerbroek hoog had opgerold. In zijn uitgestoken, gehandschoende rechterhand hield hij een lasso die hij een dansje liet doen: hij liet het touw een losse schuifknoop leggen, zich losmaken, weer een knoop leggen, enzovoort. Hij stond bewegingloos voor zich uit te kijken terwijl hij het touw zo sierlijk hanteerde als een dirigent die zijn orkest door een afgemeten, elegante wals leidt.

Horn schoot in de lach en liep naar hem toe. Tuck Brown keek op. 'God zal me kraken,' zei hij. 'John Ray Horn.'

'Hallo, Tuck.'

'Dat is een tijd geleden, nietwaar? Gaat het goed met je?'

'Ja, hoor.' Horn wist zeker dat Brown alles van zijn problemen af wist, maar hij wist ook dat hij er de man niet naar was om erover te beginnen, of zelfs maar iets van zijn gehavende gezicht te zeggen. Hij wees naar de nu slaphangende lasso. 'Je bent het nog niet verleerd.'

'Dank je. Heb ik je ooit verteld dat ik dit van Will Rogers heb afgekeken? Hij gaf een keer een demonstratie in Kansas City. Ik zweer je, wat die man met een lasso kon...'

'Hij was de beste.'

Er kwam een man in een overhemd met geborduurde paarden erop naar hen toe. 'Ik geloof niet dat er hier werk voor je is,' zei hij tegen Horn.

'Ik zoek geen werk,' zei Horn.

'Gelukkig maar,' zei de man. Hij leek meer te willen zeggen, maar Brown was hem voor.

'Trek je maar niks van hem aan,' zei hij tegen Horn, terwijl hij de andere man strak bleef aankijken. 'Ik heb een keer met hem aan een Hopalong Cassidyfilm gewerkt. Ik ben er nooit achter gekomen hoe hij heet, maar hij bleef een keer tijdens het afstijgen met zijn laars in zijn stijgbeugel haken. Hij had bijna zijn stomme nek gebroken. Vanaf dat moment noemden alle loonslaven hem Kleine Huppelaar.'

De man staarde Horn nog even aan en liep weg.

'Zoals ik al zei...'

'Geen punt,' zei Horn. 'Kan ik je iets vragen?'

'Tuurlijk.' Brown liet zijn lasso weer dansen.

'Ik zoek een stuntman. Ik weet hoe hij eruitziet, maar ik weet niet hoe hij heet.'

'Een cowboytype?'

'Nee. Ik bedoel, het zou kunnen, maar ik denk dat hij allerlei stunts doet.'

'Welke studio?'

'Weet ik ook niet.'

'Nou, daar vraag je me wat,' zei Brown. 'Een beetje goeie stuntman loopt hier niet vaak te lummelen, want die komt gemakkelijker aan de bak dan wij cowboys. Eigenlijk komt iedereen tegenwoordig gemakkelijker aan de bak dan wij. De westernfilms zijn aan het uitsterven. Dat wist je toch wel? O, ze worden nog wel gemaakt, zeker bij Republic en

Medallion, jouw oude stek, maar het worden er elk jaar minder. Het komt door de oorlog, denk ik. De mensen willen geen cowboys meer zien, alleen nog maar musicals. En die gangsterfilms waarin het zo verdomde donker is dat je niet eens kunt zien wie wie is.'

'Ik weet het. Wat wil je eraan doen?'

'De vrouw wil dat ik in een stomerij in Van Nuys investeer.'

Horn glimlachte. 'Dat zie ik je nog niet doen, Tuck. Je zou de geur van de paardenmest missen.'

'Reken maar.' Hij liet de lasso sneller dansen. 'Mis jij het niet?'

'Bij vlagen. Hoor eens...'

'O, die vent die je zocht. Sorry, ik dwaal weer eens af. Nou, ik heb een idee voor je. De stuntmannen hebben tegenwoordig een eigen vereniging, een soort vakbond, maar dan strikt plaatselijk en tamelijk informeel. Er zijn – o weet ik veel – tientallen mensen lid. Een paar vrienden van me ook. Maggie O'Dare is degene die probeert de ledenlijst bij te houden.' Hij wendde zijn blik even af. 'Je herinnert je Maggie toch nog wel?' vroeg hij toen als terloops.

'Ja, nou en of.'

'Ik weet dat je er een tijdje uit bent geweest. Maar goed, ze zit niet meer in het vak. Ze heeft een paardenranch gekocht in het noorden van de Valley, op particulier terrein. Ze geeft paardrijlessen, verhuurt aan de studio's, dat soort werk. De O Bar D, heet het. Ik heb haar al een tijdje niet meer gezien, maar we hebben samen in *Bandit Girl* gezeten en dat was leuk. Doe haar de groeten van me.'

'Bedankt, Tuck.'

Om de een of andere reden had Horn in het jaar dat hij nu vrij was geen aanleiding gezien om over de heuvel naar de San Fernando Valley te rijden, de plek waar hij ooit had gewoond en gewerkt. Hij maakte de rit nu, en hij liet de motor over de helling naar de top van de Chuenga Pass razen. Toen hij boven was en de Valley voor zich uitgestrekt zag liggen, ontsnapte er een geluid aan zijn keel.

De Valley begon een stad te worden. Vlakker misschien, zonder torenflats en met meer ruimte tussen de bebouwing, maar desondanks een stad in wording. Een netwerk van elkaar kruisende straten, een raster waarvan elk hokje werd gevuld door nette huizen met tuintjes ervoor. Pas toen hij in de verte keek, zag Horn de bebouwing wijken voor de Valley die hij had gekend, een weidse vlakte met boerderijen, ranches en hier en daar bebossing. Hij stelde zich voor hoe die zee van huizen langzaam maar gestaag naar het noorden golfde en het open land overspoelde.

Het was precies zoals Mad Crow het hem had beschreven, kort nadat hij uit de gevangenis was gekomen. De Valley, had de indiaan weemoedig gezegd, begon één grote slaapkamer te worden, gewoon een plek waar mensen naartoe gaan als ze uit hun werk komen.

Toen hij de auto de helling af stuurde en de huisjes dichterbij kwamen, besefte hij dat hij de Valley nog nooit zo ordelijk had gezien, zo... beschááfd. Hij vloekte binnensmonds.

Medallion Studios, zijn oude werkterrein, lag een paar kilometer naar het oosten, maar hij sloeg op Ventura Boulevard linksaf en reed een half uur langs de lage bergketen van Santa Monica die Hollywood en de rest van L.A. aan het oog onttrok. Toen sloeg hij naar het noorden af en werd de afstand tussen de huizen geleidelijk groter. Na twintig minuten verschenen er boomgaarden en ranches aan weerszijden van de weg, en kort daarna zag hij het Santa Susana-gebergte voor zich opdoemen, hoger en onherbergzamer dan de bergen van Santa Monica. Hij was aan de voet van het gebergte, waar het ranchland glooiend werd en de eerste dagzomen zich aftekenden.

Links van hem sneed de Santa Suzana-pas door de bergen. Hij had er vroeger op Raincloud gereden, soms wel een hele dag, steeds hoger de bergen in tot er geen huizen meer stonden en hij alleen nog groen, bruin en de lucht kon zien. Kilometers verderop, in de hooggelegen woestijn in het noordoosten, lag de Devil's Punchbowl, waar hij 's winters met Mad Crow had gejaagd als er een dun laagje sneeuw lag. En ergens in de verte moest Vasquez Rocks zijn, waar een Mexicaanse bandiet zich honderd jaar geleden voor de wet had verstopt. Daar hadden de indiaan en hij Three-Finger Teale en zijn bende te paard achtervolgd. Dat was een slechte dag geweest. Hij herinnerde zich de hitte, de kruitdampen...

Horn schudde zijn hoofd. Het was maar een film. *Carbine Justice.* Nee, wacht, *Devil's Rockpile*, die was het. En niet hij, maar Sierra Lane. Geen echte herinnering, alleen maar een film.

Hij stopte bij een eenzame benzinepomp om de weg te vragen. Niet lang daarna zag hij de wegwijzer naar de O Bar D Ranch. Hij volgde een zandweg naar een gebouwencomplex en parkeerde voor het gebouw dat het meest op een woonhuis leek. Het had het onafgewerkte van een barak, maar iemand had hem een lik verf gegeven en bloeiende planten langs de hele voorgevel gezet.

Hij klopte aan. Toen er geen reactie kwam, liep hij naar de achterkant. Achter een omheining zag hij een man die een paard aan een lange teugel liet lopen. Verderop in de wei volgden twee ruiters in wandelpas een pad langs de afrastering. De grote deur naar de stallen stond open. Hij ging naar binnen, waar de koele lucht en de geur hem meteen in zijn gezicht sloegen. Het rook naar leem en ammoniak, een verzadigde mengeling van mest, urine, hooi, paardenvoer, ingevet leer en grote dieren. Hij had die geur gemist.

Hij liep door en hoorde de proestende en snuivende geluiden van de paarden, wier vormen hij maar net kon onderscheiden in de donkere boxen. Toen zijn ogen aan het duister gewend begonnen te raken, zag hij een vrouw met een hoofdstel over haar schouder uit een van de achterste boxen komen en zijn kant op lopen.

Ze zag hem. 'Kan ik iets voor u...' begon ze, en toen was ze dicht genoeg bij hem om hem te herkennen.

'Dag, Maggie.'

Ze nam hem op haar gemak van top tot teen op voordat ze iets terugzei. 'Hallo, John Ray.'

'Lang niet gezien.'

'Inderdaad. Gaat het je goed?'

'Jawel. Ik hoorde van je ranch.' Ze liepen de stallen uit en hij wees naar het weiland. 'Is dit allemaal van jou?'

'Ja. Of dat wordt het, als ik het heb afbetaald.'

'Ik ben onder de indruk.' Hij bekeek haar eens goed in het felle zonlicht. Iris was in drie jaar nauwelijks veranderd, maar de tijd had Maggie minder onberoerd gelaten. Mensen die de carrière van Margaret O'Dare hadden gevolgd, de koningin van de Medallion-series, zouden haar misschien niet op het eerste gezicht hebben herkend. Ze droeg een vormeloos, geruit werkhemd en een wijde spijkerbroek. Haar donkerbruine haar, dat in haar films altijd vrijelijk over haar rug had kunnen golven, zat nu in een strakke paardenstaart om het uit haar gezicht te houden. Zonder make-up op haar lichte huid waren de sproeten op haar neus en wangen goed te zien. Haar trekken leken zachter geworden, minder hoekig, en ze had kraaienpootjes om haar ogen gekregen. Ze was niet meer de jonge vrouw die hij meer dan tien jaar geleden bij Medallion had ontmoet, toen zij stuntwerk deed en hij op weg was Sierra Lane te worden.

Wat ze nog wel had, was haar langbenige amazonepostuur met vrij smalle heupen. Haar lippen waren nog vol en haar ogen nog helder, en de kraaienpootjes leken natuurlijk en eerlijk verdiend. Het kostte hem geen enkele moeite dit gezicht net zo mooi te vinden als het vroegere.

'Je krijgt de groeten van Tuck Brown. Ik zag hem aan Gower Gulch, en hij heeft me verteld waar ik jou kon vinden. Hij doet nog steeds lassotrucs.'

Ze glimlachte. 'Heb je zin in koffie?'

'Ja, lekker.'

Hij wachtte op een bank met indiaanse dekens in de kleine voorkamer van het woonhuis, terwijl zij koffie zette in de piepkleine keuken. 'Wat is er met jou gebeurd?' overstemde ze het gekletter van serviesgoed. 'Je gezicht.'

'Het doet er niet toe.'

'Ook goed.'

'Vertel liever iets over jezelf.'

'Nou, je had vast al gehoord dat ik getrouwd ben.'

'Ik geloof dat ik zoiets heb opgevangen. Wie is de gelukkige?'

'David Peake!' riep ze boven het gekletter in de spoelbak uit. 'Iedereen noemt hem Davey. Misschien heb je van hem gehoord. Hij is rodeorijder en vorig jaar heeft hij een paar kampioensgordels gewonnen met het berijden van wilde paarden.'

'Is hij hier ergens?'

'Nee, hij volgt het circuit. Hij zou deze week in Tucson moeten zitten. Hij is pas eenendertig, en hij zegt dat hij alles uit de komende jaren wil halen wat erin zit.'

'Je hebt dus een jonge hengst aan de haak geslagen.'

'Dat is toch mijn goed recht?' zei ze terwijl ze de kamer binnenkwam. De laatste keer dat hij die langgerekte klinkers had gehoord, was in *Bandit Girl* geweest.

'O, zeker. Heb je nog meer streken uitgehaald?'

Ze zette een dampende mok op een ruwhouten tafel voor hem. 'Tja, zoals ik je al heb geschreven, ben ik gestopt met acteren.'

'Je hebt alleen nooit geschreven waarom.'

'O, van alles. Ik was echt gek op mijn werk, overigens. Ik heb bijna tien heerlijke jaren gehad. Ik heb met goede mensen gewerkt en goed verdiend, en reken maar dat ik gek was op al die aandacht. Ik zweer je, telkens als iemand een handtekening vroeg, kon ik niet geloven dat ze mij bedoelden. Weet je dat ik prinses Margaret heb ontmoet?'

'Nee?'

'Ze was op zo'n goodwilltournee na de oorlog en toen kwam ze op een dag met de burgemeester op de set langs. *Mask of Monterey*, was het. Kijk, dat zijn we samen, op die foto aan de muur.'

'Jullie lijken je wel te vermaken. Waar hadden jullie het over?'

'O, dat we allebei dezelfde voornaam hebben. En hoe je van een paard moet vallen zonder je te bezeren. Je weet wel. Meisjesdingen.' Ze glimlachte. 'Prinses Margaret. Dat is wel zo ongeveer het hoogst denkbare voor een meisje uit North-Dakota.'

'Waarom ben je er dan mee opgehouden?'

'Nou, om te beginnen stapelden de blessures zich op. Vooral die keer toen er een stukje van een wervel is gesprongen bij die val uit de auto. Tijdens de opnamen van *The Secret Code* in Long Beach. Daar heb ik heel lang last van gehad.' Ze blies op haar koffie. 'Er kwamen jongere actrices bij Medallion, en Bernie Rome gebruikte ze in het soort films waar ik goed in was. Bernie junior zei een keer tegen me dat ik meer werk kon krijgen als ik met hem naar bed ging.' Ze lachte zacht. 'Ik ben stampvoetend vertrokken en ik heb de deur zo hard achter me dichtgetrokken dat er een ruitje uit kletterde. Weet je, ik probeer het goede in mensen en dieren te zien, maar ik ben heel even blij geweest toen je die kleine etterbak z'n kaak had gebroken.'

'Ik ook.'

'Ik denk dat ik het uiteindelijk gewoon zat begon te worden. Dus op een dag, ongeveer een week voor we een nieuw epos in vijftien delen gingen opnemen, met mij in een soort luipaardvel, herinnerde ik me opeens dat mijn contract bijna vernieuwd moest worden. Toen heb ik tegen Junior gezegd dat hij maar een van zijn starlets moest nemen. Ik had het gehad.'

'Gelijk heb je.'

'Toen heb ik dit hier gekocht, en mijn god, wat ben ik er blij mee,' zei ze. 'Ik heb een stuk of twintig renpaarden en drie of vier knechten, afhankelijk van hoe druk we het hebben. Mensen kunnen bij mij paarden huren om de bergen in te trekken. Sommigen brengen hun kinderen hier voor rijlessen. Wanneer een studio iets met veel paarden opneemt, kunnen ze ze van mij huren. De zaken gaan redelijk.'

'Wat fijn voor je, Maggie,' zei hij. Hij keek naar haar, zoals ze daar achterovergeleund in haar met dekens bedekte stoel zat, met haar laarzen op tafel. De handen waarmee ze haar koffiemok omvatte waren sierlijk, sterk en net zo sproetig als haar gezicht. Er was een tijd, dacht hij, dat ik precies wist waar die sproeten ophielden.

'En, ben jij weer getrouwd?' vroeg ze.

'Nee. Dat was eens, maar nooit meer.'

'Iris denkt er anders over, naar ik heb gehoord.' Ze ving zijn blik op. 'Dat had ik niet moeten zeggen. Vertel nu eens over jezelf. Wat heb jij allemaal uitgevoerd?'

'Sinds ik weer vrij ben? Ik werk voor Mad Crow.'

'Gokken?'

'Meer een soort boekhouden.'

'O.' Ze klonk niet overtuigd.

'Ik heb nog geen kans gezien je voor je brieven te bedanken,' zei hij. 'Ze hebben veel voor me betekend. Het spijt me dat ik er maar een paar heb beantwoord, maar...'

'Tja, als je er meer had beantwoord, had ik er meer geschreven,' zei ze. 'En ik heb je spullen al die tijd bewaard. Je mag ze komen halen wanneer je maar wilt.' Ze zag de verbazing op zijn gezicht, lachte en zei: 'Was je dat vergeten? Je had een hutkoffer vol ditjes en datjes bij Joseph achtergelaten, maar toen hij zijn nieuwe huis aan het bouwen was, had hij geen opslagruimte meer en toen heeft hij me gevraagd of ik hem wilde overnemen.'

'Dat was ik helemaal vergeten, Maggie,' zei hij. 'Het zal wel allemaal ouwe troep zijn die ik niet meer kan gebruiken, maar bedankt voor het bewaren. Hoe dan ook, ik ben hier gekomen om je een gunst te vragen.' Hij beschreef zijn zoektocht naar Clea en vertelde wat hij tot dan toe aan de weet was gekomen. Om het simpel te houden zei hij niets over Scotty, de oude Bullard en de foto's.

'Dus denk ik dat die vent stuntwerk doet, of heeft gedaan,' besloot hij. 'Tusk zei dat jij een lijst van alle stuntmannen in de stad hebt. Mag ik hem zien?'

Ze keek hem strak aan, alsof ze zijn bedoelingen wilde lezen. Hij wist wat er in haar omging: was hij alleen gekomen omdat hij haar hulp nodig had? Hij wilde niet dat ze dat dacht.

Als ze zich gekrenkt voelde, was daar niets van te merken. 'Nou en of,' zei ze met een glimlach. Ze stond op en reikte naar iets hoog op een plank. Ze gaf het hem over de tafel aan, een klembord vol papieren. 'Ik geloof dat ze mij voor deze klus hebben gekozen omdat ik de enige ben die er het geduld voor heeft,' zei ze. 'Ze hebben allemaal een aantal bladzijden met hun gegevens en een cv. Bij de meeste beschrijvingen zit ook een foto. Ze liggen op alfabet. Nog koffie?'

Hij bladerde, terwijl zij nog een mok koffie voor hem haalde. Toen wachtte ze zwijgend tot hij klaar was. Hij herkende de gezichten van mensen met wie hij had gewerkt toen hij zijn tientallen westerns voor Medallion maakte. Er zaten een paar vrouwen tussen.

Hij was op ongeveer driekwart toen hij de man zag. Het gezicht dat naar hem opkeek was gladgeschoren, maar er was geen vergissing mogelijk. Het gezicht, net zo uitdrukkingsloos als de vorige avond in de steeg, had iets vaag dreigends en de nekspieren waren gespannen. Horn voelde de pijn in zijn nieren en vervloekte de man in stilte.

'Heb je iets?' vroeg Maggie.

'Ja, iets,' zei hij.

12

Horn liet de Ford de zandweg af rollen, stopte in de schaduw van een grote eik en zette de auto op de handrem. Een meter of twintig lager op de heuvel stond een rij opnamewagens en caravans. Daarachter was de opnamelocatie, een vallei met hoog gras, grote bomen en abrupt uitstekende, knobbelige heuvels. Over het hele terrein liep een netwerk van elkaar kruisende sporen in het zand.

Dit was de zuidoostelijke punt van de Medallion Ranch, waar de studio de meeste landelijke scènes opnam. Horn had menige boef in deze vallei achtervolgd, menig op hol geslagen paard de weg afgesneden om de in het rijtuig erachter zittende, in petticoats en katoen gehulde hoofdrolspeelster te redden, en menige huifkar tegen roofzuchtige Indianen of gemaskerde desperado's beschermd. 'Als ze het kruit van al die patronen die we hebben verschoten hadden bewaard,' had Mad Crow ooit gezegd, 'zouden we een kleine natie kunnen binnenvallen.'

De ranch was het toneel geweest van honderden westerns, maar had ook als achtergrond gediend voor nazispionnen, Franse musketiers en oorlogszuchtige Mongolen. Vandaag, wist Horn, werd er een aflevering van een van de vele series van de studio opgenomen, *Air Ace and the Ray of Death*. Maggie had her en der geïnformeerd en zo ontdekt dat de door Horn gezochte stuntman hier vandaag zou werken.

Hij heette Gabriel Falco. Maggies dossier van hem bood weinig houvast. Hij was drieëndertig, kwam uit New York en had stuntwerk verricht voor diverse studio's in de stad, met name Republic en Medallion. De laatste verenigingsnieuwsbrief die ze hem had gestuurd, was geretourneerd; adres onbekend.

De zon was ongeveer een uur op. Horn bespeurde enige activiteit rond een vrachtwagen met een huif op de breedste zandweg door de vallei, maar het zag er niet naar uit dat er de komende minuten iets belangrijks stond te gebeuren.

Hij wist dat hij een risico nam door hier te komen. Zijn spieren en zijn gezicht deden nog pijn, en bij het vooruitzicht van een nieuwe ontmoeting met Falco begon zijn maag akelig op te spelen, maar de man zou hem een stap dichter bij Clea kunnen brengen. Hij besloot door te zetten, op zijn hoede te blijven en zijn tijd niet te verdoen met gepieker over de consequenties.

Hij liep langs de helling naar beneden, langs de rij vrachtauto's en busjes. Hij had zijn hoed diep over zijn gezicht getrokken in de hoop dat hij Falco zou ontdekken voordat die hem in de gaten kreeg. Hij zag een paar bekende gezichten tussen de filmploeg, en een paar mensen leken hem ook te herkennen, maar er werd niet gegroet. Al snel vond hij de regisseur, die aan een werktafel onder een luifel langs de zijkant van een caravan zat. 'Hallo, Andy,' zei hij zacht.

De regisseur keek op. 'Hallo, John Ray,' zei hij na een aarzeling van hooguit een seconde.

'Hoe gaat het?'

Andrew Elfman had een vierkante kop en een gedrongen postuur. Hij droeg een kaki broek en een linnen werkhemd met een jagersjasje erover. Jaren geleden, in het tijdperk van de stomme film, was hij een man met een toekomst geweest die dure producties schreef en regisseerde, maar hij was aan de drank geraakt. Hij had een hele reeks opdrachten verspeeld en was uiteindelijk bij Medallion beland, waar hij bekend kwam te staan als regisseur van B-films, maakt niet uit waarover. Elfman besefte heel goed dat hij geen kunst maakte, maar voor het geld werkte, maar desondanks deed hij altijd zijn best tijdig een fatsoenlijk product af te leveren en binnen het budget te blijven. Hij schold zijn acteurs nooit uit. Horn mocht hem wel.

'O, je weet wel,' zei Elfman, die het draaiboek dat hij zat te lezen opzij schoof. 'Ze trappen er nog steeds in.' Hij nam Horn op alsof hij hem wilde afmeten aan zijn herinneringen.

'Zou ik vandaag bij de opnamen mogen zijn?'

'Oei, dat wordt problematisch.'

'Geen mens hoeft ervan te weten,' zei Horn met een, naar hij hoopte, innemende grijns.

'Vader en Zoon komen vanochtend kijken,' zei Elfman. 'Je weet wat dat betekent. Je hoort hier helemaal niet te zijn.'

'Hoor eens, Andy, ik wil je geen problemen bezorgen. Ik wacht niet op de opnames, oké? Help me alleen even. Ik moet iets over een van je mensen weten, Gabriel Falco. Ik heb begrepen dat hij vandaag werkt.'

Elfman keek naar de vrachtwagen op de brede weg en trommelde met zijn vingers op het draaiboek. Uiteindelijk wees hij naar een klapstoel naast de tafel, en Horn ging zitten. 'Ik wil niet bot zijn,' zei Elfman, 'maar ik wil mijn baan ook niet kwijt.'

'Ik snap het.'

'Ik ben blij je weer te zien. Heb je werk?'

'Ja, hoor. Ik knap klusjes op voor Mad Crow.'

'Fijn,' zei Elfman zonder veel enthousiasme. 'Joseph heeft het ver geschopt sinds hij hier werkte met zijn leren broeken en beroerde Engels. Hij wordt vast rijker dan wij allemaal bij elkaar.'

'Het zou me niets verbazen.'

'Heb je nog, eh, andere ijzers in het vuur?'

'Of ik ook eerlijk werk kan krijgen, bedoel je? Kom nou, Andy, je weet dat niemand me nog wil hebben sinds meneer Rome alle studio's heeft gewaarschuwd. Ik pak alles aan wat ik kan krijgen, en ik kan niet al te kieskeurig zijn.'

'Het spijt me wat er is gebeurd. Het spijt ons allemaal.'

Horn schokschouderde. Hij had genoeg van het onderwerp. 'Wat die Falco betreft...'

'Ja. Hij is mijn eerste stuntman in deze productie.'

'Is hij er al?'

'Hij is hier geweest, maar hij is naar de landingsstrook gegaan om zich op zijn scène voor te bereiden. Het is zijn enige vandaag. Ken je Air Ace?'

Horn schudde zijn hoofd.

'Het is oorspronkelijk een stripverhaal. De jeugd is weg van hem. Hij vliegt, jaagt op spionnen, dat soort dingen. Rod Blakeley speelt de held. Je kent hem nog wel. Vanochtend nemen we de grote scène uit aflevering vijf op. Alleen de actie; ik monteer de rest er morgen wel tussen. Het is een oversprong, en die Falco valt voor Rod in.'

'Jezus, dat deed ik vroeger zelf, en ik kreeg er geen gevarengeld voor,' zei Horn lachend. 'Weet je nog? Van een paard op de trein, van een paard op een rijtuig, van een paard op een postkoets.'

'Dit is een iets andere sprong,' zei Elfman. 'Van een vliegtuig op een vrachtauto.'

'Echt waar?'

'Echt waar. De held klimt langs een touwladder uit het vliegtuig en springt achter op een rijdende vrachtwagen. Het publiek zal ervan smullen.'

Horn floot tussen zijn tanden. 'Wat zou ik dat graag willen zien.' Toen hij de blik van de regisseur zag, voegde hij er snel aan toe: 'Ik blijf echt niet hangen, dat had ik al gezegd. Maar wat weet je allemaal van die Falco?'

Elfman keek op zijn horloge. 'Genoeg om geen ruzie met hem te willen. Hij is de beste stuntman met wie ik ooit heb gewerkt. Hij kent geen angst. Maar buiten de studio... Ik weet het niet. Het is een ijskoude. Je weet hoe snel de geruchten zich door de studio verspreiden. Ze zeggen dat hij aan de Oostkust heeft gezeten voor een gewapende roofoverval. Er gaat ook een verhaal dat hij iemand in de gevangenis zou hebben doodgeslagen, maar dat valt niet te bewijzen. Ik geloof het meteen. Ik weet niet waarom je naar hem vraagt, maar ik hoop dat je voorzichtig doet.'

'Doe ik,' zei Horn. 'Hoe gaat het met je werk?'

'Ach, het is niet meer zoals toen ik Gloria Swanson en die hele kliek nog regisseerde, maar ik heb vastigheid. Je zou de studio trouwens niet meer herkennen.'

'Hoezo?'

'Geen westerns meer, althans niet van het soort dat jij kent. Ik heb er al bijna een jaar geen meer opgenomen. Het is gek, maar de grote studio's hebben ze nu ontdekt. John Ford van Fox laat Henry Fonda in een van zijn westerns spelen, en Howard Hawks maakt er een met Montgomery Clift. Zie je het voor je, Monty Clift op een paard? Hoe dan ook, westerns worden tegenwoordig heel serieus genomen. Er is geen lol meer aan, en niemand zit te wachten op de goedkope variant die wij maken. Ze willen geen held meer die met een gitaar loopt of franjes aan zijn overhemd heeft.'

'Ik heb nooit een overhemd met franjes gedragen.'

Elfman lachte. 'Je overhemd was niet eens te zien, zo stoffig was het. Sierra Lane zag er altijd uit alsof hij net een kudde koeien duizend kilometer had opgedreven.'

'Hórn!'

Ze tuurden de rij caravans af en zagen de minuscule gestalte van

Bernie Rome junior met een akelig verwrongen gezicht aanstormen, op de voet gevolgd door zijn vader.

Toen de beide mannen bij de tent aankwamen, stond Horn zo haastig uit zijn stoel op dat die achter hem op de grond viel. Hij griste het draaiboek van de tafel en smeet het tegen Elfmans borst. 'Loop naar de hel,' zei hij hard. 'Ik hoef hier geen werk.'

'Jíj!' riep Rome, die drie meter bij hem vandaan was gestopt. 'Bel de politie.'

'Maak je niet druk, ik ga al,' zei Horn, terwijl hij zich langs de veel kleinere man drong. 'Jullie schoothondje daar heeft geen zin om een oude vriend te helpen, dus jullie kunnen allebei verrekken.'

Een seconde lang keek hij strak naar Bernie Rome junior, die met gebalde vuisten en een rood aangelopen gezicht tegenover hem stond. Horn had hem tijdens het proces voor het laatst gezien. Junior was iets dikker, maar verder nog hetzelfde. Hij kleedde zich nog steeds als een rijke sportman, compleet met halsdoek om zijn nek. In een flits, als een enkel filmbeeld, zag Horn hem met een bebloed gezicht onder zich liggen, voelde hoe zijn knokkels bot raakten. Hij verwachtte dat de oude haat hem weer zou overspoelen en verblinden, net als drie jaar geleden, maar hij voelde niets.

Horn keerde hem de rug toe en liep weg. Hij bleef even tegenover Bernard Rome staan – menéér Rome voor zijn werknemers – die zoals altijd een onberispelijk zwart pak droeg. De ogen van de oude man stonden uitdrukkingsloos achter de dikke brillenglazen en de krans haar rond zijn kale schedel was witter dan Horn zich herinnerde. Toen hij wegliep, hoorde hij de zoon van de studiobaas weer om de politie roepen, waarop Elfman zei: 'Bernie, hij gaat al weg.'

Horn liep naar zijn auto, reed achteruit de open plek af en volgde de zandweg dieper in de vallei in tot hij bij een smallere weg uitkwam die zich langs een berghelling omhoog kronkelde. Hij reed een minuut of twintig langzaam door en liet de Ford de steile, oneffen weg op ploeteren tot hij bij een open plek kwam die aan de ene kant werd begrensd door een berg rotsblokken die naar een rotspiek leidde en aan de andere kant door bomen en struiken.

Dit was Miner's Camp. Voor de oorlog was het een geliefde locatie van de studio geweest. Tussen de rotsen school de grillige opening van een grot die vijftien meter in de rots doorliep. De klusjesmannen van de studio hadden de ingang zo aangekleed dat hij op die van een mijnschacht leek en een paar keten in de buurt gezet. Jaren later had een aardschok echter een deel van de rotsblokken in de grot losgeschud en de rest instabiel gemaakt, waarop de opening was dichtgetimmerd en de locatie in onbruik was geraakt.

Horn pakte de verrekijker van de legerdump die onder zijn stoel lag en vond een plek vlak bij de grot waar hij hem op een rots kon laten steunen en op de plek richten waar Elfmans ploeg aan het werk was. Miner's Camp bood uitzicht op het grootste deel van de vallei, en hij wilde Gabriel Falco aan het werk zien.

De zon stond hoger en het werd warmer. De droge, naar salie geurende lucht maakte zijn keel kurkdroog en hij had er spijt van dat hij geen water had meegebracht. Om de paar minuten bekeek hij de hele vallei door de verrekijker, en al snel leken Elfmans jongens serieus aan het werk te gaan. Er klommen een paar mensen in de cabine van de vrachtauto met de huif, en een paar seconden later kwam er een kleinere opnamewagen aan, voorzien van een achterplatform voor de 35-mm camera, de regisseur en zijn assistenten – die de vrachtauto passeerde en stopte. Mensen zwermden eromheen. Toen zag hij een gestalte in wie hij Elfman herkende instappen, en kort daarna begonnen beide wagens langzaam in Horns richting te rijden. Hij richtte de verrekijker omhoog en zag een stipje dat een vliegtuig moest zijn. De stip werd groter, en toen hoorde hij het geluid. Het was een tweemotorig vliegtuig met een zilverkleurige romp dat langzaam naderde, geleidelijk daalde en op een meter of vijftien boven de grond bleef hangen.

Er ging een deur aan de zijkant van het vliegtuig open en er werd een touwladder uitgeworpen die woest heen en weer zwiepte in de wind. Toen kwam er een man naar buiten die de touwladder pakte en aan de afdaling begon. Hij droeg laarzen, een paardrijbroek, een soort jack, een pilotenhelm met een vliegbril en een witte sjaal om zijn nek. Een bizar tenue voor een hedendaagse vliegenier, dacht Horn, maar precies goed voor de held van een serie in vijftien delen die mikte op alle jochies van twaalf die een kwartje voor een toegangskaartje hadden. De man klom de touwladder af tot hij vlak boven de vrachtauto hing, die nu hard reed, maar de weg was oneffen en de vrachtwagen hotste en schokte. De piloot moest moeite doen om de juiste vlieghoogte te bewaren, wat ertoe leidde dat de man op de touwladder telkens abrupt omhoog werd getrokken of de diepte in geslingerd. Op een gegeven moment zwiepte de ladder opzij en sloeg de stuntman tegen de zijkant van de vrachtwagen, maar hij herstelde zich snel. Toen leek alles te kloppen en zag de stuntman zijn kans schoon. Toen de ladder weer zakte, hing hij ter hoogte van de cabine. Hij stak zijn arm uit, pakte het portier, zwaaide zijn voeten op de treeplank, wrong het portier open, pakte de chauffeur in zijn kladden en gooide hem op de weg. Een fractie van een seconde later zat hij zelf achter het stuur.

Horn floot opnieuw tussen zijn tanden. Het was een gewaagde stunt. Niet krankzinnig, maar wel bijna. Hij had tegen wil en dank respect voor de man die hem zo kort geleden had afgetuigd.

Beide wagens stopten. De scène stond erop, en aangezien het Falco's enige klus was voor die dag, zou hij nu vermoedelijk weggaan. Er was altijd nog een kans dat de opname moest worden overgedaan, wist Horn, maar Andy Elfman stond bekend als een regisseur die zelden een opname hoefde over te doen.

Horn reed behoedzaam de heuvel af, de hoofdpoort van de ranch door en de landweg terug naar L.A. op. Na ongeveer een kilometer zag hij een benzinestation. Hij stopte iets voorbij de pompen, liep terug naar het station, viste een cola uit de koeling, rekende af en nam het flesje mee naar de auto. Hij verstelde zijn achteruitkijkspiegel en wachtte.

Het duurde een minuut of twintig voor zijn mannetje kwam. Horn zag hem naderen, wendde zijn gezicht af en startte zodra de andere auto hem passeerde, maar wachtte even voor hij de weg op reed. Aangezien er maar weinig verkeer was, hield hij een afstand van honderd meter aan. Toen het drukker werd, naderde hij zijn doelwit dichter. Falco reed in een stoffige, roomkleurige DeSoto coupé. Hij reed snel en behendig, en Horn moest opletten dat de afstand niet te groot werd. Ze reden door de vallei naar het zuiden en volgden Laurel Canyon de heuvels in, waar Horn de hele weg kon zien die hij had afgelegd en een groot deel van de San Fernando Valley uitgespreid zag liggen als een immens bordspel met een paar grote, uitstekende stukken op de voorgrond en grote onbezette vlakken in de verte. Ze staken Mulholland Drive op de top over en volgden de kronkelweg naar de stad in de diepte.

Een paar kilometer voorbij de kam zag Horn zijn prooi rechtsaf slaan, een smalle straat in met een bordje DOODLOPENDE WEG. Hij minderde vaart en schoof toen net genoeg vooruit om de auto een inrit op te zien rijden. Hij reed de zijstraat langzaam in en zag de DeSoto voor een groot, stenen huis met een donker dak staan. Er stonden nog twee auto's. Een goed onderhouden gazon glooide naar een ijzeren hek rondom het terrein. Horn noteerde het adres.

Hij reed terug naar de hoofdweg en parkeerde in de berm vlak boven het kruispunt, met de neus van de auto naar beneden. Hij was er vrij zeker van dat dit niet het huis van een slecht betaalde studiomedewerker kon zijn. Was het van de jongeman die zich Tommy Dell noemde? Hij besloot Falco's volgende stap af te wachten.

Horn draaide alle raampjes open om wat frisse lucht de auto in te lokken. Hij wilde niet opvallen, dus schoof hij door naar de passagiersstoel, trok zijn hoed over zijn voorhoofd en leunde tegen het portier. Hij had honger. Hij vond een aangebroken zak pinda's in het handschoenenkastje. Ze waren lekker, maar hij kreeg er ook dorst van, en hij dronk snel zijn cola op.

De middag verstreek en de auto rook naar oververhit kunstleer. Toen de zon achter de rotswand van de canyon rechts van hem wegdook, werd het iets koeler in de auto.

Geduld was nooit een van Horns sterkste kanten geweest, maar gedurende zijn twee jaar in Cold Creek had hij geleerd hoe waardevol het kon zijn om te wachten, het verschil te kennen tussen proberen de dingen te laten gebeuren en de gebeurtenissen zich te laten voltrekken. Het was een soort onwillig, aangeleerd geduld dat hem nu hielp zijn huidige situatie uit te zitten, een periode van weinig geld en geen trots.

Maar hoe langer hij in zijn auto zat te denken aan Scotty die vermoord was en Clea die in het gezelschap van een gevaarlijk man verkeerde, hoe gefrustreerder hij werd. Hij voelde zich machteloos, kilometers verwijderd van Clea, en hij verweet zichzelf dat hij geen betere manier kon bedenken om haar te vinden. Sierra Lane had deze klus dagen geleden al geklaard, dacht hij doezelig. Hij had wat rake klappen uitgedeeld, het meisje terug naar haar ouders gebracht en het gezin uitgewuifd en was op zijn paard de heuvel over gegaloppeerd. Het echte leven zit net iets ingewikkelder in elkaar, hè, cowboy?

Uren later werd het donker in de canyon, en de verlichting van passerende auto's speelde over de weg. Horns geest begon af te dwalen en hij was bijna in slaap gesukkeld toen hij met zijn lodderige ogen zag dat er een auto aankwam. Het was Falco. Hij reed niet naar de stad, maar maakte een draai naar links, zodat het grind onder de banden opspatte, gaf gas en reed in de richting van Mulholland. Het was druk op de weg, en terwijl Horn startte, reden er nog drie auto's langs. Hij keerde en zette de achtervolging in.

Hij was de achterlichten van de DeSoto al kwijt en hij kon met geen mogelijkheid passeren, gezien de smalle kronkelweg en de tegenliggers. Daar ging hij, over de bergtop en terug naar de Valley, turend naar de weg die voor hem lag. Hij zag een gaatje, passeerde een auto en toen een volgende, zonder notitie te nemen van het verontwaardigde geclaxonneer. Veel lager op de heuvel verdwenen een paar achterlichten uit het zicht, en hij wist dat het de DeSoto moest zijn. Hij mocht Falco niet kwijtraken. Hij volgde een scherpe bocht naar links, gaf gas... hoorde een knal en voelde dat het stuur bijna uit zijn handen werd gerukt. Hij vocht tegen het stuur om niet van de weg een donker ravijn in geslingerd te worden en trapte op de rem, en de auto schoof de berm in. De andere auto's zoefden hem voorbij.

Hij stapte uit, klemde zijn kiezen op elkaar en liep om de auto heen. Hij wist al wat hij te zien zou krijgen. *Die band is spekglad,* had de jongen bij de benzinepomp pas nog gezegd. Nu was hij op, en de band en de binnenband waren geklapt. Hij vloekte luidkeels en schopte tegen het wiel. Hij hoorde spottend getoeter en luid gelach uit een passerende auto komen.

Hij had zijn mannetje gevonden en verloren, net als aan Central Avenue. Alleen had hij nu een adres. Iemands adres.

13

'Dat had je me ook telefonisch kunnen vertellen,' zei Horn tegen Douglas Greenleaf, met wie hij aan de bar van een cafetaria aan Highland Avenue in Hollywood zat, niet ver van een middelbare school. De serveersters met hun roze schortjes en mutsjes zigzagden tussen de tafels door, kunstig balancerend met bladen vol hotdogs en frites. De kreten van scholieren met middagpauze weerkaatsten tegen de muren.

'Dit is te belangrijk voor de telefoon.' De jonge man zette zijn tanden in een broodje ham en wees naar de ketchup, die hij vervolgens royaal over zijn aardappelsalade uitgoot. 'Nooit gevoelige informatie doorgeven over de telefoon.'

'Heb je dat uit je schriftelijke cursus?'

Douglas knikte en veegde zijn mond met een papieren servet af. 'Ik ben bijna klaar.'

'En dan ben je privé-detective?'

'Nee, maar dan heb ik het leerwerk achter de rug. Dan zoek ik een baan bij een echte detective en zo werk ik me omhoog.'

'Ja, hoor. Samuel Greenleaf Spade.' Douglas, die vermoedelijk het slimste neefje van Mad Crow was, was in de twintig. Hij had niet in de oorlog gevochten, vanwege zijn astma, maar Horn zag dat hij zijn geliefde Eisenhower-jack met het embleem van het Vijfde Leger droeg. Toen Horn hem leerde kennen, nog voor de oorlog, was Douglas een jochie geweest, vers uit het reservaat, dat bij zijn familie in de grote stad kwam wonen. Nu was hij ouder, maar hij was nog steeds een jochie, mager en gretig, vol vragen en vastbesloten beroemd te worden. Hij was al geniaal in het vergaren van informatie. Horn vond hem aangenaam gezelschap.

'Nou, kom op met die gevoelige weetjes.'

'Goed,' zei Douglas, en hij liet zijn stem dalen. 'Die vent die je achterna zat, het adres waar hij stopte? Dat huis is van Vincent Bonsigniore.'

'O?'

'Zegt die naam je iets?'

'Ik geloof van wel,' zei Horn bedachtzaam, 'maar ik weet alleen niet waarom.'

'Je kent hem uit de krant. Ze noemen hem meestal de maffioso. Hij zit hier in de misdaad voor het syndicaat in New York.'

'O, ja, nu weet ik het weer. Heeft hij niet ook een bijnaam?'

'Vinnie B,' zei Douglas dramatisch uit zijn mondhoek terwijl hij de serveerster wenkte om nog een limonade te bestellen. Hij was dol op films, en dat bleek soms uit zijn gedrag. *Je hebt te veel films met Jimmy Cagney gezien,* had Horn ooit tegen hem gezegd, maar Douglas had het als een compliment opgevat.

'Wat weet je van hem?'

'Hij is oud, een jaar of twintig geleden hier gekomen,' zei Douglas, en hij nam een grote slok limonade. 'Mijn informant bij de politie...'

'Sam, je zwager,' vulde Horn aan.

'Ja, nou ja. Hij zegt dat Vinnie wel geld verdient aan hoerenkasten en bescherming, maar dat het in feite om het gokken gaat. Hij was een van de eigenaren van de Rex, dat oude casinoschip dat voor Long Beach lag, net buiten de driemijlszone. Hij heeft bookmakers bij de paardenrennen in Santa Anita staan en hij begint kleine goktenten her en der in de regio, in gebieden en steden waar hij zich nog kan inkopen. En er gaat veel geld terug naar New York. Sam zegt dat de politie van L.A., of de eerlijke politiemensen dan, hem al lang in de gaten houden, maar hij houdt zich gedeisd en veel van zijn zaken zijn legaal. Hij heeft een van de twee of drie grootste drankengroothandels in de stad.

Ze doen wel eens een inval in een van zijn tenten, maar dan houden ze alleen de kleine jongens aan, en ze hebben hem nog nooit iets kunnen aanwrijven. Hij leunt liever achterover en laat van die poenige types als Mickey Cohen alle aandacht krijgen. Weet je nog, die bom die een tijdje geleden bij Mickey thuis is ontploft? Sam zegt dat het waarschijnlijk het werk van Vinnies jongens is geweest, maar niemand kan het bewijzen.'

'En Falco?'

'Zijn naam is een paar keer gevallen. Hij heeft een strafblad, voor het grootste deel vechtpartijen, maar niet in Californië. Hij woont hier pas vier of vijf jaar. De politie denkt dat hij wel eens iets voor Vinnie doet. Dat is aannemelijk, aangezien ze allebei uit New York komen.'

'En die bedrijfsleider van de Dixie Belle?'

'De Creool,' zei Douglas theatraal. 'Mooie naam. In het echt heet hij Alphonse Doucette. Hij heeft ook een strafblad. Waarom verbaast dat me niet? Al die types met wie jij tegenwoordig rondhangt...'

'Mijn nieuwe vrienden,' zei Horn. 'Sinds ik heb gezeten, is dit mijn soort mensen. Ze zijn veel echter dan jullie gezagsgetrouwe burgers.'

'Zal wel. Hoe dan ook, die Doucette... Hij is een paar keer veroordeeld in Louisiana, en beide keren had het iets te maken met een scheermes in zijn schoen en de strijd om de gunsten van de een of andere jongedame. Vreemd, als je erover nadenkt, want hij zou geen alcoholvergunning in het district L.A. hebben mogen krijgen, maar hij schijnt een paar vriendjes bij de politie te hebben.'

'Ik geloof dat ik er laatst een heb ontmoet. Heb je Sam ook naar Tommy Dell gevraagd?'

'Ja. Noppes. Maar als het ook niet zijn echte naam is...'

'Weet ik,' zei Horn, 'maar ik moest het toch proberen. Hij is degene die ik echt wil hebben. Ik vraag me af of dit me allemaal dichter bij hem brengt.'

Horn zag Douglas' teleurgestelde gezicht en gaf hem een kneepje in zijn arm. 'Maar toch bedankt. Je hebt me enorm geholpen.' Hij legde wat geld op tafel. 'Ik trakteer.'

'Ik zou je nog wat over Vinnie in New York kunnen vertellen,' zei Douglas. 'Het leven van een jonge crimineel.'

'Alleen als het me helpt Tommy te vinden,' zei Horn, die zuchtend opstond. 'En dat betwijfel ik.'

'Je zult wel gelijk hebben.' Douglas liep met hem mee naar buiten. 'Toch is het een geluksvogel. Zelfs toen hij koppen insloeg voor de grote jongens, is hij maar een paar keer gearresteerd, en nooit wegens moord. Openbare dronkenschap, ontucht met minderjarigen, dat werk.'

Horn, die net zijn autosleutels uit zijn zak haalde, schrok op. 'Zeg dat nog eens? Ontucht met minderjarigen?'

'Ja. Seks met een jong meisje, zeiden ze. Heel jong, trouwens. Een jaar of twaalf. Uiteindelijk is de zaak geseponeerd, zegt Sam, omdat de moeder besloot niet te getuigen. Ze denken dat ze was afgekocht of bedreigd of zoiets. Is er iets?'

'Welnee.' Horn pakte de hand van de jongen en schudde die krachtig. 'Dankjewel, Douglas. Ik sta bij je in het krijt.'

Horn zette de radio harder op weg naar huis en neuriede mee met 'Cherokee' van Charlie Barnett. Hij was opgewonden. Hij voelde zich nog net zo ver van Clea verwijderd als ooit, en hij wist nog steeds niet wat Tommy Dells rol in het geheel was, en óf Clea wel bij hem was, maar er was vandaag een puzzelstukje op zijn plaats gevallen. Hij vroeg zich nu af of Vincent Bonsigniore – Vinnie B, de gangster die ooit in New York een kind had misbruikt – een van de oudere mannen was op de foto's die hij van Scotty had gekregen. In dat geval was het niet moeilijk je voor te stellen dat Bonsigniore een huurmoordenaar opdracht had gegeven Scotty uit de weg te ruimen toen duidelijk werd dat de gebeurtenissen in de jachthut openbaar gemaakt zouden kunnen worden. Al waren ze gemaskerd, de mannen die hun samenkomsten in de hut hadden gehouden moesten bang geweest zijn voor wat er zou gebeuren als de foto's buiten hun kleine kring terechtkwamen.

Nu had Horn die foto's. Konden ze dat weten, en zouden ze op ditzelfde moment al plannen met hem hebben? Trouwens, hoe hadden ze eigenlijk geweten dat Scotty de foto's had?

Met zijn vrije hand trommelde hij zacht op de maat van de muziek tegen het dak van zijn auto, maar zijn gedachten waren elders. Hoe had iemand kunnen weten dat Scotty de foto's had? Dan hadden ze bijna moeten zien dat hij het kantoor van zijn vader had doorzocht, of althans geweten hebben dat hij er was. En hoe hadden ze dat kunnen weten? Misschien van iemand die Scotty daar had gezien.

Hij stopte in de berm en zette de radio uit. De werkster. De vrouw die binnen had willen komen toen Scotty en hij aan het bureau zaten, met de foto's over het blad uitgespreid.

Hij keerde en reed terug naar de stad. Het was halverwege de middag toen hij bij de Braly-kantoortoren parkeerde en de ontvangsthal in liep. De portier achter de balie keek op.

'Ja, meneer?'

'Hallo,' zei Horn met een ernstig, gejaagd gezicht. 'Ik was hier pas om een zending voor het kantoor van de burgemeester af te halen. Ik moest naar de negende, en later bleek dat ik een deel van de zending was vergeten, enkele bouwtekeningen. Mijn baas, die op de juridische afdeling van het stadhuis werkt, heeft nog gebeld, maar ze zeiden dat de tekeningen er niet waren. Ze zeiden dat ze misschien gisteren met het afval waren meegegaan, want het leken maar opgerolde vellen papier. Ik moest het aan de schoonmaakster van die verdieping vragen. Weet u wie dat is?'

De portier keek hem onverschillig aan. 'Ik heb u niet gezien,' zei hij.

'Ik ben straal langs u heen gelopen,' zei Horn met een lach. 'Het was druk in de hal en ik wist waar ik moest zijn, dus ben ik meteen naar boven gegaan.' Hij zweeg even. 'Hoor eens,' vervolgde hij toen, 'dit is echt belangrijk. Ik zal niet zeggen dat het me mijn baan kan kosten, maar...' Hij maakte zijn zin met een machteloos gebaar af. 'Kunt u me uit de brand helpen?'

'Ik denk dat u Greta bedoelt,' zei de portier. 'Ik kan haar achternaam niet uitspreken, en als je de helft verstaat van wat ze zegt, mag je je al in je handjes knijpen.'

'Greta. Fantastisch. Weet u ook waar ik haar kan vinden?'

De portier keek naar de klok in de hal. 'Over een uur of twee huppelt ze door die deur daar.'

Horn liep naar Pershing Square en ging op een bank tegenover het Biltmore Hotel zitten om te bedenken wat hij zou doen als hij de schoonmaakster zag, hoe hij haar zou bejegenen, wat hij ging zeggen. Op het plein liep het gebruikelijke contingent kantoormensen, venters, predikers, redenaars en gekken rond. Onder een palmboom stonden twee in witte gewaden gehulde volgelingen van Zuster Aimées Kerk van het Openhartige Evangelie folders uit te delen onder een breed banier met de tekst: *Ruikt u de rozen; Ruikt u het hellevuur?*

De rijk gedecoreerde gevel van het Biltmore doemde aan de westzijde van het plein op. Daar, zo werd gezegd, was de aankomende actrice Elizabeth Short voor het laatst levend gezien voordat ze de nacht in was gelopen. Toen ze weer opdook, was het als een triest, verminkt ding geweest. Een slachter had haar de ultieme vernedering laten ondergaan door met zorg haar lichaam doormidden te snijden en de leeggebloede helften op een stuk braakliggend terrein tentoon te stellen.

Zijn gedachten dwaalden weer naar Clea af, en hij schudde woest zijn hoofd om ze te verjagen. Ze is niet dood, dacht hij, alleen zoek. Ik zal haar vinden en alles in orde maken. Niet omwille van het geld van een andere man, maar omwille van haar. En mezelf.

Na een uur liep hij naar een café aan de noordzijde van het plein, bestelde koffie en een kaneelbroodje en deed daar zuinig mee tot het tijd was om terug naar het kantoorgebouw te gaan. Hij verplaatste de Ford naar een plek tussen de hoofdingang en de dichtstbijzijnde bushalte en wachtte.

Iets voor vijven zag hij haar aankomen. Hij had niet zeker geweten of hij haar wel zou herkennen, aangezien hij haar die avond maar heel even had gezien, maar hij wist dat ze het was – het grijze haar onder een hoofddoek, de vormeloze jurk en de stevige stappers. Ze had een groot, in bruin papier gewikkeld pakket bij zich.

Hij stapte uit, liep naar haar toe en pakte haar losjes bij de elleboog. 'Greta?' zei hij. 'Hallo. Mag ik je iets vragen? De portier in de hal zei dat je vanavond werkte.'

Ze keek hem angstig aan en deinsde een pas achteruit. Hij stak meteen van wal. 'Je kent me niet. Ik heb hier gisteren een zending afgehaald, en nu ben ik bang dat ik iets heb laten liggen. Het zou bij het afval terechtgekomen kunnen zijn.' Hij lachte om het bespottelijke van het hele geval. 'Ik zou het erg op prijs stellen als ik even mocht uitleggen...' Al pratend loodste hij haar naar de auto en deed het portier open. Ze leek nu echt in paniek te raken en probeerde hem af te schudden. 'Het duurt maar even,' zei hij terwijl hij zoveel kracht op haar arm uitoefende dat ze wel moest gaan zitten. 'Niets aan de hand,' zei hij luid toen hij het portier dichtsloeg en om zich heen keek om te zien of de voorbijgangers niets hadden gezien. 'Heel even maar.'

Hij liep snel om de auto heen en stapte in. De vrouw zat stilletjes voor zich uit te kijken met het grote pakket op haar schoot. Hij schatte snel in dat ze weinig opleiding had genoten en vrijwel geen Engels sprak en besloot haar onder druk te zetten.

'Greta, herken je me?' vroeg hij.

Ze wierp een vluchtige blik op hem en schudde haar hoofd. Hij wist niet of ze loog of niet, en het maakte eigenlijk niets uit.

'Je hebt me laatst in de kamer van meneer Bullard gezien. Met Scott, zijn zoon. Jij kwam de kamer in, je wilde schoonmaken. Hij vroeg of je later terug wilde komen. Weet je het weer?'

Ze zei niets.

'Niet tegen me liegen, Greta. Ik weet wanneer je liegt, en de politie ook.'

'Politie?' Het was haar eerste woord, en ze had een zwaar accent. Ze zou Duits kunnen zijn, dacht Horn. In dat geval had ze geen gemakkelijke jaren achter de rug, waar ze ook was geweest.

'De politie,' herhaalde hij. 'Ik moet je een paar vragen stellen. Als ik klaar ben, laat ik je naar je werk gaan en val ik je nooit meer lastig, maar als je tegen me liegt, ga ik regelrecht naar de politie en dan zoek je het daar maar uit.' Wat een gelul, dacht hij. Maar zij zou erin kunnen trappen.

'Ik doe niets verkeerds.' De huid rond haar kaken was verslapt en kleurloos. Haar leeftijd viel niet te bepalen. Hij zou gemakkelijk medelijden met haar kunnen hebben, maar niet nu.

'Greta, weet je wat er met meneer Bullard is gebeurd? Nog maar twee dagen nadat je hem had gezien?'

Er flitste iets als ontzetting over haar gezicht, en hij wist dat hij op het goede spoor zat. 'Dus nu mijn vraag,' zei hij. 'En ik zal het antwoord krijgen, ook als je liegt.' Ik lijk wel een gebarsten grammofoonplaat, dacht hij. 'Heb je aan iemand verteld dat je Scotty, meneer Bullard, in de kamer van zijn vader had gezien?'

Ze aarzelde zo lang dat hij op het punt stond haar nog eens te dreigen, maar toen zei ze zacht: 'Smitty.'

'Wie is Smitty?'

'Mijn voorman.'

'Wanneer heb je het hem verteld?'

'De volgende dag.'

'Wat zei hij?'

'Niks.'

'Wie heb je het nog meer verteld?'

Ze omklemde haar pakket en ademde hoorbaar uit. Hij rook haar tabaksadem. 'Een man.'

'Weet je ook wie die man was?'

Ze schudde haar hoofd. 'Hij kwam de volgende dag vragen of er iemand in de kamer was geweest, of er iets was weggehaald.'

'En toen heb je gezegd dat je ons had gezien?'

Ze knikte.

'Waarom?'

Ze gaf geen antwoord. 'Laat me niet wachten, Greta,' zei hij dreigend. Haar adem stokte in haar keel en ze begon stilletjes te snikken. Klootzak die je bent, dacht hij. 'Nou?' vroeg hij streng.

'Hij gaf me vijf dollar.'

'En toen heb je maar gezegd wie je had gezien. Wist je wie ik was?'

Ze schudde snotterend haar hoofd.

'Heb je gezegd hoe ik eruitzag?'

Ze schudde hevig nee. 'Ik kon u niet goed zien.'

'Wat heb je nog meer verteld?'

'Niks.'

'Kort nadat ik in die kamer was geweest heeft iemand het bureau doorzocht. Wist je dat?'

Ze knikte. 'Dat heb ik ook aan Smitty verteld.' Ze leek bijna geen lucht te krijgen.

Scotty had hem verteld dat een paar uur nadat ze er weg waren gegaan, iemand het bureau van de oude Bullard had opengebroken. Wie het ook was geweest, hij had niets gevonden, en dus was hij de volgende dag teruggekomen om Greta uit te horen.

'Is dat alles?'

Ze knikte.

'Zeg op, hoe zag die man eruit?'

Ze leek na te denken, mogelijk op zoek naar de juiste woorden. 'Donker haar. Zo groot als de meeste mannen. Op zijn gezicht...' Ze hield haar wijsvinger dwars onder haar neus, de oude manier om Hitler te parodiëren.

'Een snor?'

'Snor.'

Dat klinkt naar Falco, dacht hij met een soort verbeten voldoening. En Greta, wist je dat jij medeschuldig bent aan wat mijn vriend is overkomen? Hij wilde het tegen haar zeggen, maar zijn woede was weggeëbd. Wie die woede ook verdiende, die verslagen, meelijwekkende vrouw die vloeren dweilde voor geld was het zeker niet.

Hij stapte uit, liep om de auto heen, maakte haar portier open en hielp haar uitstappen. 'Dank je, Greta,' zei hij met een stem die niets hards meer had. Hij gaf haar een paar dollar – niet hoog op de omkoopschaal, dacht hij. 'Ga nu maar naar je werk, dan probeer ik je niet meer lastig te vallen.' Hij zag haar langzaam weglopen. Goed gedaan, Horn, dacht hij wrang.

Op weg naar huis stopte hij aan de rand van Santa Monica bij een restaurant. Voordat hij bestelde, liep hij naar de telefoon. Het was tijd om zich bij Paul Fairbrass te melden. Hij draaide het nummer, maar de centraliste kwam aan de lijn en zei dat gesprekken met Long Beach bij haar moesten worden aangevraagd, en dus vroeg hij haar of ze hem wilde doorverbinden. Het was al avond, dus het verbaasde hem niet dat er niet meer werd opgenomen bij Fairbrass Pipe Fittings. Hij durfde hem niet goed thuis te bellen, omdat hij wist dat Fairbrass Iris erbuiten wilde houden. Maar er was veel gebeurd sinds hun eerste ontmoeting, en hoewel Clea nog steeds tot de vermisten behoorde, had haar vader het recht op de hoogte gehouden te worden. Horn had geen idee of Falco of diens opdrachtgever een bedreiging vormden voor Iris en haar echtgenoot – hoogstwaarschijnlijk niet. Wilde Fairbrass echter toch voorzorgsmaatregelen treffen, dan kon hij dat beter nu doen dan later. En dus moest hij een paar dingen weten.

Horn draaide het nummer en Iris nam op.

'Met John Ray,' zei hij. 'Neem me niet kwalijk als ik stoor, maar zou ik je man even kunnen spreken?'

'Halló,' zei ze. Het klonk bijna alsof ze blij was iets van hem te horen. 'Paul is er niet. Hij moest een paar dagen naar Chicago.'

'Het kan wel wachten, denk ik. Ik hoop dat ik je niet...'

'Als het over Clea gaat, zou je het ook aan mij kunnen vertellen.'

'Ik weet niet of dat wel zo'n goed idee is.'

'Toe nou, John Ray. Ik weet dat Paul je heeft gesproken. Hij wil me beschermen, maar dit is niet de goede manier. Als je iets hebt ontdekt, hoor ik het dan niet ook te weten?'

'Ik heb haar nog niet gevonden. Het spijt me. Zoekt de politie nog?'

'Ik denk het wel,' zei ze. Hij hoorde dat ze nerveus sigarettenrook in de hoorn uitblies. 'Maar ze zijn niet bepaald bemoedigend. Een politieman vertelde me dat er elke dag kinderen van huis weglopen en dat de politie niet veel energie aan het zoeken kan besteden, tenzij ze iets op hun kerfstok hebben.'

'Tja, ik zou graag iets positiefs tegen je zeggen, maar...'

'Ben je ook maar iets aan de weet gekomen?' Ze rekte haar klinkers uit, wat ze wel eens deed als ze dronk. Als ze nu drinkt, heeft ze er een goede reden voor, dacht Horn.

'Een paar dingen.' Ze weet niets van Tommy en zijn voorliefde voor messen, dacht hij, en van mij zal ze er niets over horen. 'Stukjes en beetjes, weet je wel? Ik hoop op een doorbraak.'

'Maar als je Paul wilde spreken, moet je toch iets te melden hebben.'

'Iris, toe nou.' Hij begon zich kwaad te maken. 'Je bent bij me weggegaan, je hebt Clea van me afgepakt en je hebt van het begin af aan geprobeerd me hierbuiten te houden, terwijl je weet dat geen mens Clea liever terug wil zien dan ik. Toen je man me in de arm nam, zei hij dat het een overeenkomst tussen ons tweeën was. Als je wilt weten wat er aan de hand is, vraag je het maar aan hem.'

Hij hoorde haar adem stokken. Het geluid verbaasde hem, want Iris was geen vrouw die vaak huilde. Het was een van haar eigenschappen die hij bewonderde.

'O, god,' zei ze zacht. 'Ik wil gewoon dat ze terugkomt.'

'Weet ik toch,' zei hij. 'Ik doe mijn uiterste best. Erewoord.'

'Weet je, ik denk al dagen: zou het niet fijn zijn als ze op tijd voor haar verjaardag terug was? Ik heb een cadeau op haar bed gelegd, mooi ingepakt...'

'Haar verjaardag. Ze is vandaag jarig, is het niet? Dat was ik vergeten.' Hij draaide zich om, keek door het raam en zag dat het bijna donker was. Het was Clea's verjaardag. 'Iris? Ik moet ophangen.'

14

Hij was binnen tien minuten op Ocean Avenue. De immense Stille Oceaan die zich ver onder de Palisades tot aan de einder uitstrekte was grauwzwart in de avondschemering. De straatverlichting brandde en overal in de laan knipperde neonverlichting aan met reclame voor de kleine hotels, cafés en visrestaurants.

Onder hem lag de pier van Santa Monica, een strook dansende lichtjes boven het water, en de verlichte omtrek van het reuzenrad stond fel tegen de lucht afgetekend. Hij reed erheen, zette de auto weg en volgde de andere zomeravondwandelaars de pier op. Clea was hier altijd graag gekomen, en hij was hier een paar dagen geleden nog geweest om haar te zoeken, maar deze keer voelde het anders. Ze wilde elke verjaardag bij de carrousel vieren.

Ze was nu ouder, natuurlijk, mogelijk te oud voor de opzichtig beschilderde namaakpaarden. Horn vroeg zich af of het geen wensdroom van hem was – het idee dat Clea hiernaartoe zou gaan, net als toen ze nog een klein meisje was, op zoek naar kleine-meisjesplezier. Het hielp hem zich niet voor te stellen dat ze bij een man was. Eén man in het bijzonder.

Toen hij dichter bij de ronde tent kwam waarin de carrousel stond, zag hij dat die donker en dicht was. Bij de ingang hing een bord: GESLOTEN WEGENS REPARATIEWERKZAAMHEDEN.

'Hel en verdoemenis,' pruttelde hij. Hij keek om zich heen, niet bereid de moed zo snel op te geven. Niet ver van hem vandaan stond een jong stel een ijskoud drankje te drinken. Het meisje leek ongeveer zo oud als Clea.

'Hallo daar,' zei hij.

'Hallo daar,' zei de jongen.

'Ik wil iets vragen. Ik kom van buiten de stad, en ik heb hier met een vriendin afgesproken. Ze zei dat ze in de draaimolen wilde, maar nu is dat rotding dicht. Ik zal ergens anders met haar naartoe moeten. Hebben jullie ideeën?'

'Tja,' zei de jongen aarzelend, 'zo'n beetje elke pier hier heeft wel een draaimolen.'

'Aha. Welke is het mooist?'

'Afgezien van deze, bedoelt u? Ik weet niet... Die op de pier van Lick is goed, want daar draaien ze swing in plaats van die ouderwetse orgelmuziek, maar ik geloof dat ik die op de Pike in Long Beach het best vind, want dat is de grootste en snelste. Een van mijn vrienden is er ooit af gevallen.' Hij proestte. 'De meeste jongens vinden dat de beste.'

'Dank je. Horn keek het meisje aan. 'Ben je het met hem eens?'

'Nee,' zei ze. 'Ik ga liever naar die op de pier van Ocean Park.'

'Waarom?'

'De paarden,' zei ze. 'Die zijn gewoon... práchtig.'

Het was niet ver rijden naar de pier van Ocean Park op de grens tussen Santa Monica en Venice. Tegen de tijd dat hij er aankwam, leek het of er een kermis aan de gang was. Het pulseerde er van lichtjes, muziek en het geroezemoes van een mensenmenigte die zich op een zomeravond met een zoel briesje wilde vermaken. Halverwege de pier stond de achtbaan met zijn zeeslangvorm, waar de kreten van de mensen in de bakjes oprezen tot een crescendo, zachter werden en weer aanzwollen.

Het was een levendige, drukke boel bij de carrousel, en het ingeblikte orgel blèrde 'Hindustan'. Horn bleef een paar minuten staan kijken. De paarden met hun starende ogen, opengesperde neusgaten, springende poten en gespannen pezen waren fraaie staaltjes houtbewerking. Ze sprongen en dansten tijdens hun kringdans. De kinderen, en een paar volwassenen, klampten zich eraan vast, belachelijk en fier tegelijk.

Hij liet zijn blik over de omstanders en ruiters glijden, waarbij hij zich inspande om er niet op te rekenen dat hij Clea zou ontdekken, want dat zou weer een teleurstelling kunnen worden. Na een poosje herinnerde de geur van gebraden vlees die over de pier naar hem toe zweefde hem eraan dat hij zijn avondeten had moeten uitstellen. Hij liep de tent uit, kocht een hotdog en een cola en wandelde door naar het eind van de pier, waar hij een minuut of twintig naar de mensen bleef kijken terwijl hij at. Toen liep hij terug langs de kraam van de waarzegster, het stalletje met suikerspinnen, de ik-raad-uw-gewicht-man en de schiettent.

Bijna recht boven zijn hoofd bereikten de kreten van de mensen in de achtbaan het krijspunt, en hij keek op naar de karretjes die naar beneden zoefden en de mensen die jammerden als verloren zielen die regelrecht naar de hel gingen. Toen hij zijn ogen weer liet zakken, zag hij Clea op zich af komen.

Ze had een man bij zich. Horn trok zijn hoofd tussen zijn schouders en beende snel naar een souvenirstalletje, waar hij door zijn ene knie zakte en deed of hij zijn veter strikte. Hij zag haar voorbijkomen. Ze hield Tommy's arm vast, maar Horn had geen oog voor Tommy. Ze drentelden langs hem heen en hij verloor hen in het gewemel uit het oog, maar hij bleef bij het stalletje wachten in de wetenschap dat ze er op de terugweg weer langs moesten komen.

Tien minuten later kwamen ze terug, en hij stond in de schaduw van het stalletje te kijken, met de rand van zijn hoed naar beneden getrokken. Zijn keel werd dichtgeknepen toen hij haar zag, niet van opluchting omdat hij haar had gevonden, maar zuiver doordát hij haar weer zag. Het signalement dat Paul Fairbrass hem had gegeven, had hem niet voorbereid op de enorme verandering die ze had ondergaan. Ze droeg een lichte zomerjurk en hoge hakken en liep met langbenige, soepele tred. Ze had haar blonde haar uit haar gezicht geborsteld; de zeebries speelde ermee. Haar gelaatstrekken waren scherper geworden en haar gezicht zag eruit of het op het punt stond die vage grens tussen meisje en vrouw over te steken.

Tommy, die praatte en brede gebaren maakte, had het zichtbaar naar zijn zin. Clea luisterde half glimlachend, zonder veel te zeggen, en keek van links naar rechts alsof ze aan andere dingen dacht. Ze liepen hem voorbij. Hij wachtte een minuut en ging toen achter hen aan. Hij zorgde dat er een stuk of twintig mensen tussen hemzelf en het tweetal in bleven.

Ze liepen de carrousel voorbij zonder hun pas in te houden. Ze heeft haar verjaardagsrit zeker al gemaakt, dacht Horn. Hij volgde hen naar het parkeerterrein, wachtte tot hij hen in de hemelsblauwe Chrysler cabrio zag stappen, sprintte toen naar zijn eigen auto en haalde hen in toen ze de hoofdstraat insloegen.

Tommy sloeg links af, Santa Monica in, en reed over Santa Monica

Boulevard naar het noorden. Horn probeerde een paar auto's tussen hemzelf en de Chrysler te houden, net als toen hij Falco had gevolgd. Telkens als hij voor rood moest stoppen en de achterlichten van de andere auto zag verdwijnen, trommelde hij mopperend met zijn vingers op het stuur, en als het licht op groen sprong, stoof hij weg om de afstand te overbruggen. Hij had het voordeel dat zijn Ford niets opvallends had, maar hij had al te veel pech gehad om nog optimistisch te zijn. Hij wist dat dit misschien zijn enige kans was.

Jij hebt Sykes afgeschud, en Falco mij, dacht Horn, maar vanavond blijf ik bij je, Tommy, of hoe je ook heet. Mij schud je niet af. En als je merkt dat ik achter je zit, als je stopt om je messentruc met me uit te halen, dan rijd ik je op straat te pletter, ik zweer het je.

De achtervolging verliep echter zonder incidenten. Ze reden via Santa Monica door Beverley Hills en vervolgens Hollywood in, waar Tommy Crescent Heights volgde en toen Laurel Canyon in reed. Horn dacht eerst nog dat ze naar Bonsigniores huis gingen, hoog in de bergen, maar na een paar minuten sloeg de Chrysler een zijstraat in. Horn wachtte tien seconden, deed zijn koplampen uit en volgde de auto. Het was een smalle, bochtige weg met om de twintig meter een dode hoek. Hij omklemde het stuur en tuurde naar de achterlichten van de Chrysler, die hij telkens zag, kwijtraakte en terugvond. Hij stak een paar keer zijn hoofd door het raam om beter voor zich te kunnen kijken.

Toen zag hij remlichten en reed de Chrysler een korte, steile oprit in. Horn remde, kroop het laatste stuk vooruit en stopte op twintig meter van het huis. Hij stapte uit en liep erheen. De gewoon uitziende bungalow stond vlak bij de plek waar de straat zijn hoogste punt bereikte en de heuvel weer begon af te dalen, en het kleine gazon liep steil af van de veranda naar een anderhalve meter hoge muur aan de smalle straat. Horn zag de Chrysler aan het eind van de donkere oprit opzij van het huis staan.

Terwijl hij daar besluiteloos stond, floepte het licht in de voorkamer van de bungalow aan. Hij besefte enigszins beschaamd dat hij niet goed wist wat hij nu moest doen. Als ik aanklop, kan het me m'n kop kosten, dacht hij, en anders word ik toch minstens gearresteerd. De bajesklant die stennis schopt om een meisje dat hij niet eens zijn dochter meer kan noemen. Daar zou niemand iets mee opschieten.

Het beste wat hij kon doen, stelde hij vast, was Paul Fairbrass vertellen waar hij zijn dochter kon vinden en het verder aan hem overlaten. Of Clea nu naar huis wilde of niet, het feit bleef dat ze minderjarig was, en daar kon Fairbrass die Tommy veel last mee bezorgen. Als Clea eenmaal veilig was, kon Horn altijd nog uitzoeken waarom ze was weggelopen en bepalen of er echt een verband bestond tussen haar verdwijning en de dood van Scotty.

Hij ging terug naar zijn auto en noteerde het adres van de bungalow. Hij maakte aanstalten om de auto te starten, maar iets weerhield hem ervan. Nu hij Clea had gevonden, wilde hij nog even dicht bij haar blijven. Hij maakte het zich dus zo gemakkelijk als de beperkte ruimte voor in de Ford toeliet en keek naar de lichten in het huis.

Wat wil je van haar? vroeg hij de man in het huis. Waarom is ze naar jou gevlucht? Is ze gelukkig? Heb je haar kwaad gedaan? Zo ja, dan is Paul Fairbrass niet degene voor wie je echt bang moet zijn.

Toen de lampen in het huis uit gingen, keek hij op zijn horloge en zag tot zijn verbazing dat hij al meer dan een uur in zijn auto zat. Het liep tegen middernacht, en de straat, die nauwelijks werd verlicht door de ver uiteen staande lantaarns, was zo stil dat hij de radiomuziek die ergens uit een raam zweefde herkende.

Hij gaapte, ging verzitten en bedacht net dat hij eens naar huis moest gaan, toen hij een geluid als van een dichtslaande deur hoorde. Het kwam van hoger op de helling, in de buurt van Tommy's huis. Hij leunde uit het raam en spitste zijn oren. Na een paar seconden klonk er weer een geluid, nu meer een knal. Het bleef een halve minuut stil en toen hoorde hij weer zo'n knal, van dezelfde duur en even hard als de vorige. De geluiden hadden allemaal gedempt geklonken, maar Horn wist wat het waren: schoten uit een licht vuurwapen, waarschijnlijk van twee verschillende wapens.

Het derde schot was nog niet verklonken of hij was al uit zijn auto gesprongen. Hij rende naar de stenen muur, dook eronder weg en luisterde. Het was stil, afgezien van het opgewonden geblaf van een paar honden die kennelijk waren opgeschrikt door de ongewone geluiden. Hij loerde over de muur en zag hetzelfde donkere huis als tevoren.

Hij volgde de ongelijke stenen treden naar een pad dat naar nog meer treden en de veranda leidde. Met ingehouden adem probeerde hij de voordeur geruisloos open te maken. Op slot. Ze moet binnen zijn, dacht hij. Is ze ongedeerd? Hij nam snel een besluit en rammelde aan de deurknop, nu hard genoeg om binnen gehoord te worden. 'Hebben jullie dat ook gehoord?' zei hij luid. Hij voelde zich belachelijk. 'Volgens mij kwam het van binnen. Weet je wat, ik loop achterom en jullie wachten hier op de politie, goed?'

Een paar seconden later hoorde hij geluiden achter het huis – een deur, rennende voetstappen op het grind, gevolgd door bijna een volle minuut stilte en toen het geluid van een auto die ver achter het huis startte, misschien wel een hele straat verderop.

Hij ging naar zijn auto en pakte een zaklamp uit het handschoenenvak. Toen volgde hij op de tast de zijmuur naar de achterkant van het huis, snel en oppervlakkig ademend, en daar zag hij hoe de indringer binnen was gekomen: het slot van de achterdeur was geforceerd.

Hij probeerde uit alle macht zijn angst te bedwingen, schraapte zijn keel en zei luid: 'Hallo daar. Ik ben de buurman. Ik ga nu naar binnen.' Hij zette zijn voet achter de hordeur, duwde de kapotte binnendeur open en stapte snel naar binnen. Het was donker in het huis. Hij knipte zijn zaklamp aan en zag dat hij in een kleine keuken stond, waar zo te zien niets van zijn plaats was gehaald. Hij liep de gang naar de voorkant van het huis in.

'Is daar iemand? Ik hoorde iets en ik dacht...'

Toen hij de lichtbundel door de gang liet spelen, zag hij de gestalte op de vloer vrijwel onmiddellijk. O, nee, dacht hij. Maar het waren de vormen en maten van een man, niet van een meisje. Hij lag op zijn zij met zijn hoofd op zijn rechterarm, bijna alsof hij een dutje deed. Horn bescheen zijn gezicht. De gelaatsspieren waren verslapt en het haar zat niet zoals gewoonlijk op zijn plaats geplakt, maar het was Tommy. Hij droeg een zijden pyjama met brede strepen, en zijn linkerzij glom van het bloed. Vlak naast de vingers van zijn rechterhand lag een groot pistool. Hij bewoog zich niet, en Horn zag in een oogopslag hoe dat kwam. Tommy's linkeroog was weg, en er was een bloedprop voor in de plaats gekomen die uitpuilde en glansde als het robijnen oog van een afgodsbeeld.

'Clea!' Horn kwam zonder aan gevaar te denken overeind en riep: 'Clea! Waar ben je?'

Hij doorzocht de bungalow, te beginnen bij de woonkamer en daarna de beide slaapkamers. De eerste was duidelijk van Tommy, want in de kast hing een voorraad schreeuwerige maar goed gesneden en dure kleren. De tweede slaapkamer was ook in gebruik, en in de kast hing een vreemde verzameling dames- en meisjeskleding. Horn keek in de keuken, de badkamer, de wc, de bijkeuken, de kasten, overal. Ze was er niet. Hij liep geagiteerd terug naar de woonkamer, zakte in een stoel bij de open haard en deed een poging de gebeurtenissen te reconstrueren.

Nadat Tommy en Clea ieder naar hun eigen bed waren gegaan, theoretiseerde hij, was er een inbreker gekomen. Tommy had zijn revolver gepakt en was de gang in gelopen, waar het tot een vuurgevecht tussen de indringer en hem was gekomen. Het wapen op de vloer was een halfautomatische .45, het soort dienstpistool dat honderden soldaten na de oorlog mee naar huis hadden gesmokkeld. Het was een groot, lawaaiig, bruut wapen met een formidabele stopkracht, maar weinig accuratesse – geen slechte keus voor op het nachtkastje als het je er vooral om te doen is iemand te verjagen. Tenzij je tegenstander niet snel bang is.

Het eerste schot was met de .45 gelost, dat wist Horn zeker, en het was beantwoord met een lichter, preciezer wapen dat Tommy had verwond, zodat de ander de tijd had gehad het genadeschot toe te dienen. Vervolgens had hij Clea meegenomen. Dat moest wel, want er was geen andere mogelijkheid.

Horn overwoog een paar lampen aan te doen, maar zag ervan af. Hij liet de zaklamp lukraak door de woonkamer schijnen, alsof hij het antwoord vroeg tevoorschijn te springen. Het licht weerkaatste op iets op het haardscherm. Hij ging kijken. Het was een lichtgewicht ketting van ongeveer een meter lang met aan het uiteinde een stalen ring waar een wijsvinger in paste. De ketting was achteloos over het scherm gedrapeerd, alsof iemand hem haastig naar de open haard had gesmeten. De eindschakel aan het andere uiteinde was verbogen.

Horn deed behoedzaam de voordeur open en stapte van de veranda het gazon op. Toen draaide hij zich om en bekeek het huis. Het had een puntdak, zoals zoveel bungalows, en de nok stak bijna twee meter boven de benedenverdieping uit. Ongeveer een meter daaronder zat een ventilatierooster in de voorgevel. Het huis moest een soort zolder hebben.

'Hallo.' Horn keek om en zag een dikke man in ochtendjas en pantoffels in de aangrenzende tuin staan. 'Problemen?'

'Hé, hallo,' zei Horn. 'Hebt u die geluiden ook gehoord, en dat gegil? Ik ben naar buiten gelopen om te kijken, maar ik zie niets.' Hij bescheen de voorkant van het huis met de zaklamp. 'Loos alarm, denk ik. Of een geintje.'

De man prutste aan het koord van zijn badjas en keek van Horn naar het huis en weer terug. Horn dacht niet dat Tommy het soort man was geweest dat praatjes over de schutting maakt, maar hij vroeg zich af of de buurman wel wist dat hij niet met de hoofdbewoner praatte.

'Laten we het sein maar op veilig zetten,' zei Horn met een lach, waarop hij geeuwend een hand voor zijn mond hield. 'Ik weet niet hoe het met u zit, maar ik ga terug naar bed. Welterusten.'

'Ik ook. Slaap lekker.' Horn voelde de ogen van de man in zijn rug prikken toen hij het huis weer in liep en dacht: vraagt hij zich af waarom ik hier in het holst van de nacht rondloop met al mijn kleren nog aan? Gaat hij nu de politie bellen? Ik moet opschieten.

Binnen verkende hij het plafond van de gang met het licht van de zaklantaarn. Bijna recht boven Tommy vond hij wat hij zocht: de randen van een luik met in het midden een haast onzichtbaar, witgeverfd oog. Tommy had nog net tijd gehad om het luik dicht te doen, de ketting eraf te trekken en hem naar de haard te slingeren. Om iets – of iemand – te verbergen in de paar seconden die hij nog te leven had.

Horn pakte een keukenstoel, klom erop, haakte zijn wijsvinger door het oog en trok. Het luik, dat van een degelijk contragewicht was voorzien, ging langzaam open. Een houten vlizotrap ontvouwde zich en daalde traag tot de vloer af. Horn klom erop.

Het rook er naar stof, ruw hout en de opgeslagen hitte van de dag. Met zijn hoofd door het luik liet hij zijn zaklamp over kartonnen dozen en afgedankte meubelen schijnen. De lichtbundel vond haar in een van de achterste hoeken.

Ze lag half zittend op een slordig neergelegde deken, blootsvoets en in pyjama, met grote ogen in een verstijfd gezicht. 'Clea.' Hij klom de zolder op en was al bijna bij haar toen hij het wapen in haar hand zag. Ze hield het in haar hevig trillende hand, richtte op zijn hart en beet op haar lippen, zoveel kracht moest ze zetten om de trekker over te halen. Maar de trekkerbeugel was te stug, en ze moest twee handen gebruiken. Net toen ze de haan spande, dook hij op haar af en omklemde de cilinder. Toen ze vuurde, voelde hij dat het velletje tussen zijn duim en wijsvinger tussen de hamer en het aambeeld bekneld raakte.

Hij wrong de revolver uit haar hand, waarbij hij haar pijn deed. Ze kermde. 'Nee!' zei hij. 'Ik ben het. Lieverd, ik ben het.' Zelfs in de bijna-paniek van het ogenblik was hij zo wijs te beseffen dat hij zichzelf niet 'pappie' meer kon noemen. Hij richtte de lichtbundel op zijn eigen gezicht, maar toen ze zich angstig tegen de muur drukte, begreep hij dat ze een dodenmasker zag.

Hij deed de zaklamp uit en toen zaten ze samen in het donker uit te hijgen. 'Ik ben het, John Ray,' zei hij ten slotte zacht. 'Ik kom je halen. Niemand doet je nog iets.'

Het duurde minuten voordat hij haar met lieve woordjes had overgehaald op te staan en naar de zoldertrap te lopen. Hij hield haar hand vast toen ze van de trap klom en wees haar de weg met het licht. Net toen het lijk op de vloer hem weer te binnen schoot, zag ze het en kreunde. Ze nam de laatste tree, knielde naast Tommy, plukte aan zijn mouw en aaide hem over zijn haar. Het was te donker om de volle omvang van zijn verwondingen te kunnen zien, maar het was duidelijk dat ze begreep dat hij dood was.

Ze keek naar Horn op en hij hoorde de aanzet tot een schreeuw in haar keel opwellen. 'Nee, Clea.' Hij sloeg zijn hand voor haar mond. 'Ik heb hem niet vermoord, ik zweer het je. Ik heb hem zo gevonden.' Ze verzette zich tegen zijn hand en maakte gesmoorde geluiden. 'Iemand anders heeft hem vermoord. We moeten weg. Het is te gevaarlijk om hier te blijven.'

Ze trok met twee handen aan zijn pols. Toen ze geen geluid meer maakte, haalde hij zijn hand weg en loodste haar naar de achterdeur. 'Wacht hier even,' zei hij. Hij ging naar Tommy's slaapkamer en vond een portefeuille op de commode. Hij haalde het rijbewijs eruit en keek naar de naam: Anthony Del Vitti. Hij nam snel het assortiment kaartjes en foto's door en plukte er een uit, die hij samen met het rijbewijs in zijn zak stopte. Weer in de gang overwoog hij een van de wapens mee te nemen, maar hij zag snel in dat dat onverstandig was. Een bajesklant met een vuurwapen, dacht hij. Dan vráág je erom. Toen liepen Clea en hij de achterdeur uit en om het huis heen naar de voorkant, waar hij schichtig om zich heen keek. Geen levende ziel te bekennen. Zelfs de honden hielden zich even koest.

Een paar seconden later zaten ze in de auto. Hij startte, maakte een nauwe U-bocht over de berm de weg op en scheurde de heuvel af, richting Laurel Canyon Boulevard.

Hij zuchtte en keek naar Clea, die tegen haar portier geleund zat, met haar voeten onder zich op de stoel, en in het niets staarde. 'Het komt allemaal goed,' zei hij. 'Ik zoek al een hele tijd naar je. Je was moeilijk te vinden, weet je dat? Het was veel gemakkelijker om je aan het strand op te sporen, die keer met Addie, weet je nog?'

'Waar gaan we heen?' Het was het eerste dat ze zei, en ze zei het zo binnensmonds dat hij haar bijna niet kon verstaan.

'Ik breng je naar huis,' zei hij. 'Je vader en moeder zijn vast heel...'

'Nee.'

'Clea, je moet naar huis.'

'Néé.' Ze rukte met beide handen aan de hendel van het portier, dat openvloog. Ze zwaaide woest haar benen naar buiten, maar hij boog zich net op tijd opzij om haar bij haar pyjamajasje te pakken en naar binnen te sleuren. De auto zwenkte. Hij trok aan het stuur. Clea probeerde zich los te rukken.

'Nee!' Het klonk als een angstkreet. Hij trapte op de rem en hield haar met beide handen in bedwang terwijl zij tegen zijn borst stompte. Ze ging harder schreeuwen en hij zat daar, nog steeds met haar pyjamajas in zijn hand, en vroeg zich af hoe het verder moest. In een huis vlakbij ging een lamp aan.

Geen tijd om het anders aan te pakken. Hij hield haar met zijn rechterhand rechtop en gaf haar een tik met zijn linker, en toen nog een hardere. De tweede klap benam haar de adem en ze liet zich snikkend in haar stoel zakken.

'Meiske, het spijt me,' zei hij, haar bij de koosnaam noemend die hij lang geleden had gebruikt, in de beste tijd. 'Waarom wil je niet naar huis?'

Geen antwoord, alleen snikken. Er was iets met haar gezichtsuitdrukking. Hij wist niet wat het betekende, maar het maakte hem bang. Hij hoorde een stem in het huis waar het licht aan was gedaan en maakte een paar snelle berekeningen – die tot een beslissing leidden.

'Goed dan,' zei hij, 'al goed.' Hij startte weer en ze reden naar de weg door de canyon. In plaats van linksaf te slaan, sloeg hij rechtsaf en reed naar de bergkam, de route naar de Valley.

Het was bijna twee uur op zijn horloge toen hij aanklopte. Maggie deed met een slaperig gezicht open.

'Ik heb je hulp nodig,' zei hij.

15

Hij schoot van de bank omhoog. Een baan zonlicht die door het raam viel en een rechthoek op de vloer maakte, prikte in zijn ogen. Hij was wakker geschrokken van geluiden, en toen hoorde hij ze weer: geredder in de keuken. Toen snoof hij de geur van koffie op en keek over de rugleuning van de bank de keuken in, waar Maggie ontbijt aan het maken was.

'Waar is ze?' vroeg hij met een kraakstem.

'Goedemorgen,' zei ze zonder zich van het aanrecht om te draaien. 'In de slaapkamer. Ik dacht dat ik jullie allebei beter kon laten uitslapen.'

'Slaapt ze nog?'

'Ja. Eindelijk. Maar het werd al bijna licht toen ze onder zeil ging. Ik heb haar wat warme melk met whisky gegeven, en dat werkte. Ik weet dat ze er nog iets te jong voor is, maar ik dacht dat je het niet erg zou vinden.'

'Iets zegt me dat ze niet zo jong meer is. Waar heb jij geslapen?'

'Naast haar in bed. Ze wilde niet veel zeggen, dus heb ik maar geprobeerd haar te sussen.'

Hij hoorde geknetter en rook worstjes die in de pan lagen te bakken. 'Ze heeft tegen mij ook bijna geen woord gezegd.'

'Ze huilde nog wat voor ze in slaap viel,' vervolgde Maggie, 'en ze is een keer wakker geworden en toen hoorde ik haar geluiden maken. Een nachtmerrie, denk ik. Ik weet niet wat er met haar is, maar ze heeft heel wat meegemaakt.'

'Zal ik je erover vertellen?'

Ze haalde haar schouders op, nog steeds met haar rug naar hem toe. 'Alleen als je het zelf wilt. Ik kan ook helpen zonder elk wissewasje te weten, toch?'

'Ik wil je geen moeilijkheden bezorgen.'

'Om mij hoef je je niet ongerust te maken.'

Hij trapte de katoenen deken met het Navajo-motief van zich af, stond op en besefte plotseling dat hij alleen zijn boxershort aanhad. Hij trok zijn broek, hemd en schoenen aan en ging naar de slaapkamer om een kijkje bij Clea te nemen. Ze lag met haar hoofd van hem af; het laken bedekte haar tot aan haar nek. Ze leek regelmatig te ademen.

Op de terugweg naar de voorkamer stopte hij bij de kleine keuken en schraapte zijn keel. 'Dankjewel, Maggie,' zei hij.

Ze nam zijn dank wuivend met haar schuimspaan in ontvangst en even later kwam ze met borden vol roereieren, gebakken worstjes en maïsbrood de kamer in. Ze zette de borden op de tafel voor de bank, haalde mokken koffie uit de keuken en kwam naast hem zitten. 'Ik heb het druk vandaag,' zei ze. 'Een van mijn merries moet een veulen krijgen. Als je niet kunt blijven, ga ik wel zo af en toe bij Clea kijken, goed?'

'Ja, prima.' Ze aten, en halverwege het ontbijt begon hij het haar te vertellen. Deze keer compleet met de ontdekking van de foto's, Scotty's dood, Sykes' gewelddadige ontmoeting en de moord op de man die nu Anthony Del Vitti heette.

'Godallemachtig, John Ray,' zei Maggie. Ze pakte een papieren servet en veegde haar mond af. 'Dit is heel beangstigend, wist je dat?' Zonder zijn antwoord af te wachten vervolgde ze gehaast: 'Maar wie zit hierachter?'

Hij trok een gezicht om aan te geven hoe weinig hij zeker wist. Desondanks legde hij haar al zijn speculaties voor: het verband tussen Scotty's dood en de verboden foto's, de vermoedelijke betrokkenheid van Vincent Bonsigniore en, via hem, de bajesklant annex stuntman Gabriel Falco.

'Maar weet je,' vervolgde hij, 'ik weet niet waarom Tommy – Del Vitti, bedoel ik – gisteren is doodgeschoten. Wie onder een valse naam leeft, moet iets te verbergen hebben. En aangezien hij met Falco omging, had hij waarschijnlijk ook contact met Bonsigniore. Maar wie zou hem dood willen hebben?'

'Misschien is er helemaal geen verband,' opperde Maggie. 'Misschien had hij gewoon de verkeerde vijand uitgekozen en heeft het niets met dit alles te maken. Maar er schiet me net iets te binnen: hij had Clea bij zich thuis, immers? Misschien had iemand van de groep uit de jachthut daar bezwaar tegen. Dan zou er toch een verband kunnen zijn.'

Horn keek haar niet-begrijpend aan. 'Maar die foto van Clea is van jaren geleden,' zei hij. 'Ik zie niet hoe zij er iets mee te maken zou kunnen hebben. Ik kan erover nadenken tot ik pijn in mijn kop krijg, maar de puzzelstukjes passen niet.'

'Omdat je er nog te veel mist,' zei Maggie glimlachend. 'Maar het is allemaal begonnen met kleine meisjes.'

'Inderdaad. De uitstapjes naar de jachthut. Arthur Bullard was er in elk geval bij. En laten we zeggen onze vriend Vinnie. Wendell Brand staat ook op mijn lijstje, Clea's vader. Hij werkte vroeger voor de oude Bullard. Afgezien van Iris is hij de enige die Clea hierbij betrokken kan hebben, en Iris is domweg niet tot zoiets in staat. Ik denk dat hij zijn vierjarige dochtertje erheen bracht, haar uitleverde aan die...'

Hij zweeg toen hij zag dat hij zijn vork zo krampachtig vasthield, dat er eten op de vloer was gevallen. 'Sorry.' Hij raapte de rommel op.

'Je hebt er drie genoemd,' zei Maggie.

'Ja. Ik heb ook aan Falco en Del Vitti gedacht, maar Falco is pas een paar jaar geleden uit New York hierheen verhuisd, en die uitstapjes naar de jachthut zijn al minstens tien jaar aan de gang, te oordelen naar die foto van Clea. Del Vitti lijkt – léék – er ook te jong voor, en ik weet niet of hij die andere mannen kent. Maar de drie die ik heb genoemd, hadden iemand nodig om de foto's te maken en te ontwikkelen, want met zulke filmpjes kun je niet naar een fotozaak bij je in de buurt gaan. Ik denk dat ik een goede kandidaat heb: een zekere Calvin St. George. Hij heeft een antiquariaat in Hollywood, hij verkoopt vieze boekjes onder de toonbank en hij kan goed fotograferen – jonge meisjes, om maar iets te noemen. Hij gedroeg zich een beetje schichtig toen ik met hem praatte.'

'Wat is zijn connectie met de anderen?'

Horn beet op zijn onderlip. 'Dat weet ik niet precies.'

'Tja...'

'Het is maar een idee.'

Maggie schoof haar bord van zich af en keek hem aan. 'Waar denk je aan?'

'Del Vitti. Vlak voor zijn dood heeft hij Clea in veiligheid gebracht. Verder weet ik alleen maar slechte dingen van hem, maar dat ene goede heeft hij wel gedaan.'

'Het zal wel.' Ze dronk haar koffiemok leeg. 'Wat ga je nu doen?'
'Clea naar huis brengen, zodra ze eraan toe is.'
'Naar wat je me hebt verteld, is ze er niet echt aan toe.'
'Weet ik, maar ik zal haar ouders toch snel moeten vertellen waar ze is, anders denken ze nog dat wij haar hebben ontvoerd. Ik wil weten wat er thuis aan de hand is. Ik heb van de man van Iris gehoord dat Clea en haar moeder ruzie over iets hadden. Misschien is dat alles. Dat is bij te leggen, en als Clea eenmaal ziet hoe blij ze zijn dat ze weer terug is...'
'Wil je weten wat er met haar is gebeurd? En met die andere meisjes?'
'De details, bedoel je? Niet als ik haar ernaar moet vragen. Ik weet meer dan genoeg.'
'Ga je ermee naar de politie?'
Hij liep naar de keuken om nog een mok koffie in te schenken. Toen hij terugkwam, antwoordde hij: 'Nee. Ze kunnen allemaal naar de hel lopen.'
'En Scotty dan? Hij was je beste vriend. Wil je niet...?'
'Nu Clea terecht is, wil ik niets liever dan Scotty's moordenaar vinden. En als ik hem heb, zal ik het hem betaald zetten. Maar telkens als ik een smeris zie die erachter komt wie ik ben, word ik als een stuk stront behandeld. Ik heb er nog niet één ontmoet die ook maar een knip voor de neus waard is.'
'Tja, wat moet je dan?'
'Ik heb eens nagedacht,' zei hij peinzend. 'Scotty's moeder. Ken je die? Ze wil heel graag weten wat er met hem is gebeurd. Het is een chique dame die oorlogswezen helpt en heerlijke limonade serveert, maar ze is spijkerhard. Ik zou haar niet graag op mijn dak krijgen. Ze zegt dat ze niet naar de politie wil, omdat de hobby van haar echtgenoot dan aan het licht zou kunnen komen, maar ze kent veel mensen. En ik heb zo'n gevoel dat als ik wat meer bewijzen heb en die aan haar overdraag, zij wel een manier zou weten om ze bij de politie te krijgen zonder dat de naam van die oude Arthur te grabbel wordt gegooid. Ik denk dat ik dat maar doe. Dan hoef ik niet met smerissen in een ruimte te zijn, dezelfde lucht in te ademen en hun koppen te zien als ze horen wie ik ben.'
'Je bent goed kwaad om wat er is gebeurd, hè? De gevangenis, bedoel ik. En Iris.'

'Nou en of,' zei hij met een vreugdeloze glimlach. 'Zou jij dat niet zijn?'

'Vast wel, maar vind je het geen tijd worden om verder te gaan met je leven?'

Hij keek verbaasd op.

'Ik bedoel, kijk dan naar jezelf. Je leefde er goed van, de mensen keken naar je op...'

'De kínderen keken naar me op.'

'Ja, zo is het maar net. Je betekende iets voor ze. En nu loop je erbij als een werkloze stalknecht. Je hebt bijna altijd een stoppelbaard en je bent hier nog nooit op fatsoenlijke schoenen aangekomen. Geen geld hebben is één ding; dat hebben we allemaal wel eens meegemaakt. Maar John Ray, je gedraagt je alsof je geen respect meer voor jezelf hebt.'

Hij zat met zijn voeten op tafel, zijn hoofd gebogen en zijn mok in zijn beide handen.

'Hoor mij eens, ik zit gewoon een preek te houden,' zei ze. 'Doe maar of ik niks heb gezegd. Ik heb het recht niet. Alleen was ik zo dol op je, en het staat me niet aan je zo te zien.'

Toen hij naar haar opkeek, was het met een ongekunstelde grijns. 'Lekker ontbijtje,' zei hij. 'Dat is de eerste keer dat je ontbijt voor me maakt, wist je dat?'

Ze beantwoordde zijn glimlach niet. 'Dat komt doordat je nooit tot het ontbijt bleef,' zei ze. 'Je hebt wel meer gemist, John Ray. Je had te veel haast.'

Hij knikte. 'Als Iris niet was gekomen, denk ik...'

'Maar ze kwam, nietwaar? En jij wilde per se een vrouw die geen broeken droeg, maar rokken, en die alles over make-up en dansen wist in plaats van over paarden en stallen. Dus begin nou niet over hoe het had kunnen gaan, want dat is flauwekul. We praten nu over hoe het ís. We zijn allebei onze eigen weg gegaan en ik ben met een goede man getrouwd.' Ze stond op en begon de tafel af te ruimen. 'Ik verwijt je niets. Iris was een bijzondere meid. Nog steeds, denk ik. Het spijt me voor je dat het niets is geworden.'

Hij wist er niets op te zeggen en liep maar terug naar de slaapkamer. Clea had zich in haar slaap omgedraaid en lag nu met haar gezicht naar hem toe, haar mond een stukje open. Hij ging op het bed zitten en legde voorzichtig zijn hand op haar schouder. Haar pyjama, dezelfde die ze aan had gehad toen hij haar vond, was bedrukt met lammetjes die over een hek sprongen, echt iets voor een meisje. Haar haar was warrig en de zure geur van alle spanningen van de afgelopen nacht hing nog in de kamer.

Ze bewoog zich en deed plotseling haar ogen open. Toen ze hem zag, spande ze haar schouder alsof er een veer terugsprong. Ze ademde snel en hij hoorde een kreetje in haar keel opwellen.

'Stil maar,' fluisterde hij met klem. 'Ik ben het maar, Clea. Weet je nog? Ik heb je hier gisteren naartoe gebracht. Er is niets aan de hand.'

De spanning ebde langzaam uit haar schouder. Haar mond was slap en ze hief een kleine vuist naar haar gezicht alsof ze zich erachter wilde verbergen.

'Weet je het nog?'

Ze knikte.

'We zijn bij Maggie, en je mag van haar blijven zo lang je maar wilt. Ze heeft paarden. Je vindt het hier vast fijn. Wil je iets hebben? Iets te eten?'

'Glaasje water,' mompelde ze.

Hij haalde een glas water uit de keuken en zette het bij haar bed. 'Verder nog iets?'

'Ik wil weer slapen.'

'Goed.' Hij gaf haar een klopje op haar schouder en liep weg. Maggie was de afwas aan het doen. Hij kleedde zich verder aan en ging bij het raam zitten, dat uitkeek over de zandweg en de omheinde paardenwei erachter. De wei lag in de warme zon. Een paar paarden liepen te grazen. Een van Maggies knechten was met ze aan het trainen. Hij bereed een donker kastanjekleurige merrie en hield een grijze ruin bij de teugels. Horn hoorde de man door het open raam van verre met zijn tong klakken toen hij de paarden hun pas liet versnellen.

'Ik vind het hier prettig,' zei hij, misschien meer tegen zichzelf dan tegen Maggie. 'Zo vredig.'

Hij tastte in het borstzakje van zijn overhemd naar de foto die hij uit de portefeuille van Del Vitti had gepakt. Die had zijn belangstelling gewekt omdat Del Vitti er samen met Clea op stond. Hij bekeek hem opnieuw. Ze zaten aan een tafeltje in een soort nachtclub met drankjes voor zich. Del Vitti glimlachte breed voor de lens, maar Clea, die een volwassen uitgaansjurk droeg en een sigaret vasthield, maakte een ingehouden, bijna ernstige indruk. De foto, die op stevig papier was afgedrukt, was zo te zien bijgeknipt omdat hij anders niet in de portefeuille paste.

Doordat de randen waren afgeknipt, ontbrak het Horn aan details waaruit hij zou kunnen opmaken waar de foto was genomen. Het enige wat hij kon zien, afgezien van de tafel, was een stukje van een serveerster met een dienblad achter het tweetal. Ze droeg een rok met franje. Hij keek nog eens goed. Die rok kwam hem bekend voor.

Maggie legde een overhemd voor hem op de gelakt grenen tafel. 'Het is er een van Davey,' zei ze. 'De mouwen zouden te kort kunnen zijn, maar verder zou het je moeten passen, en het ziet er een stuk beter uit dan wat je nu aanhebt. Hier heb je zijn scheermes, voor het geval...'

Hij stond in gedachten verzonken op, nog naar de foto starend, zonder notitie van Maggie te nemen. 'Ik blijf wel even weg,' zei hij.

Toen hij het casino binnenkwam, was het nog niet geopend voor de klanten. Hij zag Mad Crow, die met iemand aan de bar zat te praten, en liep gehaast tussen de pokertafels door naar hem toe. Mad Crow zag hem pas toen hij vlakbij was. Hij trok vragend zijn wenkbrauwen op en wilde iets zeggen, maar Horn was met een paar grote passen bij hem. Hij hief zijn gebalde rechtervuist en stootte toe, met zijn volle gewicht achter de stomp. Mad Crow probeerde opzij te duiken, maar de rechtse trof hem midden op zijn jukbeen. Zijn hoofd knakte achterover en hij viel tegen de bar.

Horn bereidde zich voor op de volgende stoot, een linkse ditmaal, maar hij hoorde mensen roepen en het volgende moment werd hij door twee mannetjes van Mad Crow bij zijn armen gegrepen en bij de bar weggesleurd.

'Godverju...' Mad Crow zat ineengedoken, met uitpuilende ogen en zijn gezicht in zijn handen naar Horn te staren. 'Ben je gek geworden? Waar ben je mee bezig, man? Ben je niet goed wijs?'

Horn verzette zich tegen zijn overmeesteraars, maar ze waren te sterk voor hem. 'Rustig, John Ray,' hoorde hij iemand bedaard zeggen. Hij keek naar links en zag Billy Looks Ahead, een neef van Mad Crow, een jonge man met een gezicht als een bijlblad die als Horn het zich goed herinnerde in de oorlog bij het korps mariniers had gezeten.

'Waar was dat nou voor nodig?' vervolgde Mad Crow. 'Wil je me dat uitleggen?'

'Ja, ik zal het je haarfijn uitleggen,' zei Horn, die opeens geen lucht meer kreeg. 'Ik heb iets in mijn zak dat ik je wil laten zien, als je mannetjes me loslaten.'

'Ga je me nog een stomp verkopen?'

Horn ademde hoorbaar uit. 'Niet nu direct.'

'Nou, de volgende keer ben ik erop berekend, jongen, dat beloof ik je.' Mad Crow gaf de mannen een wenk. 'Laat hem maar los.'

Horn pakte de bijgeknipte foto en smeet hem op de bar. Mad Crow wierp er een blik op, maar pakte hem niet. Toen hij weer opkeek, zag Horn herkenning in zijn ogen.

'Je weet wie dat is.'

Mad Crow knikte.

'En waar die foto is gemaakt.'

De indiaan zuchtte. 'Hebben jullie niks beters te doen?' zei hij tegen Kijkt Vooruit en de andere man, en hij wendde zich weer tot Horn. 'Mag ik hier eerst even ijs op leggen?'

'Je doet maar, als je daarna maar met me praat.'

Mad Crow liep om de bar heen, wikkelde ijsblokjes in een handdoek en hield die tegen zijn wang. 'Kan ik je iets inschenken?'

'Het is nog vroeg.'

'Nou en? Het is mijn bar.' Hij maakte een fles Blue Ribbon open en wees naar een van de ronde tafels. Ze gingen zitten.

'Voor je iets zegt...' begon de indiaan.

'Nee, ik begin,' onderbrak Horn hem. 'Die vent op die foto is dood.'

'Wát?'

'Inderdaad. Iemand heeft hem door zijn linkeroog geschoten. Keurig. Vakwerk, bijna. En Clea was er ook, het was bij hem thuis. Hij heeft haar nog kunnen verbergen voor die gewapende man binnenkwam, en zodoende...'

'Heeft ze niets?'

Horn schudde zijn hoofd. Toen vertelde hij in het kort wat zich de vorige nacht had afgespeeld. 'Maar nu vertel ik je niks meer tot je mijn vragen hebt beantwoord. Ten eerste, hoe vaak is hij hier met haar geweest?'

'Eén keer maar.' Mad Crow zag Horns blik en herhaalde: 'Eén keer maar, John Ray. De keer dat die foto is gemaakt. Niet vaker.'

'Wanneer was dat?'

'Ongeveer een maand geleden. Ik weet het niet precies meer.'

'Je wist dat ik haar zocht. Waarom heb je niks gezegd?'

Mad Crow liet de handdoek met ijs net lang genoeg zakken om de fles aan zijn mond te zetten en een grote slok te nemen. 'Oké, ik zal het uitleggen,' zei hij zonder Horn aan te kijken. 'Weet je nog dat ik je vertelde dat Mick zich hier wilde inkopen en dat ik een andere compagnon had genomen, iemand uit Reno, om hem af te schudden? Nou, dat was maar half waar. Die compagnon kwam niet uit Reno, het was iemand van hier. Vincent Bonsigniore heet hij.'

'Goed, dan weet ik wie het is,' zei Horn. 'Waarom mocht ik het eerst niet weten?'

'Omdat ik wist dat je Clea zocht, en ik wist ook dat ze bij die Del Vitti zat.'

'Nou en?'

'Nou, Del Vitti werkte voor Vinnie.'

Horn knikte peinzend en wreef in zijn ogen. Toen begreep hij wat hij tot nu toe alleen maar had vermoed: Clea's verdwijning en Scotty's dood waren geen afzonderlijke, los van elkaar staande gebeurtenissen. De verbindende schakel was Vincent Bonsigniore, die dreigende gedaante op de achtergrond. Maar op welke manier? Clea zou het hem kunnen vertellen, maar dan moest ze het wel zelf willen.

'Wat deed hij voor hem?'

'Weet ik veel, klusjes, van alles. Hij kwam met Vinnie mee toen we bespraken op welke voorwaarden die zich hier kon inkopen. Een jonge vent op weg naar de top, je kent dat type wel.'

'Waarom heb je het me niet verteld?' vroeg Horn weer.

'Hoor eens even, het zit ingewikkeld in elkaar. Ik wilde geen mannetje van Vinnie verlinken, dan zou ik mijn nieuwe compagnon tegen de haren in strijken. En ik zweer bij God dat ik er geen kwaad in zag. Ze kwam hier op een avond met hem. Ze zag me, rende op me af en gaf me een knuffel – ik had haar in geen jaren gezien, en ik stond ervan te kijken hoe volwassen ze was geworden. Ik mocht Del Vitti niet, maar ik hield hem in de gaten terwijl ze hier waren en ik zag dat hij haar met respect behandelde, bijna alsof ze iets kostbaars was dat hij intact wilde houden.

Toen jij zei dat ze van huis was weggelopen, ging ik ervan uit dat ze gewoon een tijdje bij die gast zou blijven en dan weer terug naar haar ouwelui gaan, niks aan de hand. Ik zag geen enkel verband met Scotty, echt niet. Kennelijk heb ik me vergist, en dat neem ik mezelf kwalijk, maar het komt erop neer dat ik dacht dat alles vanzelf goed zou komen als ik mijn mond hield, snap je? Ik wist niet dat ze gevaar liep, John Ray, eerlijk waar.'

'Ze had wel dood kunnen zijn. Klootzak, je had wat moeten zeggen.'

'Misschien.' De indiaan legde de handdoek op tafel en keek van onder zijn gefronste wenkbrauwen naar Horn op. 'Maar probeer het nou even van mijn kant te zien. Ze heeft een vader en moeder die voor haar zorgen. Jij bent haar pa niet meer, haar moeder wil niet dat je je ermee bemoeit, maar jij stort je er toch op. De helft van de tijd gedraag je je alsof de hele wereld je heeft uitgekotst en de rest van je tijd steek je je neus in andermans zaken...'

'Wou je me vertellen dat ik m'n schoenen eens moet poetsen? Dat heeft iemand anders al tegen me gezegd.'

'Ja, eigenlijk wel. Je zou ook eens naar de kapper kunnen gaan. Hoor eens, ik ben blij dat je vannacht op tijd bent gekomen en ik ben blij dat Clea veilig is, maar ik ben geen helderziende en ik wist niet dat het zo zou aflopen. Ik heb naar eer en geweten gehandeld.'

'Je hebt verkeerd gehandeld,' sputterde Horn tegen, 'maar daar hoeven we het nu niet over te hebben. Waarom noemde Del Vitti zich Tommy Dell?'

'Ik weet het niet. Ik hoorde die naam voor het eerst toen je me in de South Seas over hem vertelde. Ik moest even nadenken voor ik begreep dat je het over hem had.'

'Heb je enig idee waarom iemand hem zou willen vermoorden?'

Mad Crow schokschouderde. 'Het was een gangster. Opgeruimd staat netjes. Ik vind het alleen maar jammer dat ik zo nu en dan zaken met die lui moet doen.'

'Waarom moet dat?'

De indiaan keek hem medelijdend aan. 'Jij bent wel heel naïef voor een door de wol geverfde bajesklant, hè? Misschien wil je gewoon niets weten. Toen je uit de bak kwam en ik je werk aanbood, heb je ook niets gevraagd, behalve dan wat het je opleverde.'

Hij hield de lege fles in de lucht en even later kwam een van zijn personeelsleden een nieuwe brengen. Elders in de grote zaal waren mensen de vloer aan het vegen en aan het schoonmaken voor de opening die middag.

'Kijk dan om je heen, man,' zei Mad Crow. 'Hoeveel van dat spul hier is legaal, denk je?'

Horn haalde zijn schouders op. 'Weet ik veel. Alles, dacht ik.'

'Nou, dan heb je het mis. De pokertafels zijn in orde, maar de blackjacktafel is niet koosjer en die roulette die ik er vorige maand bij heb gezet ook niet.'

'Nou en?'

'Nou én? De pokertafels leveren niet genoeg op, dus moet ik uitbreiden. Dat kan niet als de plaatselijke *policia* geen oogje dichtknijpt. Het lukte een tijdje, maar toen begonnen ze me af te persen, en ze weten dat ze daarmee door kunnen gaan omdat ik er alleen voor sta. Ik heb Vinnie erbij genomen omdat hij goed is in die kant van de zaak; de politie valt hem niet lastig, en hij laat mij de zaak drijven zoals ik dat wil.'

'Voor hoeveel?'

'Vijftien procent van de bruto opbrengst.'

'Dat lijkt me veel.'

'Ja, maar hij heeft ook kapitaal ingebracht. Trouwens, die vijftien procent heb ik wel over voor mijn nachtrust.'

'Gelijk heb je. En hoe voelt het om met zo'n stuk tuig in bed te liggen?'

'Je bent nog kwaad op me, hè?'

'Ik zou je een paar dingen over je vriendje Vinnie kunnen vertellen.'

'We liggen niet met elkaar in bed, we zitten in zaken. En het is me opgevallen dat jij je niet afvraagt waar jouw volgende loonzakje vandaan komt, mijn nieuwsgierige, belerende vriend. Weet je, misschien zal het jou een zorg zijn of je tussen satijnen lakens ligt of in die keet die je je huis noemt, maar ik maak me wél druk om mijn toekomst. Ik heb jaren de zwijgzame indiaan gespeeld terwijl jij rijtoertjes maakte met de plaatselijke schoolfrik, dat werk. Ik wist dat ik niet verder kon komen in de filmbusiness. En zal ik je eens iets vertellen? Ik vond het niet erg dat jíj de filmster was, want ik wist dat de kaarten nu eenmaal zo geschud waren. En ik wist dat je een goeie jongen was die niet naast zijn schoenen zou gaan lopen.

Maar ik was niet van plan om met mijn kleurige indiaanse deken om mijn schouders op de stoep voor de Brown Derby te belanden en iedereen aan zijn kop te zeuren over de tijd toen ik nog bij de film zat. Ik heb mijn geld goed geïnvesteerd en ik heb deze zaak opgebouwd. En nu verdient een groot deel van mijn familie een dik belegde boterham aan me. Ik ben trots op mezelf. Als jij je neus wilt ophalen voor mijn onderneming, zou ik maar eens goed in de spiegel kijken als het weer tijd is voor je wekelijkse scheerbeurt. Heb je dat goed begrepen, cowboy?'

Ze keken elkaar strak aan. Horn schoof langzaam een asbak heen en weer tussen zijn handen. 'Begrepen, indiaan,' gaf hij uiteindelijk toe.

Mad Crow slaakte een zucht van verlichting. 'Zand erovér.'

'Hoe is het met je gezicht?'

'Ik denk niet dat het nog goed komt.'

Horn hield zijn hoofd schuin en keek kritisch naar Mad Crow. 'Ik vind het juist een verbetering.'

'Mijn overgrootvaders zouden het een eerlijke *coup* vinden. Ze dachten dat dat het dapperste was wat ze konden doen – op een sterke vijand af galopperen en hem een tikje met hun coupstok geven.' Hij schudde meewarig het hoofd. 'Zij zagen vechten als een spelletje. Als de ene kant denkt dat oorlog een spel is en de andere kant het bloedserieus neemt, wie zou er dan winnen, denk je?'

'Ik weet het.'

'Die jongen die jou net van me af trok, Billy, die zou er nooit genoeg aan hebben iemand een tikje op zijn schouder te geven. Hij speelt om de knikkers. Ken je de verhalen over hem?'

'Ik weet dat hij in de oorlog heeft gevochten.'

'Hij is met een bronzen ster uit Iwo Jima teruggekomen. Hij praat er zelf niet over, maar ik sprak pas een vent uit zijn eenheid en die vertelde me dat ze uren door een handjevol Jappen in een bunker op een heuvel werden belaagd. Billy bood zelf aan om er in het donker op af te gaan. Ze hoorden schoten en geschreeuw, en de volgende ochtend zagen ze Billy tussen de dode Jappen zitten. Sommigen waren doodgeschoten, anderen doodgestoken. Zal ik je vertellen wat ik het vreemdst vind?'

'Goed.'

'Billy vertelde me een keer toen we bier zaten te drinken dat hij het miste. Hij zei dat de oorlog iets in hem naar boven had gehaald waarvan hij het bestaan niet eens kende. Ik maak me zorgen om hem. Hij is er zo een die ze op de Jappen en de moffen hebben losgelaten, en zulke jongens gaan een probleem vormen in ons bezadigde, naoorlogse bestaantje.'

'Zou kunnen,' zei Horn, 'maar ik word geen probleem. Ik hou van mijn rust.'

'Voor een *hombre* die van zijn rust houdt, weet je anders wel flink wat herrie te schoppen zo af en toe. Hoe is het nu met Clea?'

'Niet goed. Ze heeft haar vriendje dood zien liggen voordat ik haar het huis uit kon werken, en nu lijkt het of ze niet naar huis durft. Maggie helpt me voor haar te zorgen tot ze naar huis kan. Ik wil niet dat iemand hoort waar ze is, afgesproken?'

'Ook haar ouders niet?'

'Zelfs die niet. Voorlopig.'

'Mij best,' zei de indiaan. 'Nu we het er toch over hebben, je nieuwe vriend Fairbrass heeft een paar uur geleden hierheen gebeld. Hij wilde je spreken.'

'Hij wil weten wat er aan de hand is,' zei Horn. 'Ik bel hem nog wel. Ik laat hem liever niet in het ongewisse, maar ik zit nog met te veel vragen om hem al te vertellen waar zijn dochter is.'

'Weet je, ik wil je niet met nieuwe problemen opzadelen,' zei Mad Crow, 'maar... Scotty en die Del Vitti zijn allebei dood, en ze hadden allebei een connectie met Clea. Heb je je niet afgevraagd of iemand niet ook...'

'... achter mij aan zou komen?'

De indiaan knikte.

'Ik heb erover nagedacht,' zei Horn, 'en ik denk het niet. Als ze me wilden vermoorden, hadden ze dat allang kunnen doen. Het is niet zo moeilijk om mijn adres te achterhalen. Als ze wisten dat ik die avond met Scotty in de kamer van de oude Bullard heb gezeten en dat ik de foto's heb gezien, zou ik zeker op hun lijst staan, maar ik geloof niet dat ze die gedachtesprong hebben gemaakt. Iedereen houdt het erop dat ik die vent ben die vroeger Clea's vader was, en dat ik haar zoek om de man die nu haar vader is een plezier te doen.'

'Goed,' zei Mad Crow. 'Hopelijk heb je gelijk. Nog één ding... Het zit me niet lekker... Je weet wel, wat ik heb gedaan. Kan ik iets doen om je te helpen?'

'Zeker,' zei Horn. 'Daar heb ik over nagedacht terwijl we hier zaten. Twee dingen: een van je jongens zou me een Blue Ribbon kunnen brengen.'

'En?'

'En ik wil Vinnie spreken.'

'Geen sprake van, John Ray.'

'Toch wel, als ik je heb uitgelegd waarom. Ik zei net toch dat ik je een paar dingen over hem kon vertellen? Nou, dat ga ik nu doen.'

16

Toen Horn was uitgepraat, bleven ze een tijdje zwijgend zitten. De barkeeper, die achter de bar zijn verzameling glazen stond te poleren, had de radio aangezet. Horn hoorde vaag een weemoedig nummer dat hij zich uit een film herinnerde. De titel wist hij niet meer, maar het was zo'n New Yorkse film over twee vrienden die elk in hun eigen wereld leven, de een een brave burger, de ander een crimineel, en in de verte herinnerde hij zich dat Richard Conte, de slechte vriend, op het eind berouw kreeg en in een kerk stierf.

De indiaan kuchte achter een kolenschop van een hand en zei zacht: 'Dus hij is het?'

'Ik denk het,' zei Horn. 'Als zijn strafblad iets zegt, is hij een van die kerels die spelletjes deden in de jachthut. En als ik het geld had, durfde ik er de maandopbrengst van een van je tafels om te verwedden dat hij Scotty heeft laten ombrengen.'

Mad Crow trok een gezicht alsof hij iets smerigs had doorgeslikt. 'Godver,' zei hij. 'Net iets voor mij om zo iemand als compagnon te nemen, hè?'

'Kom op. Je wist al dat hij geen koorknaap was.'

'Dit is iets anders, dat weet jij ook wel. Wat ben je van plan?'

'Clea zo snel mogelijk naar huis zien te krijgen. Daarna verzin ik wel wat. Ik wil nu eerst je vriend ontmoeten, gewoon, om hem eens van dichtbij te bekijken.'

'Is dat alles?'

Horn knikte.

'En als hij nu weet wie je bent? Ik bedoel, als hij weet dat jij degene bent die Clea zocht?'

'Zoekt,' verbeterde Horn. 'Officieel is ze nog steeds niet gevonden, weet je nog? En de kans is groot dat hij me niet kent, want Del Vitti werkte al die tijd voor hem terwijl hij Clea had, en toch weet je vriend Vincent niet hoeveel ik van hem weet. Hoe dan ook, ik wil hem zien. Kun je dat regelen?'

'Ik weet het niet.' Mad Crow fronste weifelend zijn wenkbrauwen. Horn zag hem zelden zo onzeker. Als ik hem niet beter kende, dacht hij, zou ik denken dat hij bang was.

'Hij heeft altijd iemand bij zich,' vervolgde Mad Crow. 'Nu Del Vitti dood is, zou hij die Falco kunnen meenemen.'

'Kan me niet schelen. Als ze me zien, weten ze nog niets meer over me dan ze al wisten. Ik ben nog steeds je vriend en ik ben nog steeds op zoek naar Clea. Niemand hoeft te weten dat ik die foto's heb gezien of dat ik Vinnie van wat dan ook verdenk.'

'En hoe verklaar ik dat jij erbij zit?'

'Hm. Je zou kunnen zeggen dat je me wilt inwerken. Dat ik je trouwe rechterhand moet worden, zoiets.'

Mad Crow wierp hem een van zijn scheve glimlachjes toe. 'Ik snap het al. Net als in de film, alleen mag ik nu de lakens uitdelen.'

'Als je maar niet te ver gaat.'

Horn ging naar het kantoortje van Mad Crow, belde de telefooncentrale en vroeg een gesprek met Paul Fairbrass op zijn kantoor in Long Beach aan.

'Ik heb gisteren de hele dag geprobeerd je te bereiken,' zei Fairbrass toen hij had opgenomen. 'Ik ben tot 's avonds laat blijven bellen. Waar zat je?'

'Wat kan het je schelen?'

'Ik was gewoon ongerust. Vooral vanwege je verhaal over je ontmoeting met Tommy Dell.'

'Hoe ben je aan het nummer van Mad Crow gekomen?'

'Iris had me verteld dat jullie bevriend waren,' antwoordde Fairbrass. 'Ik dacht dat hij misschien wist...'

'Ik wil niet dat je mijn gangen nagaat, begrepen?'

'Oké, maar ik zou het op prijs stellen als je zo nu en dan contact opnam.'

'Fairbrass, ik heb je gezegd dat ik het je zou laten weten zodra ik iets ontdekte.'

'En dat is nog steeds niet gebeurd?'

'Nee. Het spijt me.'

'En toch zou je best elke dag even kunnen bellen.' Het klonk redelijk, maar Horn had zijn twijfels. Ergens in zijn achterhoofd knaagde het vermoeden dat Clea niet náár huis wilde omdat haar nieuwe vader haar op de een of andere manier niet goed behandelde. Hij gaf toe dat het vergezocht was, en waarschijnlijk voortkwam uit wat hij van Clea's verleden wist – dat ze ooit door een groep mannen was misbruikt. Desondanks wilde hij Fairbrass op afstand houden tot hij zeker wist dat het een goede vader was.

'Hoor eens, ik ben je loopjongen niet,' zei hij dus. 'Ik ben niet iemand die je op pad kunt sturen en dan een paar extra dollar geven als zijn gezicht aan repen wordt gesneden. Jij hebt mij benaderd, en ik doe dit op mijn eigen manier. Iemand die voor niets werkt, kun je niet op straat zetten.'

Aan de andere kant van de interlokale verbinding hoorde hij het lage achtergrondgezoem uit Fairbrass' fabriek. Hij vroeg zich afwezig af hoeveel mensen er werkten en hoe rijk Fairbrass eigenlijk was.

'Goed dan,' zei Fairbrass onwillig. 'Ik mag jou niet, en de manier waarop je dit aanpakt staat me ook niet aan. Ik kan me levendig voorstellen waarom Iris van je wilde scheiden. Desalniettemin stel ik je inspanningen op prijs, en als je Clea vindt, is het allemaal toch nog de moeite waard geweest, dus...'

'Ik bel je zodra ik meer weet,' zei Horn, en hij hing op.

Toen hij de Ford voor Maggies huis parkeerde, zag hij Maggie en Clea achter het hek van de wei staan, oog in oog met een vosmerrie. Hij voelde de geur van het warme gras in zijn neus kriebelen en de zon in zijn nek branden toen hij naar hen toe liep. Clea droeg een tuinbroek, instappers en een felgekleurde blouse met opgestroopte mouwen. Maggie had een papieren zak in haar hand waaruit ze de merrie partjes appel voerden. 'Voorzichtig, kind,' hoorde hij Maggie zeggen. 'Je hand stilhouden, dan pakt ze het zelf wel.'

Maggie keek over haar schouder, zag hem en liep naar hem toe om hem te begroeten. 'Mijn kleren passen haar vrij goed,' zei ze zacht. Ze pakte zijn arm en leidde hem bij het hek vandaan.

'Hoe gaat het met haar?'

'Niet goed. Ik heb haar een bad laten nemen en haar wat kleren gegeven. Ze heeft zelfs een paar happen van haar ontbijt genomen, maar er is iets niet goed.'

'Wat bedoel je?' Hij keek naar Clea, die nog met haar rug naar hen toe stond.

'Moeilijk te verwoorden. Ze praat over van alles, maar ze is er niet echt bij. Net als vannacht, maar toen was het verklaarbaar – toen was ze bang en moe. Nu is ze uitgeslapen en alles, maar ze kijkt je niet aan als je met haar praat. Ze zegt dankjewel, ze vraagt of je het zout wilt aangeven, dat soort dingen, maar ze heeft andere dingen aan haar hoofd. Ze vroeg me wat ik zou doen als iemand probeerde mijn paarden kwaad te doen. Ze vroeg of Bonnie, de merrie die op het punt staat een veulen te krijgen, het wel zou overleven. Ik probeer wel antwoord te geven, maar ik vraag me af of ze me hoort.'

'Denk je dat het komt door...'

'Doordat haar vriend is vermoord? Het zou me niet verbazen. Denk erom dat ze die schoten duidelijk moet hebben gehoord op de plek waar ze verborgen zat. Daar zou iedereen gek van worden.' Ze streek het haar uit haar gezicht. 'Ik moet terug naar de stal,' zei ze. 'Die merrie...'

'Hoe ver is ze?'

'Het is bijna zover. Morgen of overmorgen, denk ik.'

'Ga maar gauw. Zou ik vandaag een van je paarden mee kunnen krijgen?'

'Ja, natuurlijk. Probeer Miss Molly maar, dat hongerige paard dat Clea staat te voeren. Rijd door de wei naar de noordelijke uitgang, dan vind je ruiterpaden genoeg. Als je nog iets nodig hebt, vraag je het maar aan de knechten.'

Hij legde zijn hand op haar arm. 'Dank je.'

Hij liep naar Clea bij het hek. 'Hallo, meiske.'

'Dag,' zei ze zonder hem aan te kijken. Haar haar, dat er pasgewassen uitzag, zat in een paardenstaart. Miss Molly, die de appel op had, stond op een paar passen afstand met kalme, zijdelings blik naar hen te kijken.

'Hoe gaat het?'

'Gewoon.' Het was een kinderstem, hoog en vrijwel zonder intonatie. Ze draaide haar hoofd naar hem toe en bekeek hem alsof ze hem nooit eerder had gezien. Haar gezicht gaf geen enkele emotie prijs. Hij wist niet wat ze van zijn gezelschap vond.

'Herinner je je de afgelopen nacht nog?'

'Hm-hm,' zei ze, en ze keek weer de wei in. 'Tommy is neergeschoten, hè?'

'Ja.'

'Door jou?'

'O, god. Nee, lieverd. Niet door mij. Dat mag je niet denken.'

'Ik zag hem in de gang liggen. Hij was dood, hè?'

'Ja, hij is dood. Ik weet dat hij je vriend was en ik vind het heel erg voor je. Ik wil dat je begrijpt dat je nergens meer bang voor hoeft te zijn.'

Ze knikte.

'Zou je al naar huis kunnen, denk je?'

'Nee.'

'Kun je me ook vertellen waarom niet?'

'Nee. Mag ik hier blijven?'

'Ja, voorlopig wel. Vind je Maggie aardig?'

Clea knikte. 'Heel aardig. Ze heeft me de merrie laten zien die een baby krijgt.'

'Ze kende je al toen jij nog bijna een baby was,' zei hij. 'Maar dat zul je je wel niet meer herinneren. Hé, ze heeft gezegd dat we een paard mochten lenen. Heb je zin om te rijden?'

'Ach, ja,' zei ze.

Hij leidde Miss Molly naar de stal, zadelde haar en zwaaide zich op haar rug. Hij had jaren niet meer op een paard gezeten, en het voelde vreemd en vertrouwd tegelijk om daar te zitten, nog in zijn gewone kleren, en het grote dier onder zich te voelen verstrakken en bewegen, terwijl hij probeerde de gedachten van het paard te lezen zoals het paard probeerde de zijne aan te voelen.

Hij wipte zijn linkervoet uit de stijgbeugel en stak zijn hand naar Clea uit. Ze zette haar linkervoet in de stijgbeugel, pakte zijn linkerhand met twee handen beet en liet zich achter hem in het zadel hijsen.

'Daar gaan we,' zei hij. Hij drukte zijn hielen licht in de flanken van het paard en leidde het de wei in. Ze liepen twee rondjes langs het hek. Toen bukte hij zich en opende het hek aan het eind van de wei. Ze reden een zandpad op dat naar een verzameling verspreid liggende ranches in het open land leidde. Toen ze in de heuvels aan de voet van de bergen kwamen, konden ze de uitgestrekte San Fernando Valley achter zich zien liggen – de ranches en boerderijen, de boomgaarden en, verder naar het zuiden, de dichter op elkaar staande huizen en bedrijven die zich tegen de bergen van Santa Monica aanschurkten. Achter de bergen lag de grote, ruige, om zich heen grijpende stad zelf.

Horn had overal in dit deel van de Valley gewoond, gewerkt en gereden. Destijds had hij het altijd bijna een wildernis gevonden, goed door de bergen afgeschermd van het verre gedruis van Los Angeles, maar nu niet meer. Toen hij naar het zuiden keek, zag hij dat Los Angeles over die bergen was gekropen en snel deze kant op kwam.

De zon was heet maar sussend, en de merrie had een soepele gang. Horn schoof zijn hoed naar achteren om de zon uit zijn nek te houden. Clea zat zwijgend achter hem, met haar armen om zijn middel, net als heel lang geleden, toen hij haar kennis had laten maken met paarden. Daar herinnerde hij haar aan terwijl ze reden, en hij praatte ook over andere dingen, dingen die ze als kind had gedaan. Hij probeerde de muur te doorbreken, de sleutel te vinden die haar afweer zou ontsluiten, die hem in staat zou stellen contact te maken met de Clea die zich kraaiend en juichend van plezier door de honderden kinderspelletjes heen had geslagen die ze hadden gedaan toen ze zeven, acht, negen jaar oud was. Daarbij kwam de vage hoop dat ze zich iets zou herinneren dat hem kon helpen te bewijzen wie Scotty had vermoord, en dat ze het hem zou vertellen. Maar ze was nog heel jong geweest toen ze voor die sinistere, alziende lens had gestaan, en Horns hoop was klein en zwak.

Niets van wat hij zei leek tot haar door te dringen. Na meer dan een uur bereikten ze een bergkam met uitzicht naar het noorden en zuiden.

'Dat is de oude ranch van de studio, een paar kilometer die kant op,' zei hij, naar het noordwesten wijzend. 'Je bent er een keer met je moeder geweest om naar de opnamen te kijken. Zie je die lage berg daar? Dat is Miner's Camp. We speelden verstoppertje in de grot, weet je nog?'

'Hm-hm,' zei ze, en hij voelde dat ze achter hem ging verzitten. 'Ik krijg het benauwd. Zullen we teruggaan?'

Toen hij terugkwam, stond Maggie in de stal over het hek van de box van de drachtige merrie te kijken. Het dier lag languit, enorm opgezwollen en zwaar ademend. 'John Ray, dit is Bonnie,' zei Maggie zacht.

'Haar laatste is doodgeboren, nu een paar jaar geleden, maar deze keer gaat het lukken. We hebben overlegd, zij en ik, en we hebben besloten dat deze gezond wordt.'

'Fijn dat jullie er tijdig uit zijn gekomen.' Hij liet zich op zijn hurken zakken, stak zijn arm door een lage opening tussen de spijlen en aaide de merrie over haar grote, benige hoofd. 'Zo te zien neemt ze het serieus.'

'Ja, dat doet ze ook. Als je ergens elf maanden van je leven in steekt, wil je niet dat het mislukt. O, voor ik het vergeet,' zei ze met een klopje op haar borstzak, 'er is voor je gebeld.' Ze pakte een papiertje uit de zak en gaf het hem.

'Alphonse Doucette,' las hij hardop. Hij bekeek het telefoonnummer. De naam kwam hem bekend voor, maar het nummer zei hem niets. 'Wat krijgen we nou, verdomme? Ik zou hier ondergedoken moeten zitten, maar iedereen die een telefoon heeft, weet hoe hij...'

'Het was Joseph,' onderbrak ze hem. 'Hij zei dat die man voor je had gebeld, en hij heeft de boodschap doorgegeven. Hij zei dat hij het zat werd om je telefoniste te zijn.'

Hij liep Maggies huis in en draaide het nummer. De telefoon ging een aantal keren over en toen hoorde hij iemand zeggen: 'Met de Dixie Belle.'

'Is Alphonse Doucette er ook?'

'Moment.'

Even later hoorde hij een andere stem, en nu herkende hij de Creool.

'Hallo, met John Ray Horn.'

'Hallo daar,' zei de Creool. 'Ben je weer een beetje opgeknapt?'

'Ik voel me prima,' zei Horn.

'Je ziet er ook uit alsof je een stootje kunt hebben,' zei Doucette. Zijn stem was nog even zacht en muzikaal als Horn zich herinnerde.

'Maar misschien niet zo goed als Bob Steele.'

'Nee, niet zo goed als hij. Een taaie rakker, die kleine.'

'Waarom wil je me eigenlijk spreken? Behalve dan om naar mijn gezondheid te informeren, bedoel ik.'

'Ik dacht dat we eens moesten babbelen, jij en ik.'

'Waarover?'

'O, van alles.'

'Kun je me vast een idee geven?'

De Creool zweeg even. Horn hoorde stemmen en glasgerinkel, waar hij uit opmaakte dat de Creool bij de bar in de zaal moest staan.

'Over die man die gisteren dood is gevonden,' zei hij. 'In de heuvels. En over wat je zocht.'

Het was net vijf uur geweest toen Horn de Ford in een zijstraat van Central parkeerde, en de Dixie Belle ging pas rond zes uur open. Hij liep door de steeg en ging door de achterdeur naar binnen, zoals de Creool had gezegd. Toen hij langs de plek liep waar hij zijn eenzijdige ontmoeting met Del Vitti en Falco had gehad, herinnerde hij zich het gevoel van de stenen onder zijn knieën en het bloed in zijn mond.

De club was hel verlicht en hij zag personeel dat het kleed schoonmaakte en tafels afnam. Het was koel in de zaal, maar de geur van drank en muffe sigarettenrook was in de lucht blijven hangen als de laatste wrange noot van een trompettist die niets meer om zijn muziek gaf.

De Creool, die bij de kassa achter de bar met de barkeeper stond te praten, wenkte Horn naar een barkruk, liep om de bar heen en ging naast hem zitten.

'Alles kits?'

Horn knikte. 'Nu weet ik weer waarom ik overdag liever niet in nachtclubs kwam.'

'Ik weet wat je bedoelt. Bij daglicht ziet het er nooit zo goed uit als 's avonds. En het ruikt ook niet zo lekker. Als de mensen eenmaal binnenkomen, voegen de aftershave en het parfum veel toe. Je wilt een nachtgelegenheid pas zien als het licht gedempt is, de muziek speelt en dat... dat mystérie er hangt. Zeg ik dat goed?'

De barkeeper zette een kopje op de bar, schonk het vol uit een koffiepot en schoof het naar de Creool. Toen keek hij vragend naar Horn, die knikte. De man bracht hem een kop en vulde hem.

'Wat is Doucette eigenlijk voor naam?' vroeg Horn.

'Het is Frans. Mijn vader had Frans bloed, en zijn vader ook. In Louisiana, waar ik vandaan kom, zijn de meeste mensen een combinatie van het een en ander. We zijn net gumbo, allemaal smaken door elkaar.'

Horn nipte van zijn koffie, die sterk was en, net als de thee de vorige keer dat hij hier was, naar een vleugje cichorei smaakte. 'Bedankt voor de gastvrijheid, maar ik snap iets niet. De vorige keer dat ik hier was, zei je dat ik eruit geschopt zou worden als ik hier nog eens kwam.'

'Ja, dat heb ik gezegd, zeker,' zei de Creool quasi-serieus. 'Maar weet je, ik heb de afgelopen dagen het een en ander gehoord.'

'Ik luister.'

'Om te beginnen hoorde ik dat de man die jij Tommy noemde dood in zijn huis is gevonden.'

'En?'

'En toen dacht ik dat je hem had gevonden, meer niet.'

'Ho eens even...'

De Creool stak zijn handen op. 'Het gaat me niets aan. Wat er ook met die vent is gebeurd, het maakt me niets uit.'

'Ho eens even,' herhaalde Horn. 'Laten we aannemen dat hij dood is. Hoe kun jij dat dan weten?'

'Simpel. Het stond in de krant.' Doucette trok een opgevouwen krant uit zijn achterzak en schoof hem over de gladde bar. 'Bladzij drie.'

Horn vouwde de krant open, de middageditie van de *Mirror*, een sensatieblad, en sloeg de voorpagina om. *Doodgeschoten in eigen woning*, luidde de kop, en daaronder stonden nog een paar regels tekst waarin werd vermeld dat Anthony Del Vitti dood door de politie was aangetroffen na een melding van een van de buren. Volgens de politie had Del Vitti, die erom bekendstond dat hij met gangsters omging, een aantal veroordelingen wegens geweldsmisdrijven op zijn naam staan. De buurman had gemeld dat hij een gesprek met een lange, blanke man in de voortuin had gevoerd, maar het was donker geweest, zei hij, en hij wist niet of hij de man zou herkennen als hij hem weer zag.

'Ik heb tegen jou gezegd dat ik iemand zocht die Tommy Dell heette,' zei Horn. 'Hoe kon jij dan weten...'

De Creool wuifde hem weg. 'Dat komt nog wel.'

'Hoe dan ook, ik heb hem niet vermoord. Wat weet je nog meer?'

'Nu wordt het ingewikkeld.' De Creool draaide een kwartslag op zijn kruk en wees de zaal in. 'Zie je die vrouw?'

Horn zag een vrouw alleen aan een tafeltje tegen de achterwand zitten. Ze kwam hem niet bekend voor. 'Ja, ik zie haar.'

'Mijn zuster Lurlene,' zei de Creool. 'De enige familie die ik nog heb. Ik heb haar een paar jaar geleden laten overkomen, toen ik wat geld begon te verdienen met deze tent. Ik zorg voor haar. Ze kan niet zo goed voor zichzelf zorgen, als je begrijpt wat ik bedoel.'

'Ja, ik snap het.'

'Ze is twee keer getrouwd geweest en ze heeft veel vriendjes gehad. Ze heeft drie kinderen. Tara is de oudste, een knap ding. Lurlene heeft haar vernoemd naar die grote plantage van Scarlett O'Hara. Maar iedereen noemt haar Tootie.' Hij pakte zijn portefeuille en haalde er een fotootje uit. Op de foto, die zo te zien voor een schooljaarboek bedoeld was, stond een knap meisje met strakke golven in haar haar en een lichte huid. Ze glimlachte spontaan naar iets achter de schouder van de fotograaf, alsof ze opeens haar beste vriendin zag aankomen. Horn wist niet wat er zou volgen, maar in gedachten zag hij de foto van Clea weer voor zich waarmee zijn zoektocht was begonnen. Foto's zijn bedoeld als aandenken, om het beeld van een dierbare voor altijd vast te leggen, maar de afgelopen dagen, bepeinsde hij, waren foto's op de een of andere manier verlies gaan betekenen. Ik wíl geen foto's van jonge meisjes meer zien, dacht hij fel.

'Leuke meid,' zei hij.

'Loop je met me mee?' De Creool gleed van zijn kruk en liep met Horn naar de tafel van de vrouw. Hij ging naast haar zitten en gebaarde dat Horn op de bank langs de muur moest gaan zitten.

'Dit is John Ray Horn,' zei Doucette tegen de vrouw. Zijn stem was vlak, alsof hij alle genegenheid had verbruikt die hij eventueel voor haar had gevoeld. 'Zou je hem willen vertellen wat je mij hebt verteld?'

De vrouw zat er chagrijnig en vermoeid bij. Ze had de kleur van koffie met een scheut melk en ze was bijzonder knap. Haar jurk met kant langs de kraag en manchetten zag er duur uit, maar toch leek het of ze weinig om haar uiterlijk gaf. Ze had een knoopje aan de voorkant overgeslagen en haar kastanjebruine hoedje stond vervaarlijk scheef op haar hoofd, alsof ze er pas op het laatste moment aan had gedacht het op te zetten.

'Mag ik nog een rum-cola?' Ze hield haar vingers als klauwen om een cocktailglas dat leeg was, afgezien van de smeltende ijsblokjes.

Doucette schudde zijn hoofd. 'Straks misschien. Eerst vertellen.'

Ze kneep op een haast komische manier haar lippen op elkaar, maar Horn zag iets anders in haar ogen, iets waarvoor hij de zijne bijna moest neerslaan.

'Ze wil het je niet vertellen,' zei Doucette zo vriendelijk alsof hij het tegen een kind had dat zijn spinazie niet wilde opeten. 'Ze wil je niet vertellen hoe ze hem heeft ontmoet, op een avond toen hij hier voor zaken was. Dat hij haar mee uit begon te nemen, dat ze Tootie aan die aardige man voorstelde. Ja toch?' vroeg hij aan de vrouw, die naar haar glas staarde.

'Het was hem om Tootie te doen,' vervolgde de Creool. 'Hij had al van haar gehoord, want ik had hem over mijn nichtje verteld, zo trots was ik op haar. Stom van me, hè? Hij had iets met kleine meisjes. Die Del Vitti, hij noemde zich Tommy als hij op zoek was naar kinderen voor zichzelf en een paar vrienden. Hij had voor elke baan een naam, heb ik van Lurlene gehoord. Tony was zijn echte naam en zijn zakelijke naam, maar als pooier heette hij Tommy. Het een van het ander gescheiden houden. Handig, hè?

Hoe dan ook, hij zocht uit wat Lurlene het hardst nodig had. Ze krijgt graag aandacht van knappe mannen en ze houdt van dineetjes en dansen, maar het liefst krijgt ze geld voor haar verslaving. Dus op een dag zegt die Del Vitti tegen haar dat ze driehonderd dollar van hem krijgt. Het enige wat ze ervoor terug hoeft te doen, is Tootie aan hem en zijn vrienden uitlenen. Er gebeurt niets met het kind, zegt hij tegen haar. Wist ze waar ze aan begon? Misschien wel, misschien niet. Ze zegt in elk geval dat het goed is. En hij neemt Tootie mee en brengt haar die avond laat terug. En ze huilt. En ze heeft ijs op haar jurk, want ze zijn op weg naar huis ergens gestopt om een bananenboot te eten. Maar daar is ze niet van opgeknapt.' Hij boog zich naar zijn zuster over en gaf een kneepje in haar arm. Er rolde een traan over haar wang, alsof die door de druk van zijn hand was ontstaan. 'Ja, toch?'

De Creool leunde zwaar achterover en vervolgde zijn verhaal zuchtend. 'Tootie vertelt haar moeder stukje bij beetje wat er is gebeurd. En Lurlene hoort van een vriendin wat er vandaag in de krant stond en besluit me alles te vertellen. Ik ben niet zo stom als ze denkt. Die eerste keer dat ik je sprak, wist ik al dat er iets met dat meisje aan de hand was, dat iemand aan haar had gezeten. Ik wist alleen nog niet hoe erg het was.'

Hij stond op en wenkte zijn zuster, die nog steeds zwijgend opstond en langs hem heen dook alsof ze bang was een klap te krijgen, al hingen zijn armen ontspannen langs zijn lichaam. 'Jij gaat naar huis, voor je kinderen zorgen,' zei hij zacht.

Toen ze weg was, riep Doucette de barkeeper, en even later hadden ze ieder weer een dampende kop voor zich op tafel staan. Horn schoof zenuwachtig over de bank heen en weer. Doucette keek hem aan. 'Ik weet het,' zei hij. 'Jij en ik zijn niet bepaald dikke maatjes, dus waarom vertel ik je dit?'

'Ja, dat vraag ik me af.'

'Het zit zo. Laatst was je gewoon nog een vent die hier moeilijkheden kwam zoeken. Je vindt ze en je verwacht dat ik je er weer uit help. Ik heb er niets aan. Nu is het anders. Ik heb je verteld wat er met Tootie is gebeurd omdat ik denk dat het iets met jouw dochter te maken heeft en je er misschien iets aan hebt. En...'

'En?'

'En misschien kun jij nu iets voor mij doen.'

'Je wilt weten of ik al iets heb ontdekt.'

'Juist. Ik wil weten wie die vrienden van Del Vitti zijn.'

'Omdat je ze dan te grazen kunt nemen?'

De Creool schokschouderde. 'Dat zijn jouw zorgen niet. Heb je je dochter al gevonden?'

'Nee,' loog Horn.

'Tja, dan heb je je handen vol aan het zoeken. Ik ben vooral nieuwsgierig naar die ouwe jongens die het graag met jonge meisjes doen en ze dan huilend naar huis sturen.'

'Wat wist Tootie zich te herinneren?'

'Niks. Ze hielden hun gezicht bedekt, heeft ze haar moeder verteld.'

Horn nam een slok koffie en probeerde razendsnel na te denken. Hij stond bij de Creool in het krijt en wilde hem graag een wederdienst bewijzen, maar niet als hij zich dan met de zaak ging bemoeien. Hij besloot hem precies genoeg te vertellen, niet meer.

'Goed dan,' zei hij. 'Ik zal je zeggen wat ik weet. Het waren waarschijnlijk vier mannen, allemaal blanken. Ze zijn jaren geleden al begonnen en ze hebben veel meisjes gehad. Er zijn er inmiddels twee dood, en hun namen hoef je niet te weten. Ik twijfel nog over de derde. De vierde is Vincent Bonsigniore.'

Horn had nog nooit emotie op het gezicht van de Creool gezien, maar nu stond het bijna ontzet. 'Vincent?' stamelde hij. 'Vinnie B? Heilige Maria...'

'Verbaast het je?'

Doucette knikte langzaam. 'Die vent levert me al jaren drank. Dus Del Vitti deed gewoon...'

'Hij deed gewoon klusjes voor zijn baas. Toen je hem een pooier noemde, sloeg je de spijker op zijn kop. Hij verzamelde meisjes voor Vinnie.'

'Hoe weet je dat?'

'Bonsigniore is jaren geleden in New York voor hetzelfde soort dingen veroordeeld.'

'Dat is nog geen sluitend bewijs.'

'Voor mij wel.'

'Denk je dat hij je vriend heeft laten vermoorden?'

'Ja. En wat wil je eraan doen, nu je weet hoe het met Vinnie zit?'

'Hoe moet ik dat verdomme weten?' Doucette keek kwaad. 'Ik kan hem wel vermoorden, dát wil ik eraan doen, maar Vinnie is een grote jongen hier in de stad, veel groter dan ik. Hij heeft soldaten die hem beschermen. Voorlopig blijf ik gewoon zaken met hem doen. Ik wacht af. Misschien krijg ik mijn kans nog eens.'

Hij dronk zijn kop leeg en zette hem kletterend op de schotel. 'Tootie zegt dat ze haar hebben meegenomen het bos in. Weet jij waar?'

Horn knikte. 'Een jachthut in de bergen van een van de mannen die nu dood zijn.'

'Denk je dat het nog steeds aan de gang is?'

'Nee,' zei Horn. 'De helft is al dood. Ik denk dat het afgelopen is. Maar niet voor de meisjes. Voor hen gaat het nooit over. De oudere meisjes hebben het het zwaarst te verduren gehad. De kleintjes, zoals mijn dochter... Ik denk dat ze daar alleen foto's van hebben gemaakt.'

'Dan hebben ze geluk gehad,' zei de Creool bijna fluisterend. 'Als je dat geluk kunt noemen.'

Horn pakte zijn hoed en schoof naar de rand van de bank. Hij schoof de foto van Clea over de tafel. 'Kijk hier nog eens naar voordat ik wegga,' zei hij. 'De vorige keer...'

'... heb ik tegen je gezegd dat ik haar nog nooit had gezien. Dat was een grove leugen.' De Creool grijnsde zijn gouden voortand bloot. 'Daar heb ik nu spijt van. Ik heb haar heus wel gezien. Die knappe jongen, dat stuk uitschot is hier een paar keer met haar geweest. Ik weet nog dat ze veel aandacht kreeg van overal uit de zaal. Ik dacht dat het gewoon een knap jong ding was dat hij ergens had opgepikt. Ik vond dat ze eruitzag of ze minstens achttien was. Nu ik weet wat er gaande was, heb ik spijt.'

'Zo mag ik het horen,' zei Horn.

17

Na zijn bezoek aan de Dixie Belle at hij ergens aan Central kip met noedels. Het was bijna donker toen hij bij de verbouwde barak stopte. Maggie en Clea stonden binnen aan de afwas.

'Hallo daar,' zei hij.

'We konden niet meer op je wachten,' zei Maggie vrolijk. 'We hadden zo'n honger.'

'Geeft niet.' Hij ging zitten en zette Maggies radio aan, een grote, staande Philco met een voorkant van geperst hout die vaag aan het Chrysler Building deed denken, om te horen of er nog nieuws over de schietpartij in de Hollywood Hills was. De nieuwslezer dreunde met zijn routineuze bariton het nieuws op over het Congres, dat onderzoek deed naar communistische infiltratie in de filmstudio's, een zelfmoordpoging van Judy Garland en een auto-ongeluk met dodelijke afloop in Santa Monica. Anthony Del Vitti werd niet genoemd.

Maggie en Clea kwamen bij hem zitten. 'Zal ik een plaat opzetten?' vroeg Maggie.

'Nee, dank je.' Hij deed de radio uit. 'Ik wil graag even met Clea praten.'

'Goed, hoor,' zei Maggie, en ze liep naar de achterdeur. 'Je weet me te vinden.'

'Ze zit al bijna de hele dag in de stal,' zei Clea. 'De merrie ziet er heel ziek uit.'

'Ze is niet echt ziek,' zei Horn. 'Zo doen ze gewoon als ze bijna moeten bevallen.'

'Gaat ze niet dood?'

'Nee, dat denk ik niet. Dieren zijn vrij goed in dat soort dingen.'

'Gelukkig maar.'

Hij weifelde over zijn volgende vraag. 'Denk je veel aan Tommy?'

Ze knikte afwezig. Ze had nog steeds de spijkerbroek en het shirt van Maggie aan en ze zat met haar benen onder zich, wat al zolang hij haar kende haar meest geliefde zithouding was. Ze had altijd al trekken van haar moeder gehad, maar nu kon hij pas echt iets van Iris de vrouw in haar herkennen: de hoek van de jukbeenderen, hoe ze haar hoofd hield, de omzichtige elegantie van haar postuur. En hoewel Iris' aantrekkingskracht net zoveel met seksualiteit als met haar uiterlijk te maken had, leek het of Clea's trekken, gezien in het zachte licht van de bureaulamp op tafel, op een dag konden opbloeien tot die van een klassieke schoonheid.

Horn kreeg een machteloos gevoel over zich terwijl hij naar haar keek. Ze laat haar kindertijd achter zich en staat op het punt zich op het terrein van de volwassenen te begeven, dacht hij. Het zou de gelukkigste tijd van haar leven moeten zijn, maar in plaats daarvan torst ze herinneringen aan moord en misbruik met zich mee. En ik kan momenteel maar weinig doen om haar van die last te bevrijden.

'Je mocht Tommy graag, hè?'

'Ja. Hij was goed voor me.' Ze plukte aan een losse draad aan haar broekspijp.

'Wist je dat Tommy Dell niet zijn echte naam was? Hij heette eigenlijk Anthony Del Vitti.'

Ze keek even naar hem op en boog haar hoofd toen weer.

'Het spijt me voor je dat hij is vermoord, maar je moet weten dat hij je niet de waarheid over zichzelf heeft verteld. Hij werkte voor een man die... nu ja, die graag met jonge meisjes omging. Heel jonge meisjes, nog jonger dan jij. En Tommy bezorgde hem meisjes. Sommigen van hen hebben geleden...'

'Tommy behandelde me goed,' onderbrak ze hem.

'Waarom ben je met hem meegegaan?'

'Hij zei dat hij voor me zou zorgen. En dat deed hij ook.'

'Heeft hij...' Verdomme, dacht hij, waar haal ik de woorden vandaan? 'Lieverd, het spijt me, maar ik moet het je vragen: heeft hij seksuele dingen met je gedaan?'

Clea schudde haar hoofd.

'Echt niet? Heeft hij je ook niet aangeraakt of zo?'

'Nee,' zei ze met stemverheffing, en nu keek ze hem recht aan. 'Hij was goed voor me.'

Ik kan het bijna niet geloven, dacht Horn, maar ze lijkt niet te liegen. Hij probeerde zich een andere kant van Del Vitti voor te stellen, van die man die in Los Angeles op kinderen joeg. Hij probeerde zich voor te stellen dat hij Clea in huis had genomen, maar haar met geen vinger aanraakte. Toen het beeld onscherp bleef, verdrong hij het.

'Liet hij je met andere mannen meegaan?'

'Nee,' zei ze met afgrijzen op haar gezicht.

'Goed dan, ik geloof je. Waarom was je van huis weggelopen?'

Clea had haar aandacht verplaatst van de losse draad naar een van haar nagels, waar ze aandachtig aan plukte. 'Omdat ik er zin in had.'

'Was je bang voor iets?'

Ze zei niets terug.

'Of iemand?'

Geen antwoord.

'Clea, hoe behandelde je nieuwe vader je? Was hij goed voor je?'

Ze haalde haar schouders op. 'Och, ja.'

Haar lange stiltes maakten hem gek. 'Waarom ben je dan weggelopen? Vanwege je moeder?'

Geen antwoord.

'Je vader en moeder maken zich erg ongerust om je, en ze hebben mij gevraagd je te zoeken. Waarom wil je niet naar huis?'

Stilte.

Hij ging verzitten en probeerde zijn ergernis te verbergen. Ze heeft veel meegemaakt, hield hij zichzelf voor. Zet haar niet onder druk, maar zorg wel dat ze praat.

'Goed dan. Laten we het over iets anders hebben. Heb je nog herinneringen aan je eerste vader? Je echte vader?'

'Een paar.' Haar gezicht werd zorgelijk.

'Herinner je je die jachthut in de bergen nog waar je moeder en ik een keer met je geweest zijn? Scotty was er ook.'

'Hm-hm,' zei ze langzaam, alsof ze de herinnering van ver weg moest opdiepen.

'We maakten wandelingen in de sneeuw, en 's avonds speelde jij bij de haard terwijl wij zaten te kaarten. Weet je nog?'

'Ik geloof van wel.'

'Nou, dat was niet de eerste keer dat je er was. Je was er een hele tijd eerder ook al geweest, alleen waren je moeder en ik er toen niet bij. Herinner je je nog iets van...'

Ze plukte als een bezetene aan haar nagel. Hij zag haar neergeslagen ogen niet, maar opeens zag hij het bloed rond haar nagelriem opwellen. Hij stond op en liep naar haar toe. 'Lieverd, niet doen.' Ze keek schuldbewust op en stopte haar vinger in haar mond. 'Kom hier.' Hij pakte zijn zakdoek en wikkelde hem om de vinger. 'Zo vasthouden,' zei hij.

Hij bleef naast haar zitten. Hij moest nu doorgaan met zijn vragen over de jachthut, maar hij had het hart niet. 'Weet je wel hoeveel mensen ongerust om je zijn? Overal in de stad. Ik heb Peter Binyon gesproken, een van je vriendjes van vroeger – ik ben overigens blij dat je niet aan hem bent blijven hangen. En Addie Webb, en ik ben naar...'

'Addie?'

'Ja.'

'Gaat het wel goed met haar?'

'Ja, hoor.'

'Echt waar?'

'Echt waar. Addie kan wel voor zichzelf zorgen. Clea, hoor eens...' Hij keek haar aan. 'Dit is heel moeilijk, maar als je me niet wilt vertellen waarom je van huis bent weggelopen, wat er allemaal gaande is... Nu ja, je ouders willen je terug, en het zit me niet lekker om je hier nog langer te houden.' Hij legde zijn hand op haar knie. 'Je moet me...'

'Breng me niet naar huis,' zei ze met zachte, overslaande stem.

'Dat doe ik ook niet, maar ik moet je ouders vertellen waar je zit, en ik weet zeker dat ze je komen halen. Je hoort thuis.'

Hij stond op en bleef nog even staan, maar hij wist niets meer te zeggen en liep weg. Hij vroeg zich af of hij blufte. Hij wilde niets liever dan haar hier houden, waar hij er zeker van kon zijn dat ze veilig was, maar hij wist dat als Iris en Paul Fairbrass erachter kwamen wat hij had gedaan, hij weer moeilijkheden met de politie kon krijgen. Hij zou zelfs weer in de gevangenis kunnen belanden. Zijn dreigement Clea naar huis te sturen was zijn laatste kans. Hij hoopte dat het zou werken.

Hij liep naar de stal en hield een tijdje samen met Maggie de wacht bij de drachtige merrie. Toen hij terugkwam, was Clea naar bed gegaan. Hij ging bij de telefoon zitten en kreeg een idee. Thelda Webb zou die avond waarschijnlijk in de Coconut Grove werken. Hij pakte een stukje papier waarop hij een telefoonnummer had genoteerd, reikte naar de telefoon en draaide het nummer. 'Addie, met John Ray Horn,' zei hij toen Addie opnam. Hij sprak zacht, zodat Clea hem niet kon afluisteren. 'Ik moet je iets vertellen.'

In de hoge, goed verlichte eetzaal van Hotel Alexandria waren kelners bezig bestek en servetten neer te leggen en de witte tafelkleden glad te strijken. Het was een half uur voor lunchtijd en er waren geen gasten, afgezien van de vier mannen die aan twee tafels langs de achterwand zaten.

'Vinnie eet graag voordat de massa komt,' zei Mad Crow tegen Horn toen ze de zaal inliepen. 'Het hotel moet zijn klandizie op prijs stellen, want hij mag eerder lunchen.'

'Misschien willen ze hem gewoon niet kwetsen.'

'Weet je zeker dat je dit wilt doorzetten?'

'Reken maar.'

'Als je maar op je woorden past, afgesproken?'

Mad Crow ging Horn voor naar de beide tafels achterin. De vier mannen keken hoe ze naderden. De twee mannen aan de rechter tafel zaten te roken en maakten een verveelde indruk. Ze waren eind twintig, begin dertig. Falco was er niet bij, maar Horn kende hun type uit Cold Creek. Van de beide mannen aan de tafel recht voor hen was er een piepjong, bijna een tiener nog. Zijn gezicht was nog onaf en hij leek zich onwennig te voelen in zijn pak. De man die recht tegenover hem zat was in de zestig, schatte Horn, en dik. Zijn zomerse pak van goede snit was lichtgrijs, maar verder was alles aan hem even donker; het zwarte haar met maar een beetje grijs erin, zijn olijfkleurige huid en zijn zware wenkbrauwen boven diepliggende, bruine ogen. Zijn pasgeschoren gezicht leek onder de laag talkpoeder alweer nieuwe stoppels te vertonen.

Horn probeerde niet te staren. Al sinds hij zijn vader voor het eerst een donderpreek had horen houden, was hij gefascineerd door het kwaad en vroeg hij zich af waar op deze wereld hij het zou tegenkomen. Hij had het in de oorlog verwacht, op de gezichten van de vijand in zijn vizier, maar hij had alleen jonge Duitsers gezien, niet veel anders dan hij, mannen die honger en kou leden en kiekjes van hun echtgenote of hun liefje bij zich hadden. Het enige echte kwaad dat hij tot nu toe had ontmoet, bedacht hij, was belichaamd door de boeven uit zijn films, die bordkartonnen persoonlijkheden die alleen dienden om zich te meten met het goede, in de vorm van Sierra Lane, en het onderspit te delven. Hoe zit het dan met deze man? vroeg hij zich af toen hij tegenover Vincent Bonsigniore stond. Wat heeft hij in zich?

'Meneer Bonsigniore, dit is mijn vriend John Ray Horn,' zei de indiaan. 'Ik heb u over hem verteld.'

'Ga zitten.' Bonsigniore gebaarde naar de stoelen. 'Neem me niet kwalijk, maar ik moet dit eerst afmaken.' Hij zette zijn lepel in de kom gebonden soep voor zich. Hij vraagt ons niet of we mee willen eten, had Mad Crow al gezegd. Vinnie is graag koning aan zijn eigen hof.

Bonsigniore wees naar de jongen. 'Mijn neef Dominic,' zei hij. 'De zoon van mijn zuster. Ze wilde dat hij ook in de kruidenierswaren zou gaan, haar waardeloze man achterna, maar hij wil eerst een tijdje voor mij werken. Verstandige jongen.' Hij had een verrassend hoge stem voor zo'n grote man, iel en piepend, het soort stem dat een provinciaalse vertegenwoordiger zou kunnen opzetten om je belangstelling voor zijn handelswaar te wekken. Horn nam zich voor zich er niet door te laten misleiden.

'Ik kom hier al jaren,' vervolgde Bonsigniore tegen niemand in het bijzonder, zich op zijn soep concentrerend. 'Dit was vroeger hét klassehotel. Charlie Chaplin was hier kind aan huis, wisten jullie dat? Toen ging het Biltmore open, en dat pikte wat chique klanten in. Maar ik ben niet zo'n chique vent. Ik voel me hier op mijn gemak.'

Hij wendde zich tot Horn. 'Wanneer Joe en ik zo zaken gaan doen, willen we onder vier ogen praten,' zei hij. 'Ga jij daar maar zitten, neem een kop koffie.'

'Mij best,' zei Horn luchtig. 'Hebt u er bezwaar tegen als ik rook?' Hij pakte zijn Bull Durham en zijn vloeitjes.

'Je doet maar,' zei Bonsigniore. Hij schoof zijn soepkom van zich af en wenkte een ober. 'Je denkt om de kleintjes, hm? Ik heb nooit het geduld gehad om mijn eigen sigaretten te draaien. Bovendien begon ik deze te roken.' Hij pakte een Dutch Master en stak hem op. Hij had worstvingers, en hij droeg aan beide pinken een forse ring. Op de linker onderscheidde Horn de letter B, uitgevoerd in granaten en stras – of robijnen en diamanten. De ring aan de rechterpink was van massief goud. 'Ik heb gehoord dat je echt cowboy was voordat je bij de film ging.'

'Zoiets,' zei Horn. 'Toen ik uit huis ging, ben ik begonnen met rodeo's rijden, maar mijn laatste stier had me zo toegetakeld dat ik besloot een gemakkelijker manier te zoeken om de kost te verdienen.'

'Op stieren rijden,' zei Bonsigniore bijna dromerig. 'Gestoorde baan, als je het mij vraagt.'

Zullen we het dan maar over jouw werk hebben? dacht Horn. Of over je hobby's misschien?

'Ik ben zover,' riep Bonsigniore naar de ober, die een minuut later een bord met een enorme, dik met rookvlees belegde sandwich kwam brengen. Hij zette er een potje mosterd naast.

'Zal ik je eens wat geks vertellen? Altijd als ik hier eet, laat ik zo'n broodje van Langer komen. Het eten is hier niet slecht, begrijp me niet verkeerd, maar het is hotelvoer. Ken je Langer? Bij MacArthur Park?'

'Ik ben er wel eens geweest,' zei Horn.

'Het beste broodjeshuis van de stad. Minstens zo goed als New York. Die vent daar vroeg me een keer waarom ik in een joodse tent kwam eten, als ik toch in Little Italy was geboren en getogen. Ik heb hem uitgelegd dat de meeste Italiaanse restaurants hier klote zijn, ja toch? Joden kunnen goed koken. Je moet ze alleen zo af en toe een handje helpen met de specerijen.' Hij besmeerde het brood met mosterd. 'Zo, en ken je Betty Grable ook?'

'Ik vrees van niet. Die zit bij Fox. Ik werkte bij een kleine studio in de Valley.'

'Ze is te goed voor die Harry James,' zei Bonsigniores neefje eigenwijs. 'Hij is haar niet waard.'

'Koest, Dominic,' zei de oudere man zonder enig venijn. 'Ga maar bij de jongens zitten.'

De jongen stond op en liep naar de andere tafel. Zijn overdreven losse tred deed vermoeden dat hij nog niet aan zijn volwassen lijf gewend was. 'Ik weet waar jij werkte,' vervolgde Bonsigniore met zijn mond vol rookvlees. 'De paardenopera's. Allemaal rommel, die films. Ik bedoel het niet persoonlijk. Ik hou wel van George Raft. Dat is pas een acteur.'

'Iedereen heeft zijn voorkeur,' zei Horn. 'Ik sprak laatst nog iemand die zei dat hij van Bob Steele hield.'

'Wie is dat in godsnaam?'

'Gewoon, een westernacteur.'

Bonsigniore schudde zijn hoofd. 'Nooit van gehoord. Maar ik hoorde dat jij die kleine eikel voor wie je werkte hebt afgetuigd...'

'Het was de zoon van de studiobaas. Ik werkte niet echt voor hem.'

'Je moet hem flink te pakken hebben genomen. Je hebt ervoor gezeten.'

Horn knikte.

'Was het zwaar?'

'Niet echt.'

'Nog vrienden gemaakt?'

'Een paar.'

Bonsigniore staarde hem aan. Zijn blik beviel Horn niet. Hoeveel weet hij nu echt? vroeg hij zich af.

'Als je ooit om werk verlegen zit,' zei Bonsigniore als terloops, 'kom je maar bij me langs.'

'Hé,' protesteerde Mad Crow.

'Weet ik, weet ik,' suste Bonsigniore. 'Wees maar niet bang. Ik pik je kracht niet in. Ik zeg het alleen maar even.' Hij nam een enorme hap van zijn sandwich en kauwde zonder zijn ogen van Horn af te wenden.

'Ik krijg van alle kanten werk aangeboden,' zei Horn.

'Mickey Cohen heeft je een baan aangeboden,' zei Bonsigniore met zijn mond nog vol. 'Pas nog. Dat heeft Joe hier me verteld.' Horn keek de indiaan aan. 'Je zou wel gek zijn als je met hem in zee ging. Gestoorde jood. Hij denkt dat hij onafhankelijk is. Het zijn die onafhankelijke jongens zoals hij die het niet volhouden. Let maar op.'

'Ik ben nu niet op zoek naar werk, dank u,' zei Horn.

Bonsigniores aandacht leek te verslappen. 'Ook goed,' zei hij schouderophalend, en hij wendde zich tot Mad Crow. 'Joe, heb je het bij je?'

'Jazeker,' antwoordde Mad Crow, die een dikke envelop uit zijn jaszak haalde en hem op tafel legde.

Bonsigniore, die Horn nog steeds aanstaarde, zei: 'Wil je ons nu verontschuldigen? Joe en ik...'

'Maar natuurlijk,' zei Horn. Hij stond op en ging een meter of drie verderop alleen aan een tafel zitten. Er kwam een ober langs en hij bestelde koffie. Toen probeerde hij Bonsigniore te observeren zonder te veel op te vallen.

Wat ben ik nu aan de weet gekomen? vroeg hij zich af. Niet veel zinnigs. Hij houdt van rookvlees, Betty Grable en George Raft. Hij houdt er niet van als de mensen om hem heen zitten te eten. Hij houdt ervan om samen met zijn vrienden kleine meisjes mee de bergen in te nemen. De man die de meisjes voor hem vond – zijn leverancier – is dood. Misschien overweegt hij me die baan aan te bieden.

Maar nu, en dat is het belangrijkste, weet ik zeker dat hij een van de drie mannen op de foto's is. Dat heb ik aan zijn twee grote, opvallende ringen gezien. De dikke man met de ringen: Vincent Bonsigniore.

Hij op zijn beurt weet veel over mij, behalve het allerbelangrijkste: dat ik weet dat hij kleine meisjes misbruikt. En dat hij mijn vriend heeft laten vermoorden.

Wat kan ik doen nu ik dat allemaal weet?

Er viel een schaduw over de tafel. Horn keek op en zag Gabriel Falco tegenover zich zitten.

'Zo zo,' zei Falco. 'De zware jongen uit de steeg.' Er gleed een haast onmerkbare grijns over zijn gezicht, alsof hij net een mop had gehoord die alleen hij kon waarderen.

Horn zette behoedzaam zijn koffiekop neer. 'Hoe gaat het?' vroeg hij.

Falco trok zijn schouders op, wenkte een ober en zei: 'Koffie en een stuk taart. Appel als je hebt.' Zijn stem had de metalige klank van de straten van New York.

Het was de eerste keer dat Horn de kans kreeg hem goed te bekijken. Falco, die een dun Clark Gable-snorretje had, was niet bovengemiddeld groot of zwaar, maar straalde snelheid en kracht uit. Zijn hoekige gezicht boven zijn pezige hals had een krachtige kaaklijn en jukbeenderen die niet hadden misstaan in de stamboom van Mad Crow. Hij had zware, donkere wenkbrauwen, net als Bonsigniore, en zijn opvallend lichte ogen deden Horn aan die van een roofvogel denken – groot en zonder enige diepte. Hij leek geen grammetje vet te hebben. Het leek alsof iets het teveel had verteerd, verbrand, om de man licht genoeg te maken om te doen wat hij moest doen.

Bij de herinnering aan de steeg en de pijn in zijn nieren voelde Horn iets in zich opleven en groeien, en hij wist dat het angst was. Dezelfde angst die hem in de bergen in Italië had overmand en verlamd. De angst die je te pakken neemt als je te veel denkt, je deur ervoor opent. De man tegenover hem had iemand in de gevangenis vermoord en had hem die avond achter de Dixie Belle ook kunnen vermoorden als het gevecht iets anders was verlopen. En er was nog iets: dit kon de man zijn die een eind aan Scotty's leven had gemaakt. Ja, dacht Horn, ik ben bang voor hem. Maar... dat hoef ik hem niet te laten merken.

'Wacht je tot je baas klaar is?' vroeg hij.

Falco was met zijn taart bezig. Het was een appelpunt en hij zag er goed uit, maar hij viel erop aan zoals vuur een droge twijg verslindt. Hij keek niet op, maar Horn wist dat hij over de vraag nadacht, dat hij zich afvroeg hoeveel Horn wist, ook over zulke simpele dingen als wie zijn werkgever was. Horn, die al half spijt had van zijn vraag, hield zichzelf voor dat hij niet de indruk moest wekken dat hij te veel wist. Misschien moet je hem de slimste laten zijn, dacht hij. Jij bent de stomme, werkloze cowboy, hij is de gladde stadsjongen. Maar meteen daarop dacht hij: maar op die manier kom ik nooit iets te weten.

Falco leek de vraag komisch te vinden. 'Ja hoor, ik wacht op de baas,' zei hij. 'Hij blaft, ik spring.'

'Maar je hebt toch ook andere klussen?' vroeg Horn.

'Klopt.' Falco had zijn taart op, schoof de schotel opzij en bleef met die halve glimlach op zijn gezicht zitten. 'Dus je weet het een en ander van me?'

'Ja. Mijn belangstelling was gewekt toen je vriend en jij me hadden afgetuigd. Ik heb eens naar je geïnformeerd. Niet lang daarna zag ik je boven de Medallion Ranch uit een vliegtuig hangen. Wat mankeert eraan, betaalt Vinnie je niet genoeg?'

Falco maakte geen beledigde indruk. 'Vinnie betaalt goed, maar hij heeft me maar zo af en toe nodig. De rest van de tijd... Tja, als je de beste stuntman van de filmwereld bent, heb je altijd werk.'

Horn floot tussen zijn tanden. 'En je bent nog bescheiden ook.'

'Dat laat ik aan anderen over,' zei Falco. 'Aan jou, bijvoorbeeld. Zo te horen heb jij van alles om bescheiden over te zijn. De ene dag ben je nog een gewilde filmster die zijn stunts door jongens zoals ik laat opknappen omdat je haar niet in de war mag raken, en de volgende ben je opzichter van een vervallen villa en loop je onkruid te wieden.'

'Ik red me wel,' zei Horn, maar het sarcasme stak hem, vreemd genoeg. Misschien omdat het waar was. Je hoeft je niet te verdedigen, dacht hij. Zorg dat je hem aan de praat krijgt.

'Ik doe wel meer dan onkruid wieden,' begon hij. 'Ik ben de laatste tijd ook druk op zoek naar mijn dochter. Ze is niet echt mijn dochter, maar zo zie ik haar. Ik heb haar ouders beloofd dat ik haar zou vinden, en dat ben ik ook van plan.'

'Gelijk heb je,' zei Falco. 'Doe dat maar.'

'Ik dacht eerst dat ze bij een zekere Anthony Del Vitti zat – je weet wel, die maat van jou die zo graag zijn mes trekt...'

'Zo goed was hij niet met zijn mes,' viel Falco hem in de rede. 'Ik ben veel beter. Misschien krijg je nog eens de kans het te zien.'

'Wie weet. Maar toen werd Del Vitti vermoord en bleek dat ze niet bij hem was. Ik zoek dus nog steeds.' Hij wist dat hij te veel zei. Hij had Mad Crow beloofd dat hij niets zou zeggen wat de indiaan moeilijkheden met zijn compagnon kon bezorgen, maar nu, tegenover die man wiens aanblik hem al de koude rillingen bezorgde, voelde hij dat hij niet kon zwijgen. Hij moest praten, peilen, erachter komen hoe Falco in elkaar zat, ontdekken wat hij wist. Horn voelde zich alsof hij door een wei reed en er plotseling een hek openzwaaide dat hem toegang bood tot nieuw terrein, nog onverkend en een beetje gevaarlijk, maar vol belofte. Hij vroeg zich af wat er zou gebeuren als hij door het hek reed.

Falco hielp hem de knoop door te hakken. 'Het is zoals Tony al tegen je zei: pas op waar je zoekt,' zei hij. Hij zette zijn ellebogen op de armleuningen van zijn stoel en drukte zijn vingertoppen tegen elkaar. Horn zag oud littekenweefsel op de rug van zijn ene hand. 'Je had naar die ouwe Tony moeten luisteren. Hij zal nooit meer iemand advies geven. Iemand heeft een kogel door zijn oog gejaagd. Zijn mooie kamerjas zat onder de smurrie.'

Horn was even met stomheid geslagen toen hij Falco's woorden en de arrogantie erachter hoorde. Een nieuwe, verontrustende gedachte drong zich op: zou Falco Del Vitti hebben vermoord?

'Je bent goed op de hoogte, hè?' vroeg hij.

'Ik heb het gewoon uit de kranten,' zei Falco. 'Ik probeer al het misdaadnieuws bij te houden.' Horn merkte dat Falco naar de snee bij zijn wenkbrauw keek, die bijna genezen was, maar nog zichtbaar. 'Zo, dus jij hebt wel geleerd je niet in vechtpartijen te mengen?' vroeg Falco achteloos.

Zelfvoldane klootzak die je bent, dacht Horn. Hij was zich ervan bewust dat Falco en hij zich gedroegen als twee jongens op het schoolplein die een machtsstrijd voeren die met woorden begint, en eindigt met duwen en slaan. Geef hem een zet terug, dacht hij. 'O, zeker,' zei hij overdreven nonchalant. 'Ik hou van rust en vrede. En mijn pappie heeft me geleerd nooit met twee jongens tegelijk te vechten. Dat verlies je altijd, zei hij. Maar hij zei erbij dat ik me er niet voor hoefde te schamen omdat mensen die met twee tegen één vechten in wezen laf en gemeen zijn. Ja, dat heeft hij me verteld. Hoe denk jij erover?'

'Ik denk dat je de volgende keer dat ik je zie niet lopend uit die steeg komt.' De glimlach bleef op zijn plaats. Horn hoorde geen opschepperij in Falco's woorden. Alleen een belofte.

'O, hemeltje,' zei hij, benieuwd waar dit zou eindigen. 'Dan moet ik maar niet meer in stegen komen. Maar vertel eens: wie moet jou helpen nu jij je maat kwijt bent, die knappe jongen met zijn mesje?'

Falco leunde achterover in zijn stoel. 'Ik zal je matsen,' zei hij. 'De volgende keer kom ik alleen.'

'Prima. Moet ik over mijn schouder kijken of val je je slachtoffers niet meer in de rug aan?'

'Waarom vraag je dat niet aan je vriend?'

'Huh?'

'Je vriend. Je weet wel, die vent die uit het raam is geflikkerd.'

Horn kreeg een bloedrood waas voor zijn ogen. Hij voelde niet dat hij zijn stoel achteruit schopte, merkte niet dat hij om de tafel dook. Hij hoorde vaag geschreeuw. Toen hij weer helder kon zien, stond hij over Falco heen gebogen met een prop tafelkleed in zijn rechtervuist en zijn buikspieren zo strak aangespannen dat het pijn deed, op het punt hem bij zijn strot te pakken. Toen zag hij het gezicht van Mad Crow vlak bij het zijne en voelde dat de indiaan hem stevig bij zijn schouders pakte. Hij ademde diep in, op het punt zijn vriend opzij te duwen, maar op hetzelfde moment zag hij dat Falco zijn colbert met zijn linkerhand openhield en zijn rechter op de glimmende kolf van het pistool in een soort holster onder zijn linkerarm legde. Horn hield zich in, moeizaam ademend.

Falco had zijn ogen tot spleetjes geknepen, maar zijn gelaatsuitdrukking was niet waarneembaar veranderd. 'Kom maar op,' zei hij. 'Hier of ergens anders. Het maakt mij niets uit. Als het hier wordt, krijgen jullie allebei een kogel door je kop en ga ik via de keuken weg. Geen mens heeft me gezien, want iedereen hier lijdt aan geheugenverlies. Is dat wat je wilt?' Hij tikte met zijn vingers op de kolf van zijn wapen. 'Hier dan maar, cowboy? Midden in de OK Corral?'

Horn haalde diep adem. Hij hoorde een stem achter zich en keek om. De drie mannen van Bonsigniore aan de andere tafel waren opgestaan en hielden hun handen in hun zakken. Mad Crow hield hem zwijgend in bedwang, met een verwrongen gezicht van inspanning. Bonsigniore zelf zei tegen zijn mensen: 'Zitten, zei ik, begrepen?' Hij maakte een vorstelijk gebaar. Het licht van de plafonnière schitterde in de stenen om zijn pink. Hij wendde zich tot Falco. 'Gabe, wegwezen hier.'

Horn ontspande zich een beetje en Mad Crow, die hem scherp in de gaten bleef houden, deed een pas opzij. Falco stond op en streek zijn jasje glad. Horn en hij stonden zo dicht bij elkaar dat Horn Falco's adem kon ruiken. Hij zag twee dieren voor zich die elkaar in het wild benaderen en elkaar besnuffelen om te bepalen wie er moet wijken.

Falco boog zich naar hem over. 'Je bent een rare,' zei hij bijna fluisterend. 'Het verschil tussen jou en mij is dat ik gewoon mijn zaken opknap, terwijl jij alles persoonlijk opneemt. Als jij een klus voor me wordt, maak ik je af. Zo niet...' – hij spreidde zijn vingers en streek met zijn handen langs Horns jas – '... dan laten we elkaar met rust. Zorg dat ik me niet met je hoef te bemoeien.' Hij draaide zich om en liep weg.

Horn zag dat zijn hand, die nog steeds in het tafelkleed greep, hevig trilde. Daar kom je te laat mee, Gabe, dacht hij.

18

Tien minuten later, toen ze buiten liepen, foeterde Mad Crow hem uit.

'Waar was dat nou voor nodig? Je had beloofd dat je je gedeisd zou houden en dan begin je een ruzie met die gast...'

'Dat was Falco.'

'Dat dacht ik al. Je werd helemaal gek, weet je dat? Vinnie heeft gezegd dat hij je niet meer wil zien. Hij heeft de pest in. John Ray, ik kan het me niet veroorloven hem tegen me te krijgen, dat had ik toch gezegd?'

'Hij zat me te stangen. Hij zei dat hij Scotty had vermoord.'

'Wát?'

'Nou ja, in bedekte termen. Duidelijk genoeg voor mij. Die klootzak heeft het gedaan. Hij denkt dat ik er niets tegen kan beginnen. Misschien heeft hij wel gelijk.'

De indiaan leunde met een verbeten gezicht tegen zijn Cadillac. 'Hij had je ter plekke kunnen vermoorden,' zei hij. 'Ons allebei misschien wel.'

'Je had je erbuiten moeten houden.'

'Zodat jij hem had kunnen aanvliegen? Ja, vast. Je had hem ingemaakt, net als die kleine junior. Het enige verschil is dat deze jongen gewapend is.'

Horn keek hem woedend aan. 'Bedoel je dat ik bang voor hem moet zijn?'

'Ik bedoel dat je je hersens niet gebruikte. Soms word je zo krankzinnig dat anderen op je moeten passen.'

'Jij had...'

'Me erbuiten moeten houden, ik weet het. Geloof je echt dat ik je je gang had moeten laten gaan?'

Horn keek nog even kwaad en slaakte toen een diepe zucht. 'Nee,' zei hij uiteindelijk. 'Ik denk dat ik je een bedankje schuldig ben.'

'Dat komt nog wel een keer.'

'Weet je?' zei Horn. 'In de oorlog heb ik een paar mensen gedood, een of twee in een gevecht van man tegen man. Ik kan het niet vergeten, ik heb er nog nachtmerries van. Toen ik daarnet in Falco's ogen keek, zag ik dat hij me kon vermoorden en dan lekker uit eten gaan, een wipje maken en slapen als een blok. En dat soort mensen maakt me bang.'

'Zo praat Sierra Lane niet,' prevelde de indiaan verontwaardigd.

'Weet ik.'

Toen Horn terugkwam, was Maggie met een van haar knechten in de tuigkamer naast de stallen bezig een versleten zadelriem te repareren.

'Waar is Clea?' vroeg hij.

Maggie keek even op en werkte toen door. 'Een ommetje maken. Addie kwam langs en ze zijn samen weggegaan. Ik had de indruk dat ze veel moesten bijpraten.'

'Waar zijn ze heen?'

'Niet zo bezorgd. Ze hebben de weg naar het noorden genomen die een paar kilometers langs de omheining loopt. Ik heb gezegd dat ze bij de bocht in de weg moesten omkeren, dus ze zullen zo wel terug zijn.' Ze keek weer naar hem op. 'Kalm, John Ray.'

'Ik ben kalm. Hoe laat is Addie gekomen?'

'Een paar uur geleden. Ze had een lift van een leverancier gekregen, en die deed alsof het een voorrecht was haar helemaal hierheen te brengen.'

'Dat is Addie ten voeten uit. Die zal nooit om een lift verlegen zitten. Of wat dan ook. Lief van je dat je ons hier allemaal laat kamperen, Maggie.'

'Ik heb er geen last van. Addie had een weekendtas bij zich, dus ik neem aan dat ze een tijdje wil blijven.'

Hij vertelde haar wat hij van Addie wist, en ook dat de twee meisjes een keer samen waren weggelopen, en hij besloot met het verhaal over hun avond aan Central Avenue.

'Ik had nooit gedacht dat ze even oud waren,' zei Maggie.

'Addie is een jaar of twee ouder.'

'Eerder vijf, had ik gedacht,' zei ze. 'Maar hoe jong ze ook is, ze weet het een en ander. Ook van mannen. Je had Miguel en Tomas naar haar moeten zien kijken. En ze wist het.'

'Een hartenbreekster.'

Maggie knikte glimlachend, nog steeds aan de zadelriem werkend. 'Waarom heb je haar eigenlijk gebeld? Ik dacht dat je niet wilde...'

'... dat bekend werd dat Clea hier is. Dat wil ik nog steeds niet, maar ik kan niet tot haar doordringen, ze wil me niet vertellen waarom ze is weggelopen. Ik laat haar pas naar huis gaan als ik het weet. Addie en Clea zijn altijd boezemvriendinnen geweest, en iets zegt me dat Addie kan helpen. Ze heeft beloofd dat ze haar best zou doen.'

'Ik hoop dat je gelijk krijgt.'

'Hoe is het met de merrie?'

'Ze is er klaar voor. Dat heeft ze me verteld.'

Horn liep de tuigkamer uit en ging in een van de versleten stoelen op het lapje gras voor Maggies verbouwde barak zitten. Kort daarna hoorde hij stemmen, draaide zich om en zag Clea en Addie aankomen. Hij liep hen tegemoet.

'Hallo,' riep Addie.

'Ha, meiden.' Clea had een tuinbroek en een katoenen werkhemd van Maggie aan; Addie daarentegen droeg een keurig geperste broek en een pastelkleurige blouse. Ze zweetten allebei in de middaghitte.

Clea leek nog meer in zichzelf gekeerd dan anders. 'Ik ga me even opfrissen,' zei ze, en ze liep naar het huis. 'En?' vroeg Horn zodra ze buiten gehoorsafstand was.

Addie schudde haar hoofd. 'Ik heb mijn best gedaan,' zei ze. 'Ik heb het haar keer op keer gevraagd, maar ze schudt alleen haar hoofd. Het is duidelijk dat ze ergens mee zit. Ze is sterk veranderd. Maar wat het ook is...'

'Nou, ik hoop dat je het blijft proberen. Blijf je een tijdje logeren? Jullie kunnen het bed delen, ik neem de bank en Maggie slaapt tegenwoordig in de stal.'

'Graag,' zei Addie grif. 'Ik zal mijn moeder bellen om het haar te vertellen. Ze zal wel tegen me tekeergaan, maar dat ben ik gewend. En nu moet ik me ook maar eens gaan opfrissen.'

'Wil je iets voor me doen?' riep hij haar na. 'Zeg tegen Maggie dat ik op tijd voor het eten terug ben.'

Hij stopte bij het huis van Fairbrass aan een stille, door zoete gom en koraalbomen beschaduwde straat in Hancock Park. De degelijke patriciërswoningen waren opgetrokken in de in Los Angeles gebruikelijke mengeling van architectuurstijlen. Het was halverwege de middag en warm tot heet. Hij had het adres moeiteloos in de telefoongids gevonden en na enige aarzeling besloten niet eerst op te bellen. Hij wilde Paul Fairbrass niet van zijn komst op de hoogte stellen. Fairbrass zou er per se bij willen zijn, en Horn wilde Iris alleen spreken. Zoals hij Falco met open vizier tegemoet was getreden, wilde hij ook Iris onverwacht met zijn vragen confronteren. Uit haar antwoorden zou blijken of het tijd was dat Clea uit haar schuilplaats kwam en naar huis ging.

Het imposante, witte huis was gebouwd in wat sommige mensen de Franse châteaustijl zouden noemen. Hij belde een aantal keren, maar er werd niet opengedaan. Na een minuut liep hij het pad naar de achterkant van het huis af en vond Iris in de tuin. Ze zat op haar knieën in de aarde te wroeten met een troffel, gekleed in een wijdvallende blouse, een broek en een breedgerande zonnehoed. Niet ver bij haar vandaan, waar de tuin uitkwam op een ruim achterterras, stond een oosterse man van middelbare leeftijd op een ladder een peperboom te snoeien.

'Je hebt altijd al van spitten gehouden,' riep hij haar toe. 'Graven en poten. Weet je nog, onze sinaasappelboomgaard?'

Ze ging op haar hurken zitten, schoof haar hoed naar achteren en keek hem aan. Er was geen gastvrijheid in haar ogen te zien, alleen berusting.

Hij liep naar haar toe. 'Ben je niet blij me te zien?'

Ze haalde haar schouders op. 'Als je goed nieuws had gehad, had je wel opgebeld,' zei ze. 'En aangezien Paul je heeft gevraagd alles via hem te regelen, weet je vast wel dat ik je nooit voor een bezoekje zou uitnodigen, dus wat kom je eigenlijk doen?'

'Ik heb Clea gesproken.'

'Wát?' Ze legde de troffel neer en stond in een reflex op. 'Wanneer? Is het goed met haar?'

'Ze klonk goed,' zei hij. Begin met liegen, dacht hij, maar doe het goed. 'Ze moet gehoord hebben dat ik haar zocht, want ze heeft me gebeld. Ze wilde niet zeggen waar ze zat. Ze zei alleen dat ze niet naar huis wilde.'

'Ik snap het niet.' Iris zette haar hoed af en streek een lok haar uit haar ogen. Toen zag ze haar hand en besefte dat ze een veeg op haar gezicht had gemaakt.

'Ik ook niet. Ik hoopte dat jij het zou kunnen verklaren.'

Ze keek hem achterdochtig aan, en toen wist hij dat het een moeizaam gesprek zou worden.

'Zullen we naar binnen gaan, waar het koeler is? Dan kan ik het je misschien uitleggen,' zei hij.

Ze aarzelde even en wenkte hem toen mee naar de achterdeur. Ze liepen de keuken in, en ze wees hem een stoel aan de ontbijttafel. Het was een grote, zonnige keuken met felgele muren en blinkende apparatuur, waaronder een ingebouwde afwasmachine. Hij stelde zich voor hoe Clea aan die tafel haar lievelingsontbijt zat te eten: toast, cornflakes en bananen. Er waren twee deuren naar de rest van het huis, maar ze waren allebei dicht, zodat hij niet verder kon kijken. Mevrouw Bullard ontving me in haar salon, dacht hij, niet in de keuken. Terwijl ze nog mooier woont dan jij.

Iris liep naar de vriezer, pakte een bakje ijsblokjes en begon ze krakend uit de vorm te wippen. Een minuut later zette ze een hoog glas ijswater voor hem neer.

'Je weet nog dat ik veel ijs wil,' zei hij, en hij nam een grote slok. Ergens voor in het huis rinkelde een telefoon. Iris verontschuldigde zich en ging opnemen.

Hij bleef een paar minuten zitten, en toen Iris niet terugkwam, ging hij haar zoeken. Hij vond haar in de woonkamer, waar ze naast een tafel bij een raam stond te telefoneren. Hij luisterde het gesprek af terwijl hij de kamer bekeek, maar toen hij begreep dat het over iets ging wat ze in een winkel had gekocht en wilde ruilen, hield hij op met luisteren. De werkelijke reden waarom hij haar was gevolgd, bekende hij zichzelf, was dat hij nieuwsgierig was naar haar huis, naar het nieuwe leven dat Clea en zij waren begonnen met die Fairbrass. De woonkamer was elegant en goed gemeubileerd, zij het iets te vrouwelijk naar zijn smaak. Terwijl Iris met haar rug naar hem toe stond, bekeek hij haar in de context van de kamer, de comfortabele meubelen, de gezinsfoto's op de tafel naast haar. Hij had haar in gedachten altijd in hun oude wereld gezien, maar het was duidelijk dat dit nu haar wereld was. Ze voelt zich hier helemaal thuis, dacht hij.

Toen Iris had opgehangen, wees hij naar een ingelijste foto van Clea

45e week **Slachtmaand** 2013 • 52
Zon op 7.48 u. onder 17.04 u.
Maan op 13.10 u.; onder 23.24 u.; ☽ 10 nov.

Kerkwijding Basiliek Sint-Jan van Lateranen

ZATERDAG

H. THEODOOR †306
Patroon van de soldaten en het leger
(Door, Fjodor, Ted, Teodor, Thedor, Thei)
H. Ursin *(Urson)*

DE LACH,
SPIEGEL VAN DE ZIEL.

PIJNLIJK

Walter was ergens uitgenodigd. Plots moest hij heel erg geeuwen.

— Neemt u mij niet kwalijk, stotterde hij verlegen.

— Verveelt u zich? vroeg de vrouw des huizes.

— Nee, mevrouw, probeerde Walter zich te excuseren, dat komt van de honger.

WAARHEEN?

MAANDAG
11 NOVEMBER:

IEPER: om 9.30 uur:
Herdenkingsdienst Wereldoorlog I, gevolgd door een parade naar de verschillende oorlogsmonumenten en de Meense Poort, waar om 11.11 uur de Last Post wordt geblazen.

DIKSMUIDE:
Vlaamse Vredesdag aan de IJzer

op de tafel. 'Daar heeft je man me een afdruk van gegeven, om me bij het zoeken te helpen,' zei hij. 'Ik geloof dat het de mooiste foto is die ik ooit van haar heb gezien.'

'Paul heeft hem gemaakt,' zei ze. 'We vinden hem allemaal mooi.'

'Scotty vertelde dat hij op het feest was waar je Paul hebt leren kennen.'

'Ja, dat klopt. Ik weet nog dat Scotty er was. Het was een groot feest bij de Bullards thuis. Ik was natuurlijk ook uitgenodigd, omdat ik een oudgediende van het bedrijf was; ik werkte er al jaren. Toen de uitnodiging kwam, was jij net... Je weet wel, jij was net weg. Ik kon het niet zo goed aan dat je in de gevangenis zat, en ik zal wel blij geweest zijn met die kans om er eens uit te gaan, mensen te zien, dus ging ik maar.'

Hij zag aan haar gezicht dat ze liever niet over de scheiding wilde praten, en hij had er zelf ook de moed niet toe. Ze gingen terug naar de keuken. Iris wachtte op het vervolg van zijn verhaal.

'Clea wil niet naar huis,' zei hij. 'Voor mij staat het vast dat er niets gebeurt zolang ik niet weet waarom niet.'

'Zou je haar nog eens spreken?' vroeg Iris. 'Ik bedoel, denk je dat ze je nog eens zal bellen?' Ze reikte naar het aanrecht naast haar, pakte een pakje Viceroy, haalde er een sigaret uit en stak hem op. Haar afgemeten, precieze bewegingen leken bedoeld te zijn om haar de kans te geven haar gedachten op een rijtje te zetten.

'Ik denk het wel. Ik heb het gevoel dat we dit binnen een paar dagen kunnen oplossen, maar ik ga haar pas weer zoeken als ik weet...' Hij zweeg, zoekend naar woorden.

'Als je wát weet?'

'Of ze hier iets te vrezen heeft.'

Iris inhaleerde diep, blies de rook van hem af, hield de sigaret boven een vierkante aardewerken asbak op tafel en tikte voorzichtig de as eraf, hoewel het maar weinig was. Ze reageerde niet zichtbaar op zijn woorden.

'Ik geloof niet dat ik je kan volgen.'

'Hoor eens, Iris, ik denk dat de tijd dringt. Vraag me niet hoe ik dat weet. Ik moet uitzoeken wat er aan de hand is. Je moet me eerlijk over je dochter vertellen. Als je dat niet doet, weet ik niet wat ons te wachten staat.'

'Als ik je niet vertel wat ik weet, krijg ik haar misschien niet terug, probeer je dat te zeggen?'

'Nee, dan zou je haar ook kunnen vinden. Je man zou haar kunnen vinden, of de politie. Ik denk alleen dat ik een grotere kans heb omdat ze mij vertrouwt. En ik begin opstandig te worden, want ik heb het gevoel dat je dingen voor me verzwijgt. Ze is ergens bang voor.' Toe dan, spoorde hij zichzelf aan, zeg het dan. 'Ik denk dat ze bang voor Paul is.'

Iris zette grote ogen op en haar mond viel open. Toen schoot ze zonder enige reden in de lach. 'Bang, voor Paul?' Ze lachte weer, nog harder, en haar gelach ging over in een hoestbui. Ze pakte zijn glas ijswater en nam een slok.

'O, John Ray, je zit er helemaal naast,' zei ze toen ze was bekomen. 'Paul is een engel voor haar. Hij houdt van haar alsof ze zijn eigen dochter is. Ik geloof echt dat hij zijn leven voor haar zou willen geven.'

'Fijn dat je het grappig vindt.'

'Nee, sorry. Je zit er alleen zo ontzettend naast. Wat Clea hier ook voor problemen had, wat haar er ook toe gedreven kan hebben weg te lopen, het heeft met mij te maken, niet met Paul.'

'Bewijs dat maar.'

'Wat?'

'Overtuig me.'

Ze keek hem bijna vijandig aan, stond op en liep naar een kast, waaruit ze een fles whisky opdiepte. Ze schonk zichzelf een half glas in en ging tegenover hem zitten, met beide handen beschermend om het glas gevouwen. Hem bood ze niets te drinken aan.

Ze staarde zwijgend voor zich uit, en hij kon haar bijna horen denken. Ik moet haar aan de praat houden, dacht hij, anders zou ze me eruit kunnen zetten. 'Weet je, eigenlijk ben je niet zoveel veranderd,' zei hij. 'Het zijn maar kleine dingen. Zoals dat je nu betere drank drinkt. Het zal wel prettig zijn dat je nu een man hebt die het zich kan permitteren...'

'Spaar me je sarcasme, John Ray. Ik ben met Paul getrouwd omdat ik van hem hield en omdat ik wist dat hij van Clea en mij hield. Het is inderdaad prettig om je dingen te kunnen veroorloven, en ik schaam me er niet voor dat ik ervan geniet. En voor je het vraagt, nee, ik drink doorgaans niet overdag.' Ze keek naar haar glas. 'Het komt gewoon doordat je me zenuwachtig maakt. Ik drink lang niet meer zoveel als vroeger. Ik heb me voorgenomen nooit meer in dat soort gedrag te vervallen. Ik heb nu een man en dochter die erop rekenen dat ik me...'

'... fatsoenlijk gedraag.'

'Niet zo sarcastisch, zei ik. Wat weet jij er nou van? Ik ben meer veranderd dan je je kunt voorstellen. Als ik terugkijk op hoe ik vroeger was – de woede, de slemppartijen, de ruzies met jou, de verwaarlozing van Clea – wil ik mezelf van toen niet meer kennen.'

'Je bent te streng voor jezelf.'

Ze keek zwijgend in haar glas. Horn hoorde ergens in huis een grote klok tikken. Er ging een minuut voorbij, toen nog een. Hij haalde iets uit zijn zak en schoof het over het tafelblad naar haar toe. Het was een foto, met de bedrukte kant naar beneden. Ze pakte hem niet, maar hij zag aan haar verbeten gezicht dat ze wist wat het was.

'Ze is het wel, hè?' zei hij. 'Je hoeft hem niet nog eens te bekijken, als je maar toegeeft dat je weet dat zij het is.'

Ze worstelde zo met haar emoties dat haar gezicht een verwrongen, machteloos, lelijk masker werd. Haar gevoelens wonnen het en ze begon geluidloos te huilen. Haar ogen schoten vol en de tranen liepen over haar wangen toen ze naar de foto keek die ze niet kon pakken. Hij gaf haar zijn zakdoek en liet haar huilen terwijl hij praatte.

'Ik heb van alles ontdekt,' begon hij, al moest hij zichzelf bekennen dat niet één van zijn vermoedens een absolute zekerheid was. 'Over Wendell, en dat hij Clea meenam naar de jachthut van de Bullards in de bergen, waar de oude Bullard en een paar anderen elkaar ontmoetten. Het was altijd een jong meisje, en sommigen waren zo jong als Clea op die foto. Ik weet niet waarom Wendell eraan meedeed. Misschien omdat hij maar een nul achter een hotelbalie was en wilde dat die oude Bullard bij hem in het krijt kwam te staan. Misschien vond hij het leuk om ouwe jongens krentenbrood te spelen met mannen die meer succes hadden dan hij. Wat hij ook wilde, hij was bereid zijn dochtertje als toegangskaart te gebruiken...'

'Niet doen,' zei ze met een klein stemmetje. Ze legde haar hand op de foto en klopte er zacht op, haast strelend, zoals een moeder een angstig kind sust. 'Niet doen.'

'En ik heb ontdekt dat er nog een paar mensen met Scotty's vader en jouw echtgenoot meededen. De een was een oude gangster, Vincent Bonsigniore, en de ander moet volgens mij een zekere Calvin St. George zijn geweest. Hij heeft een antiquariaat in Hollywood en hij maakte de foto's in de jachthut.'

Hij stak de foto in zijn zak zonder hem om te draaien. 'Als je wist dat ze het was, waarom heb je dan tegen me gelogen toen ik je die foto na Scotty's begrafenis liet zien?'

'Waarom ik niet toegaf dat ik wist dat mijn dochter jaren geleden was misbruikt? Hoe kon ik? Je weet niet half hoe schuldig ik me voel om wat er is gebeurd, maar dat wil nog niet zeggen dat ik bereid ben het overal rond te bazuinen. Ik heb nooit gewild dat je het zou weten, en ik wil niet dat Paul het te weten komt. Je moet me beloven...'

'Ik heb geen enkele reden om het hem te vertellen.'

'Beloof het me.'

'Ik beloof het. Maar nu moet je me een paar dingen vertellen. Om te beginnen: Het was Wendell, hè?'

'Je zei net...'

'Ik moet het uit jouw mond horen. Was het Wendell?'

'Ja.' Haar gezicht stond strak.

'Wist je het al toen het nog aan de gang was?'

'Nee, niet echt. Maar ik kan je wel vertellen dat dat een stuk gemakkelijker was.' Ze pakte haar glas, zette het weer neer, haalde diep adem en begon te vertellen.

'Ik hoorde Clea een keer 's nachts huilen en ging naar haar toe. Wendell sliep altijd overal doorheen. Ze zei dat ze een nachtmerrie had gehad. Ik troostte haar en toen begon ze te vertellen over een uitje dat ze een keer met haar vader had gemaakt toen ik op mijn werk zat. Het klonk als een verzinsel van een klein meisje, maar er waren een paar details die me dwarszaten. Een paar dagen later vond ik foto's in een la van Wendells commode – ik geef toe dat ik snuffelde. Ze waren afschuwelijk, allemaal kleine meisjes. Waarschijnlijk waren het dezelfde foto's die jij van Scotty hebt gekregen. En er zat er een van Clea tussen, dezelfde die je mij hebt laten zien.

Ik werd er gek van. Die avond gooide ik het hem voor de voeten. Hij gaf alles toe. Hij... hij stortte in. Het was of ik hem voor mijn ogen zag verschrompelen. Hij zei dat hij altijd een zwak voor jonge meisjes had gehad, en dat hij andere mannen met dezelfde fascinatie kende en dat ze...'

'Ik weet het,' zei hij.

'Hij zei dat hij had gezondigd en bereid was zijn straf te ondergaan. Die woorden gebruikte hij echt, hoewel ik hem nooit bijzonder religieus had gevonden. Maar hij voelde een vreemd soort loyaliteit jegens de anderen en wilde niet zeggen wie ze waren.'

'Dus je had geen idee dat Arthur Bullard erbij betrokken was?'

'Nee, natuurlijk niet,' zei ze met een van haat vertrokken gezicht. 'Dan had ik toch niet voor hem kunnen blijven werken? Hoe had ik dan jaren later naar een feest bij hem thuis kunnen gaan? Wendell had me natuurlijk ook niet verteld waar ze met de meisjes naartoe gingen. Als ik had geweten dat het de jachthut was, had ik het nooit goed gevonden dat we daar met ons drieën een weekend bij Scotty gingen logeren.'

'Goed,' zei Horn. 'Dus je scheidde van Wendell.'

Iris knikte. 'Ik zette Clea de volgende ochtend in de auto en reed met haar naar Reno. Ik nam een hotelkamer, bleef net lang genoeg om te scheiden en ging weer terug.'

'En hij? Ben je naar de politie gegaan?'

'Nee,' zei ze. 'Ik vraag me nog steeds af of ik daar goed aan heb gedaan. Het was niet omdat ik nog van hem hield, want ik voelde geen greintje liefde meer voor hem. Hij was alleen zo... zo kapot. Hij huilde die avond. Hij bezwoer me dat hij nooit meer een meisje zou aanraken. Hij smeekte me hem de kans te geven ergens anders een nieuw leven te beginnen.'

'Dus dat deed je. Ik vraag me ook af of dat verstandig van je was. Er waren meer kleine meisjes, weet je, ervoor en erna.'

'Wendell zei dat als hij de anderen vertelde wat er was gebeurd, die er ook mee zouden ophouden en weggaan. Ik wilde hem geloven. Ik hoopte dat het waar was.'

'Maar het was niet waar,' zei Horn.

'Dat weet ik nu. Ik besef het elke dag. Ik voel me net zo schuldig als hij was.'

'Nee, dat ben je niet. Het belangrijkste is nu dat Clea naar huis komt en dat we ervoor zorgen dat die mannen, of wie er nog van over zijn, veilig worden opgeborgen. Ik heb bedacht hoe ik informatie naar de politie kan doorspelen. Het zou moeten lukken. Goed, wat Clea betreft... Ik moet weten wat er gaande was voordat ze wegliep. Ik heb van Paul gehoord dat jullie ruzie hadden. Waarover?'

'Weet ik niet,' zei ze ontwijkend. 'Kleinigheden. Alles. Ze zat gewoon vol woede.'

'Zou ze zich iets kunnen herinneren van die keren in de jachthut?'

'Denk je dat dát erachter zit? Ik zou niet weten hoe ze het zich zou moeten herinneren. Ze was nog zo jong. En trouwens, het is al meer dan tien jaar geleden. Waarom zou het nu opeens weer bovenkomen?'

'Dat vraag ik me ook af. Wanneer begonnen die ruzies?'

'Een paar dagen voor ze wegliep, geloof ik.' Ze dacht even na. 'Weet je wat ik nog het meest beangstigende vind? Het idee dat ze mij op de een of andere manier de schuld geeft van wat er al die jaren geleden is gebeurd. Ik weet dat het vergezocht klinkt omdat het zo lang geleden is en we in allerlei opzichten gelukkig waren, maar het is de enige verklaring die ik kan bedenken. Dat ze het zich op de een of andere manier herinnerde en mij de schuld gaf.'

'Was er iets bijzonders gebeurd rond de tijd dat ze wegliep?'

'Ik dacht het niet. Ze had zomervakantie en ze zat meestal thuis. Er kwamen vrienden langs, of zij ging naar vrienden toe. En we gingen met het hele gezin naar...' Ze hapte naar adem. 'O, god. We zijn naar de begrafenis gegaan. Wij drieën.'

'Hoe bedoel je? Ze was niet op Scotty's begrafenis.'

'Nee,' zei Iris langzaam. 'Die van Arthur Bullard.'

'Is Clea naar zijn begrafenis geweest?'

'Ja. Ik vond het ook een beetje vreemd. Ze vroeg zelf of ze mee mocht. Ze was nog nooit bij een begrafenis geweest, maar we dachten dat het geen kwaad kon. Weet je, ze heeft nu de leeftijd waarop kinderen over de dood kunnen nadenken en er vragen over stellen. We wilden er niet stiekem over doen, dus namen we haar mee. Op weg naar huis gedroeg ze zich anders, bijna alsof er tijdens de begrafenis iets was gebeurd. En toen kwamen die verschrikkelijke ruzies, en op een ochtend ging ik haar wakker maken en zag ik dat haar bed onbeslapen was.'

Horn stond voor een raadsel. 'De begrafenis. Ik snap het niet. Ik bedoel, als ze had geweten dat die ouwe Bullard een van de mannen in de jachthut was, kan ik me nog voorstellen dat zijn dood iets in haar losmaakte, maar ze waren allemaal gemaskerd... Ze droegen kappen. En ze was nog zo klein.'

'Ja,' zei Iris. 'Ik dacht eerst dat het dom was geweest om haar mee te nemen naar die begrafenis, dat het misschien te morbide voor haar was, maar nu vraag ik me af of er niet meer achter zat.'

'Ik denk dat we dat nu aan de weet kunnen komen,' zei hij. 'Clea gaat het ons vertellen. We moeten het alleen op de juiste manier vragen, meer niet. Ze komt naar huis en alles is weer goed. En dan hoef ik nog maar één ding te doen – Scotty wreken.'

Hij stond op. 'Bedankt voor je openhartigheid. Misschien kun je Paul maar beter niet vertellen dat ik hier ben geweest. Ik neem de achterdeur wel.'

Ze liep met hem mee door de achtertuin tot het pad naar de voorkant van het huis. Ze maakte een gespannen indruk, alsof niet alles was opgehelderd. Bij het pad aangekomen draaide hij zich om en luisterde naar het *knip, knip* van de schoeischaar in de peperboom.

'Lang geleden,' zei hij, 'toen we het erover hadden hoe andere mensen leefden, zei jij dat je iedereen benijdde die zijn eigen Japanse tuinman had. Tja... gefeliciteerd.'

Ze zei niets. Hij stak zijn arm uit en probeerde de veeg weg te wrijven die ze met haar vieze hand op haar voorhoofd had gemaakt. Toen het niet lukte, spuugde hij op zijn vingertoppen en wreef weer. Nu bleef er alleen een lichte vlek over, als een verglijdende schaduw.

Pas toen zei ze iets. 'Ik heb je nog één ding niet verteld.' Ze haalde diep adem, zuchtte. 'Hij leeft nog.'

'Wie?'

'Wendell. Ik heb tegen je gezegd dat hij in San Francisco was overleden. Dat was gelogen.'

19

Zodra het licht begon te worden, ging Horn de weg op. De westelijke keten van het San Gabriel-gebergte lag als een reusachtige kudde slapende koeien in het noorden, nog nauwelijks te onderscheiden van de nachtlucht. Omdat de Ford niet goed tegen extreme hitte kon, wilde Horn kilometers maken voordat de zon hoog aan de hemel stond. Op de stoel naast hem lag een oude legerveldfles met water en een papieren zak met een sandwich die hij haastig in Maggies keuken had gesmeerd. Hij had Maggie moeten wekken voordat hij vertrok, wat hij niet graag had gedaan omdat hij alleen maar moest zeggen dat hij het grootste deel van de dag weg zou zijn.

Hij reed een kilometer of vijftien naar het oosten en volgde toen de tweebaansweg door de San Fernandopas en verder. Een uur later had hij zo'n driehonderd meter geklommen, en kort nadat hij zijn koplampen had uitgedaan, voelde hij de eerste zonnestralen door de achterruit vallen en zijn nek verwarmen. Rechts onder zich in de diepte zag hij de donkere houw van het aquaduct. Men zei dat de woestijn hier tot bloei was gekomen door het water van het aquaduct, dat de droge San Fernando Valley daardoor in een streek met boomgaarden en huizen was veranderd. Dat was ook zo, maar zoals in de meeste verhalen over Los Angeles zat er een addertje onder het gras. Bepaalde belangrijke zakenmensen en bewindslieden hadden, nog terwijl ze hun plan propageerden om het water van de hellingen van de Oostelijke Sierra naar L.A. te leiden, honderden kilometers verderop, in het geniep grote lappen grond in de vallei gekocht, wel wetend hoeveel winst ze zouden kunnen maken wanneer de woestijn van bruin in groen veranderde. Arthur Bullard was een van die mensen geweest, had Scotty hem ooit verteld.

Nog een uur, nog eens driehonderd meter hoger en een donkere, imposante bergketen rees rechts en voor hem op. Auto's en vrachtwagens op weg naar L.A. reden hem tegemoet en passeerden, sommige beladen met groenten en fruit van de kust. Hij stopte bij een klein restaurant, een van de weinige sporen van de bewoonde wereld langs de weg, om koffie te drinken en de weg te vragen. De serveerster had nog nooit van zijn bestemming gehoord, maar de eigenaar kon hem na enig nadenken helpen. 'Gek,' zei hij. 'Het staat er al zolang ik me kan heugen, maar u bent de eerste die me ooit heeft gevraagd hoe je er moet komen.'

Hij reed verder, peinzend over wat Iris hem had verteld. Wendell Brand had haar gesmeekt hem te helpen te verdwijnen, en omdat ze geloofde dat hij oprecht, berouwvol en boetvaardig was, had ze voor hem willen liegen. Zij was de enige die wist waar hij naartoe was gegaan, had ze gezegd. Hij had een plek uitgekozen waar niemand hem ooit zou komen zoeken, dacht hij, en Horn moest hem nageven dat het een geniale keuze was. Horn beschouwde het onderduikadres als een gigantische, vreugdeloze grap.

Hij vond de afslag drie kilometer voorbij het wegrestaurant – geen wegwijzer, alleen een zandweg naar rechts die vrijwel direct begon te klimmen en al snel in salie en struikgewas verdween. De weg was nauwelijks meer dan een bochtig, oneffen laantje. Hij reed langzaam. De weg werd nog steiler en de Ford kreeg moeite met de hoogte. Hij stopte om de motor te laten rusten en zijn sandwich te eten. Er zat Smac op, waar hij tijdens de oorlog meer dan genoeg van had gegeten, maar hij had honger.

Na nog een half uur rijden schatte Horn dat hij zo'n anderhalve kilometer was geklommen. Het struikgewas maakte plaats voor dennen. Nog steeds geen wegwijzers, geen spoor van mensen of bouwsels. Net toen Horn zich begon af te vragen of hij niet verkeerd zat, werd de weg vlak en zag hij een stenen poort voor zich.

Hij reed erdoor en zag een verzameling houten en gepleisterde gebouwen rond een groot grasveld; in het midden was een stenen put met een emmer en katrol. De simpele maar krachtige architectuur van de gebouwen deed hem denken aan foto's van oude Californische missieposten die hij had gezien. Naast het grootste gebouw rees een bescheiden klokkentoren op. Hij zag her en der mannen in wit katoenen pijen met kappen die bezig waren hun taken te verrichten.

Hij stapte uit, vroeg de weg aan een van de mannen in pij en vond de bouwplaats achter een gebouw waar een aantal mannen het houten skelet oprichtten van iets wat zo te zien een schuur of magazijn moest worden. De opzichter was een forse man die zijn kap om zijn schouders had hangen, zodat zijn grote hoofd, krullende bos haar en felrode baard zichtbaar waren.

'Bent u de abt?' vroeg Horn.

De man knikte. 'Broeder Timotheüs.'

'Ik wil Wendell Brand spreken. Broeder Wendell.'

De abt keek hem uitdrukkingsloos aan. Hij hield zijn grote, met stug lichtrood haar begroeide werkhanden voor zich gevouwen. 'Bezoek is alleen toegestaan bij speciale gelegenheden en noodgevallen,' zei hij bedaard. 'We zijn een werkende orde. We proberen ons op onze taken te concentreren en houden ons afzijdig van de wereld.'

'Dit is een soort noodgeval,' zei Horn ernstig. 'Ik ben zijn broer... eh, zijn zwager Wesley, en ik kom een belangrijk bericht van zijn exvrouw brengen.'

'Je bent hier nooit eerder geweest.'

'Nee, je zou kunnen zeggen dat we geen hechte band hebben.'

De abt keek hem nog even aan en knikte toen. Hij zei iets tegen een van de andere monniken, die wegliep. 'Hij gaat broeder Wendell zoeken,' zei de abt. 'Ik breng je naar de wachtruimte.' Hij bracht Horn naar het hoofdgebouw, dat kennelijk de kapel en de klokkentoren herbergde. Ze gingen door een zijdeur naar binnen en kwamen in een soort ontmoetingsruimte met een simpele, ronde houten tafel met zes stoelen en een kruisbeeld aan de muur.

'Hij komt hierheen,' zei de abt, die gebaarde dat Horn plaats mocht nemen, 'maar alleen als hij je wil zien.'

Broeder Timotheüs leek geen haast te hebben om weg te gaan. Hij nam Horn enigszins nieuwsgierig op. 'Je ziet eruit als een werkmens,' zei hij.

'Ik heb mijn steentje bijgedragen.'

'Toen broeder Wendell een aantal jaren geleden bij ons kwam, had hij wat je een hoofdarbeidersachtergrond zou kunnen noemen: hij was geen zware arbeid gewend. Hij is nu heel anders. Hier leren we allemaal hoeveel bevrediging arbeid voor de goede zaak schenkt.'

Horn, die maar half luisterde, knikte instemmend. Hij keek door het raam. 'Als ik me een klooster voorstel, is het op een plek als deze,' zei hij. 'Ergens op een berg diep in de woestijn.'

'Ja,' zei broeder Timotheüs. 'We hebben hier niets. Alleen God en de hemel. En misschien nog iets.'

'Namelijk?'

'Als je die kant opgaat,' zei de abt, die naar het noordoosten wees, 'kom je uiteindelijk van de berg in de grote woestijn. Waar de berg in de woestijn overgaat, ligt de San Andreas-breuklijn. Weet je wat dat is?'

'Nou en of,' zei Horn. 'Van de grote aardbeving.'

De abt knikte. 'Jaren geleden hadden we hier een broeder, broeder Marcus. Hij was oud en een beetje... Je weet wel, hij zei soms dingen die we niet goed begrepen. Maar hij geloofde dat die breuklijn regelrecht naar de hel leidde.' De abt glimlachte. 'De meesten van ons hoorden het beleefd aan. Broeder Marcus zei dat God ons hier niet zomaar op de berg had gezet; wij moesten over de breuklijn waken en zorgen dat er niets kwaadaardigs uit omhoog kwam dat de aardbodem kon bewandelen. En weet u wat? Hoe fantastisch zijn verhalen ook klonken, er zijn tot op de dag van vandaag broeders die erover debatteren of ze waar zouden kunnen zijn.'

'Aan welke kant staat broeder Wendell?'

'Ik geloof dat broeder Wendell een van degenen is die een gezond ontzag voor de macht van Satan hebben.' De abt keek door het raam. 'Daar komt hij al aan. Ik laat jullie alleen.' Hij stak zijn hand uit. 'Fijn je te hebben ontmoet, Wesley.'

Horn zat met gevouwen handen op zijn stoel en vroeg zich af waarom hij zo gespannen was. Zijn haat jegens Clea's vader dreigde hem te overmeesteren en hem in dat woeste ding te veranderen dat Bernie Rome junior gemakkelijk dood had kunnen slaan. Wat zou hij tegen hem zeggen? Hij balde zijn vuisten, ontspande ze en dwong zichzelf diep adem te halen.

De deur ging open en Wendell Brand kwam binnen. Hij was niet groot en leek in zijn wijde pij te verdrinken. In tegenstelling tot de abt droeg hij zijn kap losjes over zijn hoofd. Ooit had je hem bijna fragiel kunnen noemen, maar Horn zag dat het leven hier hem had gehard; zijn gezicht was gebruind en zijn nagels waren afgebroken. Wendell keek belangstellend naar Horn. Zijn gezicht was ontspannen, op de ogen na, die continu leken te bewegen, en de vele kraaienpootjes eromheen deden wantrouwen vermoeden, of verdriet, of pijn.

'U wilde me zien?'

'Inderdaad.'

'Ik heb geen zwager.'

'Nee, maar wel een ex-vrouw, hè?' Horn gebaarde naar een stoel en Brand ging na enige aarzeling zitten. 'Weet je wie ik ben?'

Brand schudde zijn hoofd.

'Ik ben John Ray Horn.'

'O, natuurlijk.' Brand zei het zuiver beleefd. 'Die acteur.'

'Niet meer.'

'Iris heeft me over je verteld. Ze schrijft me af en toe en soms stuurt ze geld voor de orde. Ik heb haar gevraagd voor ons te bidden en ik geloof dat ze dat doet. Iris is een bijzonder goede vrouw.'

Horn bekeek de kleine kamer en richtte zijn blik weer op het raam. De bergzon brandde fel, maar een verkoelende bries ritselde in de takken van een den aan de andere kant van de open plek. Hij verachtte zijn eigen beleefdheid, zijn onvermogen om dat mannetje aan de andere kant van de tafel simpel en rechtstreeks te zeggen waar het op stond. Hij wilde Wendells nek in zijn vingers voelen.

Hij haalde diep adem en hoorde de woorden uit zijn mond stromen alsof een ander ze zei. 'Ik ben gekomen vanwege Clea,' zei hij. 'Ik ben hier vanwege de jachthut, de mannen daar naar wie je haar toe bracht, de foto's die je van haar nam, de dingen... de dingen die je hebt gedaan...' De rest van de woorden bleef in zijn keel steken.

Wendell Brand had zich klein gemaakt in zijn stoel, zijn armen over elkaar geslagen en zijn slanke handen in zijn wijde mouwen verstopt, maar zijn gelaatsuitdrukking was niet veranderd. Zijn lippen bewogen even machteloos en toen zei hij: 'Ik wist dat er iemand zou komen. Ooit.'

'Ik ben het. Ik ben gekomen.'

'Iris heeft het je verteld.'

Horn knikte.

'Ze had beloofd het aan geen mens te vertellen. Ik vergeef het haar.' Brand keek naar de kerven in het tafelblad. 'Ik heb het mezelf nooit vergeven, maar God wel. Daarom ben ik hier. Ik ben naar de plek gegaan waar ik God vergiffenis kan vragen in de wetenschap dat ik die krijg.'

'Fijn voor je,' zei Horn, 'maar op dit moment hoef je je niet druk te maken om God, maar om mij.'

Brand schudde zijn hoofd. 'Ik ben jou geen verantwoording schuldig,' zei hij kalm.

'Weten de andere broeders ervan?'

'Nee. Alleen de priester die ons hier de biecht komt afnemen. Dit is iets tussen mij...'

'... en God. Ik weet er alles van.' Horn stond zichzelf een glimlachje toe. 'Religie is soms maar wat handig, hè? Ik kom uit een godsdienstig nest, mijn vader was dominee, en mijn pa kon een preek afsteken waarvan de vrouwen begonnen te huilen en met hun ogen te rollen, en dan ging hij naar huis en sloeg me tot moes omdat ik niet deed wat hij zei. Vervolgens vroeg hij God of Hij *míj* wilde vergeven.' Hij merkte dat hij begon af te dwalen. 'Hoe vind je het dat je het leven van je dochter hebt verwoest?'

'God zal voor haar zorgen,' zei Brand. 'Haar moeder zorgt voor haar. En haar nieuwe vader. Met Gods hulp zal hij een veel betere vader zijn dan ik was...'

'Hou eens op over God,' onderbrak Horn hem. 'Ik begin er genoeg van te krijgen. Ik wil dingen van je weten. Ik wil alles horen over die mannen in de jachthut, hoe ze te werk gingen, wat er zich daar afspeelde. En ik wil vooral die ene naam weten die ik nog niet heb.'

Brand schudde zijn hoofd. 'De anderen zullen zelf verantwoording moeten afleggen,' zei hij. 'Ik zal ze niet veroordelen.'

Horn stond langzaam op. Brand volgde zijn bewegingen waakzaam. Nog een minuut, dacht Horn, dan tril ik als een espenblad. Of ik vermoord hem. 'Misselijk zeikerdje dat je bent,' zei hij, op Brand neerkijkend. 'Vertel. Je vertelt me alles wat ik wil weten.'

'Nee,' zei Brand, die Horns blik beantwoordde en er bijna moedig uitzag in zijn te grote pij. 'Ieder mens heeft het beheer over zijn eigen ziel.'

'O, jawel,' vervolgde Horn. 'Want als je het niet vertelt, maak ik dat leuke leventje kapot dat je hier hebt opgebouwd, zo knus en veilig, jij met je kap op, zodat je je gezicht kunt verbergen zodra je je ergens schuldig over voelt. Je bedekt je gezicht nog steeds, Wendell, net als op die foto's van jou en je vrienden – was je dat al opgevallen?

Ik ga zo eerst naar buiten en dan luid ik die klok net zo lang tot al die godvergeten monniken, broeders of hoe jullie elkaar ook noemen zich hier hebben verzameld. En dan zal ik ze eens vertellen wat jij met je dochter en al die andere kleine meisjes hebt uitgevreten. En wat ik niet weet, verzin ik erbij. En dan ga ik een smeris zoeken die niks liever wil dan kinderverkrachters oppakken, en ik laat hem de foto's zien – inderdaad, die heb ik – en zeg ik hem waar hij je kan vinden. En dan komt hij hier en sleurt je die berg af, terug naar de wereld die je wilde ontvluchten. En we laten Iris getuigen, daar kun je donder op zeggen. En op een gegeven moment, ergens tussen je arrestatie en je veroordeling, zullen de smerissen je vast heel gedetailleerd vertellen wat gedetineerden met kinderverkrachters doen.'

Hij zweeg, want hij was buiten adem, en ging weer zitten. Brand, die hem nog steeds aankeek, had grote ogen gekregen. Zijn gezicht leek als een kameleon de kleur van zijn pij te hebben aangenomen. Ze zwegen beiden een tijd. Toen schraapte Brand zijn keel, stond op, liep naar het raam en bleef met zijn rug naar Horn toe staan.

'Dit is heel moeilijk,' zei hij ten slotte. 'Kunnen we het zo doen dat jij mij vragen stelt?'

'Geen probleem. Fijn dat ik het iets gemakkelijker voor je kan maken. Hoe groot was de groep?'

'Vier man.'

'Namen?'

'Ik kende er maar één – Bullard. Die is inmiddels dood, hè?'

'Ja.'

'Ik heb het van Iris gehoord. Dat maakt het in zekere zin gemakkelijker om het te bespreken, aangezien hij altijd de aanvoerder was, de organisator. Hoe dan ook, ik werkte bij hem in het hotel. We noemden geen namen in de jachthut, dus de anderen waren alleen gezichten voor me.'

'Dus jullie bedekten je gezicht niet altijd?'

'Nee, alleen voor de foto's.'

'Hoe ben je erbij gekomen?'

'Meneer Bullard had me uitgenodigd. Ik was verbaasd toen ik de anderen zag, want die waren allemaal bemiddeld, en ik was maar receptionist. Ik denk dat hij me er alleen maar bij heeft gehaald...' Zijn stem stierf weg.

'Vanwege Clea, ja toch?'

Brand, die nog met zijn rug naar Horn toe stond, knikte. 'Het was zo'n beeldschoon meisje. Iris en ik hadden haar een keer meegenomen naar een soort personeelsfeest en meneer Bullard... Nu ja, hij had haar gezien.'

'Hoe kwam hij erachter dat jij, eh, dat je van kleine meisjes hield?' Horn proefde gal in zijn keel. Pas op, dacht hij.

'Ik weet het niet, maar hij was briljant en hij had het vermogen de zwakke punten van mensen te vinden en daar zakelijk en privé zijn voordeel mee te doen. Ik zou iets gezegd kunnen hebben. Hij wist het gewoon.'

'Bood hij je geld om haar naar de jachthut te brengen?'

Brand bleef zo lang stil dat Horn begon te denken dat hij de vraag niet had gehoord, maar hij hád hem gehoord.

'Ja, God sta me bij.'

'En hoe vaak heb je haar erheen gebracht?'

'Ik weet het niet precies meer. Een keer of vier, vijf.'

'Wie zorgde voor de andere meisjes?'

'Klaveren. Hij moest voor de meisjes zorgen.'

'Wie?'

'Klaveren, zo noemde meneer Bullard hem. Ik heb al gezegd dat we geen namen noemden in de jachthut, maar hij had ons allemaal een bijnaam gegeven. Hij was Schoppen. Ik was Harten. De vierde man was Ruiten.'

'Wat enig,' zei Horn. 'Net een stel pokermaatjes. Ik neem aan dat jij Harten was omdat je zo gevoelig bent?' Toen hij geen antwoord kreeg, vervolgde hij: 'Zo. Vertel me nu maar eens wat er gebeurde.'

'Goed.' Brand steunde met zijn beide handen op de vensterbank alsof zijn benen plotseling verslapten. 'Het was óf alleen foto's maken, óf seks met de meisjes waar foto's van werden gemaakt.'

'En Clea...?'

'Nee! De jongste meisjes waren alleen voor foto's. Eigenlijk waren die vooral voor Ruiten en mij. Wij hadden het liefst de allerkleinsten, en eigenlijk wilden we alleen maar kijken. Ik heb Clea nooit onzedelijk betast, niet daar en niet thuis. De andere twee, meneer Bullard en Klaveren, wilden wel seks, maar dan met oudere meisjes, zo tot een jaar of vijftien. Soms bracht Klaveren twee meisjes mee, een jonge en een iets oudere, zodat we allemaal...'

'Zodat jullie allemaal aan je trekken kwamen. Niets is erger dan toekijken terwijl een ander zich vermaakt.'

'Toe maar,' zei Brand. 'Hoon me maar. Je kunt geen ergere dingen zeggen dan waar ik mezelf voor uitmaak.'

'O, ik begin nog maar net. Waar haalde Klaveren de meisjes vandaan?'

'Hij liet er niet veel over los, maar na een tijdje begreep ik dat hij, of eigenlijk iemand die voor hem werkte, in arme buurten ging kijken, en dat ze de vaders of moeders betaalden, en dat niemand zich erover beklaagde.'

Daar denkt Alphonse Doucette anders over, dacht Horn. Hij beet op zijn onderlip en keek naar Brand. 'De seks,' zei hij ten slotte. 'Zelfs al waren die meisjes iets ouder, ze moeten toch...'

'Ze waren verdoofd,' zei Brand snel. Hij wierp een snelle blik over Horns schouder, ongeveer naar waar het kruisbeeld hing. 'Klaveren gaf ze altijd iets. In een drankje, zodra ze aankwamen. Hij zei dat ze zich vaak nauwelijks herinnerden wat er was voorgevallen.'

'Maar de kleintjes hoefden jullie niet te verdoven, zeker?'

'Nee. De meesten dachten dat het gewoon een spelletje met een fototoestel was.'

'Dacht Clea dat ook? Dat het een spelletje was?'

'Ja.' Een zachte fluistering. 'Ik vroeg haar of ze me wilde helpen het geheim te houden voor haar moeder. En dat beloofde ze, omdat het bij het spel hoorde.'

Genoeg, dacht Horn. Genoeg over Clea. Begin over iets anders.

'Beschrijf Klaveren eens?'

'Nou, hij was groot. Niet lang, maar fors, vlezig. En hij had grove trekken en zware wenkbrauwen. Hij had altijd twee ringen om, een aan elke...'

'Al goed,' zei Horn. 'Die ken ik. En Ruiten?'

'Hij was de fotograaf. Hij nam alle foto's, en dat kon hij heel goed.'

'Zou hij beroepsfotograaf geweest kunnen zijn?'

'Mogelijk, maar ik had altijd de indruk dat hij het meer als een hobby beschouwde.'

'Zou hij boekhandelaar geweest kunnen zijn?'

'Ik zou het echt niet weten,' zei Brand. 'Meneer Bullard zei dat we niet over privé-dingen mochten praten, en dat deden we ook niet. Ik herinner me nog wel dat hij waarschijnlijk van verder kwam dan de anderen, want hij kwam vaak later. O... en dat hij merkwaardige sigaretten rookte, met een andere geur dan ik gewend was. Hij bood me er een keer een aan, maar ik vond ze niet lekker.'

'Hoe zag hij eruit?'

'Aantrekkelijk, goed gebouwd. Hij was ongeveer van mijn leeftijd. Ik was toen bijna dertig en hij was waarschijnlijk begin dertig. De andere twee waren veel ouder. Ik praatte meer met hem, waarschijnlijk omdat hij en ik dezelfde... je weet wel, interesses hadden. Hij leek meneer Bullard beter te kennen dan de anderen. Ik vermoed dat hij vrijgezel was, want meneer Bullard zei wel eens plagerig tegen hem: "Wees maar niet ongerust, ik zoek wel een leuke meid voor je."'

'Toen Iris die foto had gevonden... Wat vond Bullard ervan dat je niet meer mee wilde doen?'

'Hij wist dat hij niets van me te vrezen had. Ik was maar een gewoon mannetje dat toevallig een mooie dochter had. Hij vroeg of ik mijn foto's wilde teruggeven, dan wist hij zeker dat niemand ze ooit te zien zou krijgen. En hij drukte me op het hart er nooit over te praten. Afgezien van wat ik bij de priester heb gebiecht, heb ik mijn belofte gehouden. Tot vandaag.'

Horn stond op. 'Je hebt er goed aan gedaan het me te vertellen. Een geheim bewaren is soms moeilijker dan het te vertellen.' Ik moet hier snel weg, de frisse lucht in, dacht hij. Ik kan me niet veel langer inhouden.

'Ik heb jou meer verteld dan de priester,' hoorde hij Brand mompelen. 'Ik heb je alles verteld, behalve...'

'Behalve wat?' Horn, die al bij de deur was, draaide zich om.

'Behalve over de laatste keer, die laatste avond. Toen werd alles anders voor me. Iris heeft me niet gedwongen uit de groep te stappen, zie je. Ze had toevallig die foto gevonden, maar ik stond al op het punt ermee op te houden.'

Horn keek naar het achterhoofd in de monnikskap. Hij kon Brand bijna niet verstaan.

'We hadden foto's van Clea en nog een meisje gemaakt,' zei Brand zacht. Zijn woordenvloed werd sneller, onstuitbaar, bijna alsof hij een bekentenis deed. 'Er zou die avond een ouder meisje komen, maar in plaats daarvan kregen we een kleintje. Een Mexicaans meisje van een jaar of tien, denk ik. Dus namen we foto's van ze, en daarna gingen

Ruiten en ik naar de woonkamer om te roken, en meneer Bullard was in de keuken iets te drinken aan het halen en toen... toen hoorde ik Clea gillen. We renden allemaal naar de slaapkamer. Daar lag Klaveren met allebei de meisjes op het bed...' Brand begon te kuchen alsof hij de woorden niet uit zijn keel kon krijgen. 'Hij was...'

Horn pakte Brand van achteren, tilde hem uit zijn stoel, draaide hem om en drukte hem tegen de muur, met zijn vuisten in de plooien van de pij verstrengeld. Brand fladderde met zijn handen, maar hield zijn ogen neergeslagen.

Horn rammelde hem door elkaar. 'Nou?' zei hij. 'Wat deed hij?'

'Niet Clea,' zei Brand. De naam ging bijna verloren in de stof van de pij. 'Hij verkrachtte het andere meisje. Ze was bewusteloos; ik denk dat hij haar had geslagen. We sleurden hem van haar af. Hij was door het dolle heen en hij schreeuwde verwensingen, maar meneer Bullard kreeg hem in bedwang. Clea gilde de hele tijd, maar het klonk niet gewoon. Het leek meer op het huilen van een baby.' Hij keek op, maar scheen niets te zien. Zijn stem kwam van ver. 'Net een baby.'

'Ze wás ook een baby,' zei Horn. Hij deed de deur open en liep naar buiten, de ijle lucht diep opsnuivend. Hij keek een paar seconden om zich heen, alsof hij de weg kwijt was, en beende toen naar de klokkentoren. Hij ging naar binnen en zag het dikke koord met knopen. Hij reikte omhoog, pakte een knoop en trok. Het touw zakte traag en aanvankelijk gebeurde er niets, maar toen luidde de klok hoog in de toren. Horn trok opnieuw, nu met zijn volle gewicht, liet zich door het touw omhoogtrekken en zakte. De klok luidde weer. Het geluid weergalmde in de toren. Hij luidde een volle minuut door, tot het klokgelui gestaag over het kloosterterrein klonk. Toen hij buiten adem stopte en zich omdraaide, zag hij tientallen monniken in een slordige halve kring om de toren staan. Ze keken allemaal naar hem. De abt was er ook bij. Zijn gezicht stond zorgelijk.

'Broeder Wendell wil een bekentenis doen!' riep Horn hun toe. Hij zag dat Brand uit de kamer kwam en met een lijkbleek gezicht in de deuropening bleef staan. Horn liep naar zijn auto, stapte in en startte. 'Misschien moeten jullie hem uit zijn tent lokken, maar hij weet dat biechten zijn zielenheil bevordert. Het gaat over zijn dochter.'

Hij reed te hard over de bergweg; en de sleetse banden van de Ford slipten af en toe in de aarde en het grind. Sierra Lane had het vermoedelijk iets anders aangepakt, dacht hij. Het was middag en de schaduwen verzamelden zich tussen de hoge dennen. Het bos leek een ideale speelplek voor kinderen. Toen ze nog jongens waren, zouden Lamar en hij dit een schitterende omgeving voor hun spelletjes gevonden hebben, dacht hij terwijl hij met het stuur worstelde. Ze zouden zichzelf de rol van kolonist hebben toebedeeld, wereldreiziger of indiaanse woudloper, en juichend en schreeuwend tussen de bomen en rotsblokken hebben gerend. Hoewel, dacht hij, het is een dicht bos met steile afgronden. Binnen de kortste keren zou het er donker en steeds verraderlijker worden. Kleine kinderen zouden er kunnen verdwalen.

20

Horn zat met een glas whisky van Maggie voor haar huis gedachteloos naar het vrolijke gepraat van Maggie en de meisjes in de keuken te luisteren. Zelfs Clea klonk opgewekt.

Daar, op de berg, hoog boven de scheur in de aarde, had hij korte tijd een plek betreden die zijn vader uit de oude geschriften zou hebben herkend, een plek waar het kwaad en het menselijk leven elkaar kruisen. Aangezien het hemzelf al angstig en verdrietig maakte, kon hij alleen maar gissen wat het met Clea had gedaan. Hoeveel kon ze zich nog herinneren? Hij hoorde haar om een grap van Maggie lachen. Ze klonk als iemand die uit de duisternis was opgeklommen, om zich heen had gekeken en besloten weer aan het leven deel te nemen, weer mee te doen met koken, lachen en al het andere. Misschien, dacht hij – het voelde alsof hij bad – misschien blijft ze voorgoed in het licht.

Hij dacht aan de mysterieuze Ruiten en vroeg zich af waarom het zo belangrijk voor hem was diens identiteit te achterhalen. Had hij de meeste belangrijke vragen niet al beantwoord? Bonsigniore had Scotty laten vermoorden om hem de mond te snoeren. Hij zocht nog steeds naar de foto's en zou er uiteindelijk achter komen wie ze had. Een onbeantwoorde vraag was wat voor relatie Clea nu precies met Bonsigniores handlanger Del Vitti had gehad, maar dat zou op den duur vanzelf duidelijk worden.

Horns prioriteiten stonden hem helder voor ogen: zorgen dat Clea veilig was en een manier bedenken om Bonsigniore voor Scotty's dood te laten boeten. Horn wist niet of Ruiten daar een bijdrage aan zou kunnen leveren; hij wist niet eens of de man nog leefde, maar hij was het laatste stukje van een puzzel waaraan Horn die avond met Scotty in het kantoor van diens vader was begonnen. Hij moest hem vinden.

Een aantrekkelijke, goedgeklede man die destijds een jaar of dertig was geweest. Arthur Bullard met al zijn connecties had ongetwijfeld veel van zulke mannen gekend. Er had een foto in Bullards kantoor gehangen waarop hij met zijn jachtclub stond, een stuk of twintig mannen met geweren op een open plek in het bos. Zeker de helft van de mannen op die foto voldeed aan de beschrijving. Zelfs Paul Fairbrass, Iris' fatsoenlijke nieuwe echtgenoot, paste in het plaatje en zou Bullards pad kunnen hebben gekruist, zowel zakelijk als privé, al moest hij een groot beroep op zijn verbeeldingskracht doen om zich voor te kunnen stellen dat Iris zonder het te beseffen twee keer met iemand was getrouwd die haar dochter had misbruikt. Jezus, dacht Horn, Wendell had het zelfs over Scotty kunnen hebben, als je er goed over nadenkt.

Hij schrok er zelf van. Hoe zat het eigenlijk met Scotty? Zou het kunnen? Natuurlijk niet. Tenslotte had hij hem de foto's laten zien en zijn eigen vader erom veroordeeld. Als Scotty had meegedaan, zou hij het toch niet in de openbaarheid hebben gebracht? En hoe zou Helen Bullard wel op de hoogte kunnen zijn van het geheime leven van haar echtgenoot, maar niet van dat van haar zoon?

En toch... Hij hoorde het Scotty weer zeggen: *Ik wilde dat hij trots op me zou zijn.* Horn kon zich moeiteloos indenken dat iemand tegelijkertijd zijn vader kon haten en naar diens erkenning hunkeren. Hoe groot was Scotty's behoefte aan die erkenning geweest, en wat zou hij ervoor over hebben gehad? Bij de herinnering aan de foto die Scotty's moeder hem had gegeven, moest Horn zichzelf met tegenzin bekennen dat zijn vriend van vroeger de camera redelijk bedreven had bediend. En Horn was naar aanleiding van een opmerking van Scotty naar het antiquariaat van Geiger gegaan. Had Scotty die avond toen hij hem van achter het met foto's bezaaide bureau van zijn vader had toegesproken niet alleen Arthur Bullard veroordeeld, maar ook zichzelf? Was die avond de aanzet geweest tot een bekentenis, een ingewikkeld spel dat Scotty met Horn had gespeeld in de hoop dat die de waarheid zou raden? En zou die geheime kennis, de ervaring die vader en zoon deelden, Vincent Bonsigniore extra hebben aangespoord een huurmoordenaar op de zoon van Arthur Bullard af te sturen – om de foto's terug te halen en de verrader het zwijgen op te leggen?

Nee. Horn, die zich ervoor schaamde die gedachte in zijn geest te hebben toegelaten, verbande het idee naar zijn onbewuste. Niet Scotty. Het was een te vergezocht idee. Hij kende hem te goed. Nee, hij zette zijn geld nog steeds liever op Calvin St. George, de man die vieze foto's verkocht, die een foto van een klein meisje in zijn winkel tentoonstelde alsof het een trofee was, de man die had gelogen toen hij tegen Horn zei dat hij niet één foto uit Bullards verzameling herkende. Jíj bent mijn kandidaat, zei Horn in stilte tegen St. George. En we gaan nog eens met elkaar praten.

Een volgende zorg drong zich op. Hij wist dat het tijd werd dat Clea naar huis ging. Nu was gebleken dat ze van geen van haar beide ouders iets te vrezen had, had hij geen enkel excuus meer om haar hier te houden, en toch had hij zijn twijfels. Ze leek het hier naar haar zin te hebben, ze herstelde zich van de schok die de aanblik van de dode Anthony Del Vitti was geweest en leek zich voor het eerst in lange tijd te ontspannen. Hij wist dat ze wilde blijven. Voor hemzelf gold dat hoe langer hij haar bij zich hield, hoe meer kans hij had haar zover te krijgen dat ze hem vertelde waarom ze van huis was weggelopen. En ten slotte moest hij zichzelf bekennen dat hij het fijn vond haar in de buurt te hebben, weer te leren vader te zijn, al was het maar voor een paar dagen.

Maar hoe lang kon hij haar hier nog houden voordat haar ouders hoorden waar ze was?

Hij hoorde Clea's stem. 'Hé, volgens mij is je maïsbrood klaar,' zei ze. 'Heb je geen trek?'

Toen hij de keuken inkwam, haalde Maggie net het maïsbrood dat hij had gebakken uit de oven. Ze had een pan chili gemaakt, en ze gingen aan tafel. Onder het eten vermaakte Addie de anderen met wat ze allemaal beleefde terwijl ze werk als modinette bij een van de grote warenhuizen zocht.

'Ik zat laatst in het restaurant van Bullocks aan Wilshire te lunchen toen Marlene Dietrich binnenkwam,' vertelde Addie. 'Haar chauffeur droeg haar hoedendozen en alle andere spullen die ze had gekocht. Ze droeg een mannenpak met een mannenoverhemd met hoge hakken eronder,' vervolgde ze ademloos. 'Toen ze naar haar tafel liep, kon je een speld horen vallen.'

'Marlene Dietrich,' zei Maggie dromerig. 'Die is zó glamoureus. Die jukbeenderen van haar.'

'Ze heeft niets wat jij niet hebt, meid,' zei Horn, die op zijn chili aanviel. Maggie gaf hem een plagerige stomp tegen zijn arm.

Addie gaf een valse parodie op een bepaalde chef van een warenhuis die haar langs zijn neus weg had verteld dat ze wel eens vacatures voor lingeriemodellen hadden. Als ze die avond langs wilde komen, had hij gezegd, konden ze bepalen of ze er geschikt voor was.

'En, ben je gegaan?' vroeg Clea.

'Ja, natuurlijk,' zei Addie. 'De baan bleek niet precies te zijn wat hij had gezegd, maar je zou kunnen zeggen dat ik een voet tussen de deur heb gekregen. Of een ander lichaamsdeel.'

Ze lachten. Horn keek naar de drie vrouwen aan tafel en verbaasde zich over de onderlinge verschillen. Clea was nog een meisje, schutterig op weg een vrouw te worden, met een schoonheid die nog net niet opbloeide en een argeloze blik die versluierd werd door haar geheimen. Maggies stralende schoonheid van vroeger was nog zichtbaar, maar leek zich in iets kalmers te hebben verinnerlijkt, zodat ze niet meer alleen een knap gezichtje was, maar een mooie vrouw, van binnen en van buiten. Addies schoonheid was als een boeket vers geplukte bloemen waarvan de geuren op de wind verwaaiden. Toch had ze net als Clea ook een subtiel verdriet om zich heen hangen, alsof je naar een versnelde film over het leven van een bloem keek. Ze brandt zichzelf op, dacht Horn.

Later, in zijn slaap, kwam Horn Addie in een droom tegen. Het leek vanzelfsprekend dat hij haar zag en vanzelfsprekend dat hij naar haar verlangde. Ze stond op de zandweg, net als in het echt, alleen had ze nu de bikini aan die ze in zijn auto had gedragen, met de bijpassende haarband. Ze droop van het water, alsof ze zo uit de branding kwam, en haar ogen zeiden genoeg. Hij voelde schuldgevoelens opkomen en zocht naar woorden om haar uit te leggen dat het niet mocht, dat ze Clea's vriendin was, maar voor hij iets had gezegd, verwierp hij zijn schuldgevoel. Het is maar een droom, zei hij tegen zichzelf. In dromen mag alles.

Hij voelde een hand op zijn schouder en wist dat ze naar hem toe was gekomen, dat ze uit het bed waarin ze met Clea lag was gestapt om bij hem op de bank te komen liggen. Hij draaide zich om, deed zijn ogen open en zag dat het niet Addie was, maar Miguel, de knecht.

'De *señora* vraagt of u wilt komen.'

Het was kort na middernacht. Hij volgde Miguel naar de stallen en daar, bij de merrie in de box, stond een glanzend nieuw veulen. Het wankelde nog op zijn steltbenen en nam met een knikkend, te groot hoofd zijn nieuwe wereld in zich op. De uitgeputte merrie richtte zich zwakjes op, boog zich naar haar pasgeborene over en likte hem met lange, lome halen van haar reusachtige tong schoon.

Maggie, die op de rand van de box steunde, zag er net zo uitgeput uit als de merrie. 'Ha,' zei ze, 'ik wist dat zo'n ouwe cowboy als jij wel voor zoiets uit zijn bed gehaald wilde worden.'

Hij gaf haar een klopje op haar arm. 'Ik had het voor geen goud willen missen,' zei hij. 'Maakt iedereen het goed?'

'Patent, behalve mam en ik dan, maar we halen de schade wel in. Daar ga ik nu meteen mee beginnen,' zei ze, en ze wees naar de slaapmat die ze op een berg gladgestreken hooi in de lege box naast die van de merrie had gelegd. Ze liep erheen en ging liggen. 'Even uitrusten,' zei ze doezelig. 'De jongens passen wel op, dus jij kunt weer gaan slapen zodra je wilt.'

Hij bleef nog even met zijn armen en kin op de rand van de box geleund staan om de merrie en haar veulen zachtjes toe te spreken. Dat deed hij met paarden, en dat deden de meeste paardenmensen zonder zich ervoor te generen. Hij zei tegen Bonnie dat ze zich kranig had geweerd, en tegen het veulen dat het welkom was op deze aarde en dat het voorzichtig aan moest doen met staan en lopen, omdat je die dingen eerst moet oefenen.

Na een tijdje ging hij naast Maggie op de slaapmat liggen. Het was een beetje fris in de stal, dus pakte hij een indiaanse deken die hij over hen beiden heen legde. Hij tilde voorzichtig Maggies hoofd op zijn arm, en ze rolde naar hem toe en legde haar arm op zijn borst. Ze rook naar zeep en hooi.

'De vader is een kampioen renpaard, en die merrie is ook van goede komaf,' zei ze met een stem die traag was van de slaap. 'Ik zou met hem kunnen gaan fokken.'

'Dat zou leuk zijn. Hoe ga je hem noemen?'

'Ik dacht aan Sierra, als je het goed vindt.'

'Ja, lijkt me leuk.'

'Je praat nog steeds met paarden.'

'O, dus je hebt me gehoord? Nou, maar dat doe jij vast ook.'

'John Ray, het spijt me zo van Raincloud.' Ze lagen naar de balken te kijken en praatten bijna fluisterend met elkaar in het donker. 'Ik was weg toen het gebeurde – ik geloof naar een rodeo in Tucson. Tegen de tijd dat ik terugkwam, zat jij al in de gevangenis. Ik heb nooit geweten of ik wel de ware toedracht heb gehoord. Wil je me vertellen hoe het is gegaan?'

'Ja, hoor,' zei hij, en hij begon zijn verhaal.

Hij had het verhaal nooit van begin tot eind verteld, maar het kwam vanzelf omdat het al jaren in zijn hoofd zat, wachtend om verteld te worden. Het begon met Bernard Rome junior, die door zijn vader naar zo'n dure kostschool aan de Oostkust was gestuurd waar hij had geleerd op zijn Engels te rijden en polo te spelen. Toen was hij teruggekomen en bij Bernie senior in de leer gekomen, om de studio later over te nemen, maar hij bleef proberen indruk op mensen te maken met zijn beschaving. Op een dag was er een rijke meid uit New York op bezoek en junior in zijn polokleren maakte haar het hof, terwijl hij haar een rondleiding door de studio gaf. Ze zei dat ze hem dolgraag wilde zien rijden, misschien kon hij ook een paar sprongen maken. Hij kon niet weigeren. De paarden die hij doorgaans bereed, stonden in de manege van zijn vader in Malibu, maar hij liep naar de paarden van de studio en koos Raincloud als rijdier.

Toen liet hij zijn Engelse zadel uit zijn auto halen en het paard zadelen. Raincloud had nog nooit zo'n soort zadel gedragen en werd schichtig van junior, die naar Old Spice stonk en zenuwachtig aan de teugels trok. De stalknechten maakten zich zorgen, maar Horn had net een film afgemaakt en zat thuis op zijn volgende opdracht te wachten. Niemand had het lef nee tegen junior te zeggen.

Hij reed naar een omheind terrein achter de studio en liet Raincloud een paar lage hindernissen nemen. Paard en ruiter werkten goed; de jongedame klapte bij elke sprong in haar handen. Toen besloot junior een hogere horde te proberen. Hij spoorde Raincloud aan en ze galoppeerden erop af. Het paard had er zin in, maar junior werd op het laatste moment bang. Hij trok aan de teugels, Raincloud kwam met haar flank tegen de horde en zijn rechter voorbeen brak tussen twee balken.

Horn zweeg even. Hij had het allemaal van anderen gehoord, vertelde hij. Iemand had hem thuis opgebeld en hij was naar de studio gescheurd. Hij had Raincloud bij de horde zien liggen, omringd door studiomensen. De dierenarts was er ook al, en die had tegen hem gezegd dat er geen hoop meer was, dat de breuk te ernstig was. Zal ik het doen? had hij gevraagd. Nee, had Horn gezegd, ik doe het zelf.

Hij was naar Doolin gegaan, die de wapenkamer van de studio beheerde, een kleine, kromme man die decennia geleden, zo werd gefluisterd, tijdens de opstand van 1920-1921 in de straten van Dublin tegen het leger gevochten zou hebben. Doolin verzorgde het grote arsenaal wapens, sommige echt en sommige namaak, dat de studio voor actiefilms gebruikte die zich overal konden afspelen, van de straten van New York tot het Wilde Westen tot de Khyber Pass. Horn vroeg om zijn Colt .45, een replica van een legermodel uit 1873. Doolin pakte het van een plank en gaf hem de revolver, nog in de holster. Je hebt er toch ook patronen voor? had Horn gevraagd.

Losse flodders, bedoel je?

Nee, loden kogels.

Doolin reikte naar een andere plank en gaf hem een doos .45-patronen met een sticker waarop stond: VOORZICHTIG: SCHERPE PATRONEN. NIET VOOR GEBRUIK OP DE SET.

Ik weet dat je hier ook ergens een fles drank hebt, zei Horn. Die wil ik ook. Ik vergoed hem. Doolin aarzelde, liep weg en kwam terug met een halfvolle fles Old Crow.

Horn dronk de fles leeg, laadde de zes kamers van de cilinder, ging terug naar het terrein en verzocht iedereen weg te gaan. Hij pakte zijn zakmes, sneed de zadelriem door, wrong het bespottelijke zadel van de paardenrug en maakte toen voorzichtig het tuig los. Toen bleef hij lange minuten in de kleermakershouding zitten, met het grote hoofd van Raincloud op zijn schoot. Horn sprak tegen het dier, dat met ogen vol angst en pijn luisterde. De anderen keken van een afstand toe, maar niemand hoorde wat hij zei.

Ten slotte streelde hij het paardenhoofd nog een laatste keer, ontgrendelde het wapen, zette de loop midden tussen de ogen van het paard, deed zijn eigen ogen dicht en haalde de trekker over.

Toen was hij junior gaan zoeken.

Hij vond hem in de kantine, waar hij aan een tafel zat met het meisje uit New York, Bernie senior en Bing Crosby, die een contract had bij Paramount aan de andere kant van de heuvel, maar een oude golfmakker van de studiobaas was. De vier dronken een kopje middagthee. 'Neem me niet kwalijk,' zei Horn toen hij junior uit zijn stoel sleurde. 'We moeten het over een paard hebben.'

Junior mocht dan aan de kleine kant zijn, hij was stevig gebouwd en sportief. Hij haalde naar Horn uit, en dat was de druppel. Horn gaf hem twee meppen in zijn gezicht, sleepte hem de kantine uit en smeet hem van de trap af, de stoep op. Terwijl junior moeizaam probeerde van de stoep naar het gras te kruipen, liep Horn de treden af en begon junior te bewerken. De mensen kwamen van alle kanten aansnellen en er werd geschreeuwd, maar niemand durfde Horn tegen te houden, omdat hij gewapend was. Hij wist niet hoe lang hij doorging, maar op een gegeven moment werd hij zich ervan bewust dat zijn knokkels zeer begonnen te doen, dat juniors kreten pijn aan zijn oren deden en dat er rode spatten op het gras lagen. Uiteindelijk had Mad Crow hem weggetrokken – iemand had het benul gehad hem te waarschuwen. En kort daarop was de politie gekomen.

'De rest weet je wel, denk ik,' zei hij. 'Een ernstig geweldsdelict, noemden ze het. Toen Bing Crosby kwam opdagen om voor de aanklager te getuigen en voor de rechtszaal handtekeningen begon uit te delen, wist ik wel zo'n beetje hoe het zou aflopen. En toen meneer Rome me te verstaan gaf dat hij ervoor zou zorgen dat geen enkele studio me nog werk zou geven, tja...'

Ze gaf hem een klopje op zijn borst. 'Je moet het achter je laten,' zei ze. 'Ik hoop dat je dat ooit zult kunnen.' Ze zweeg lang, en hij dacht dat ze in slaap was gevallen, maar toen hoorde hij haar uitgebreid gapen. 'Je was een klootzak, John Ray,' zei ze nauwelijks hoorbaar. 'Om zomaar weg te gaan.' Hij wist wat ze bedoelde; dat weggaan had niets met de gevangenis te maken.

'Ik weet het.'

'Het is nu te laat om er nog iets aan te doen.'

'Ik weet het. Ga maar slapen, Maggie.'

Ze zei nog iets – het klonk als 'ik had op je willen wachten', maar die woorden konden ook in zijn eigen hoofd zitten – en draaide zich met haar rug naar hem toe.

Hij bleef liggen, maar kon niet in slaap komen. Toen Maggie regelmatig begon te ademen, bevrijdde hij zijn arm, wierp nog een snelle blik in de kraambox en liep de stallen uit. Hij volgde de zandweg naar de wei, klom op het hek en ging met zijn hielen achter de tweede dwarsspijl gehaakt zitten. De wei rook naar vertrapt gras en paardenmest. Hij rolde een shagje, stak het op en genoot zoals altijd van de eerste trek, het langzaam inhaleren van de rook. Hij keek op naar de nachtlucht. Het was nieuwe maan, en de duisternis was hier, ver van de bewoonde wereld, bijna compleet. Hij zocht de maan en vond hem halverwege zijn boog door het donker. Het was maar een sikkeltje flets licht, ivoorkleurig tegen het zwart. Het was Clea's maan, haar lievelingsmaan. Hij had hem lang niet meer gezien.

Hij ging naar binnen en liep naar de slaapkamer om naar de meisjes te kijken. Toen hij op zijn tenen naar het bed sloop, zag hij dat Clea er alleen in lag. Een ritselend geluid vertelde hem dat ze wakker was.

'Ik ben het, lieverd.'

'O. Hoi.'

Hij ging op de rand van het bed zitten. 'Ik heb goed nieuws voor je. De merrie is bevallen.'

'Echt? Geweldig.' Ze kwam half overeind. 'Een jongen of een meisje?'

'Een jongen. Moeder en zoon maken het goed. Hij staat al op zijn benen. Je zou hem moeten zien, die slungel.'

'Ik wil hem zien.'

'Je mag hem morgen zien. Waar is Addie?'

'Ze is naar buiten gegaan. Ik denk dat ze in de hangmat ligt.'

'Tja, het zal buiten wel koeler zijn,' zei hij.

Meer geritsel. 'Ik... Ik heb haar over Tommy verteld.'

'Wat bedoel je?'

'Ik dacht dat je haar over hem had verteld toen je haar belde. Dat hij dood was. Maar ze wist het niet. Toen ik het haar vertelde, werd ze heel... heel...'

'Wat kan het haar schelen? Ze heeft me verteld dat ze de pest aan hem had.'

'Ze hield van Tommy.'

Wat nu weer? Hij bleef op de rand van het bed zitten wachten. Na een poosje begon ze met slaperige, maar beheerste stem te vertellen. 'Toen we Tommy pas kenden, ging hij met ons allebei uit. Ik vond hem hartstikke leuk, al was ik ook een beetje bang voor hem omdat hij zo'n stuk ouder was, maar Addie was smoorverliefd op hem. Ze zat achter hem aan en ze zagen elkaar vaak. Ze is zo knap, ik heb nooit goed begrepen waarom hij mij leuker leek te vinden. Het was gewoon zo. En toen ik van huis wegliep, ging ik regelrecht naar hem toe, en hij nam me in huis. En daarna ging hij niet meer met Addie om.'

'Misschien was ze te oud voor hem,' zei hij met een stem die droop van het sarcasme.

'Wat? Waarom zeg je dat?'

'Laat maar, schat. Dus je hebt haar verteld dat Tommy dood was. Heb je ook gezegd hoe hij is gestorven?'

'Ja.' Ze haalde moeizaam adem, alsof ze op het punt stond in tranen uit te barsten. 'Ik geloof... dat ze denkt dat jij hem hebt vermoord.'

'Heb je dan niet gezegd...'

'Jawel. Maar ze zei dat jij de pest aan Tommy had omdat hij je een keer in elkaar had geslagen waar zij bij was. Je hebt hem toch niet vermoord?'

'Lieverd, ik heb je al gezegd dat ik het niet heb gedaan. Geloof me nou maar.' Hij boog zich naar voren en trok het bovenlaken recht, net zoals toen ze nog klein was. Ze had soms nachtmerries, en als hij dan naar haar toe ging, lag al het beddengoed in een knoop.

Terwijl hij met het laken bezig was, probeerde hij na te denken. Als Addie Webb verliefd was geweest op dat stuk tuig van een Del Vitti, was haar avondje uit met Horn waarschijnlijk toneelspel geweest. De Dixie Belle was een hinderlaag geweest, en Del Vitti en Falco hadden hem opgewacht. Ze hadden hem kunnen vermoorden of toch minstens aan reepjes kunnen snijden. Hij had opeens respect voor Addies intelligentie en geraffineerdheid. Hij hoopte dat hij haar er uiteindelijk van zou kunnen overtuigen dat hij Del Vitti's dood niet op zijn geweten had.

Hij richtte zich op, overwoog een lamp aan te doen maar bedacht zich. 'Ik zal morgen met haar praten,' zei hij.

'Komt het wel goed met haar, denk je?'

'O, die redt zich wel. Zoals ik je al vaker heb gezegd, Addie kan wel voor zichzelf zorgen. Zeg, mag ik je een paar dingen over Tommy vragen?'

'Ach, ja.' Ze geeuwde.

'Hoe heb je hem leren kennen?'

'Ik liep hem gewoon tegen het lijf bij de cafetaria tegenover school. Hij deed heel vriendelijk en beleefd, en je had moeten zien hoe de andere meiden naar hem keken. Gek, eigenlijk.'

'Wat is gek?'

'Nou, ik had het gevoel dat het geen toeval was. Ik bedoel, misschien wílde hij me wel ontmoeten, snap je?'

'Hm. Weet je wat voor werk hij deed?'

'Hij zei dat hij voor een zekere Vincent werkte, en dat Vincent schatrijk was en van knappe meisjes hield, en dat Tommy's werk er onder andere uit bestond meisjes op te scharrelen die met Vincent uit wilden.'

'En daar zag je geen kwaad in?'

'Nee. Niet als die meisjes het zelf wilden. Tommy zei dat Vincent ze meenam naar chique restaurants, zoals het Brown Derby.'

Niet preçies, dacht Horn. 'Heb je Vincent ooit gezien?'

'Nee.' Nog een geeuw.

'Kende je die meisjes?'

'Nee, zeg. Tommy zei dat ze uit andere buurten kwamen.' Ze zweeg lang. Toen: 'Addie hielp hem.'

'Hoe bedoel je?'

'Meisjes vinden. En ik had een keer de indruk dat ze bij Vincent was geweest.'

Lieve god, dacht Horn. Dus dát voerde die kleine Adele in haar schild.

Alsof ze zijn verbazing aanvoelde, vervolgde Clea: 'Ik ken Addie beter dan wie ook. Ze doet wel wild, maar eigenlijk is het een lieverd. Alleen, waar ze vandaan komt... Ze heeft me een keer verteld dat haar vader – hij is nu weg – dat hij 's nachts op haar slaapkamer kwam. Het begon toen ze...' Ze zweeg.

'Je hoeft me niet alles te vertellen, lieverd. Zo, dus Addie is een wilde.'

'Ze gedraagt zich graag sexy. Ze wil bij de mannen in de smaak vallen.'

'Dat was me al opgevallen.'

'Ze is mijn beste vriendin.'

'Mooi zo.' Hij legde haar kussen recht. 'Wil je weer slapen?'

'Straks misschien. Wil je nog even bij me blijven?'

'Ja, natuurlijk.' Het maakte hem warm vanbinnen. Hij kon zich niet heugen wanneer ze hem het laatst om zijn gezelschap had gevraagd, maar het moest jaren geleden zijn geweest. Waarschijnlijk die avond toen hij naar Cold Creek was gegaan en zij achter haar gesloten slaapkamerdeur had geschreeuwd en gehuild. Hij propte een kussen in zijn rug. 'Doe je ogen maar dicht. Ik ben vlak bij je.'

Hij begon zacht tegen haar te praten, net als jaren geleden. Toen ze nog klein was, had hij verhaaltjes voor haar verzonnen over zilveren pony's en tovercarrousels en meisjes die kudden wilde paarden in de bergen vonden en ze naar de grazige valleien leidden voordat de sneeuwstorm begon. Soms gingen de verhaaltjes over een meisje dat Clea heette, soms heette ze anders. Het leek haar niets uit te maken, als hij maar vertelde.

Die nacht praatte hij ook tegen haar, maar deze keer waren het geen verzonnen verhalen. Hij had haar te veel te zeggen. Hij vertelde haar dat hij haar elke dag had gemist sinds die avond toen hij was weggegaan. Dat hij het miste haar als dochter te hebben, maar dat hij wist dat haar nieuwe vader een goed mens was en dat ze naar een goed thuis terug kon keren wanneer ze eraan toe was.

Als ze ooit iets met hem wilde bespreken, zei hij, zou hij luisteren, ook al ging het over iets dat jaren geleden was gebeurd en ze het zich amper kon herinneren. Hij zou luisteren, want sommige dingen moet je niet voor je houden. Soms was iemand die naar je wilde luisteren datgene wat je het hardst nodig had.

Hij zweeg even en vroeg zich af of ze al sliep. 'Je maan staat vanavond aan de hemel,' zei hij toen zacht. 'Ik heb hem net gezien en hij deed me aan je denken. Hij is gloednieuw, nog zo smal dat je hem bijna niet ziet. Weet je nog wat je lang geleden tegen me zei? Dat de nieuwe maan bijzonder was omdat hij net een pasgeboren kind was. "Gisteravond," zei je, "was de lucht nog pikzwart, maar nu hebben we die gekke nieuwe maan die daar is opgehangen om alles lichter te maken. Hij groeit nog sneller dan ik," zei je, "en straks is hij rond en geel en geeft hij zoveel licht dat we er sprookjesboeken bij kunnen lezen."'

Hij dacht dat ze een geluid maakte, maar toen hij naar haar ronde schouder in het donker keek, zag hij geen beweging.

'Je hebt die lelijke riem van me vast nog niet gezien,' vervolgde hij zacht. 'Ik wilde hem aan je laten zien. Ik heb hem gemaakt toen ik in de... toen ik weg was. Ik heb een plak staal gepakt en hem verzilverd. En toen heb ik met koperdraad een motiefje in het zilver ingelegd. Ik ben niet zo'n kunstenaar, maar als je goed kijkt, zie je dat het twee paarden zijn, een groot en een klein paard, met berijders. En helemaal rechtsboven heb ik met het laatste stukje draad een boogje gemaakt. Een nieuwe maan. En die twee ruiters... Tja, dat moeten jij en ik voorstellen, op weg naar...'

Nog een geluid, nu duidelijker. Hij keek opzij. Haar schouder schokte en hij hoorde haar gesmoord snikken, alsof ze de geluiden met haar hand wilde tegenhouden. Hij pakte haar beet en trok haar tegen zich aan, en ze sloeg haar arm om hem heen en klampte zich aan hem vast alsof hij een reddingsboei was.

'O, lieverd toch. Gooi het er maar uit. Gooi het eruit.'

Toen begon ze voluit te snikken, jammerend en gekweld, alsof ze jaren opgekropt verdriet losliet. Hij klopte op haar schouder, niet wetend wat hij anders kon doen, behalve dan tegen haar zeggen dat het allemaal goed zou komen, wat het ook was, het kwam allemaal goed. Hij zou het allemaal in orde maken, beloofde hij, terwijl hij zich afvroeg hoe hij dat in godsnaam voor elkaar zou moeten krijgen.

'Ik heb hem gezien,' kermde ze.

'Wie?'

'De man met de ringen.'

'De man met de... Wanneer?'

'Bij de begrafenis. Van Scotty's vader. Daar zag ik hem. En toen herinnerde ik me zijn gezicht en de ringen om zijn vingers. En hij had zwart haar op zijn handen. En met een van die handen pakte hij me beet en hield me vast terwijl hij dingen met dat andere meisje deed. Ik wilde weg, maar dat mocht niet van hem. Hij zei dat ik moest kijken. Het is heel lang geleden, maar toen ik zijn gezicht zag, en die ringen, herinnerde ik het me weer.'

Hij hield haar stevig vast. 'Ik weet het. Je hoeft hem nooit meer te zien. En op een dag kun je het allemaal vergeten. Hoor je me?'

'Nee,' zei ze met een door tranen verstikte stem. 'Ik had er heel lang niet aan gedacht, maar nu houdt het niet meer op. Toen ik hem zag, zag hij mij ook. En de manier waarop hij naar me keek... Ik blijf zijn gezicht maar voor me zien, telkens opnieuw.'

'Ben je toen weggelopen? Nadat je hem had gezien?'

Hij voelde dat ze met haar hoofd tegen zijn schouder knikte, en hij voelde het nat van haar tranen.

'Maar waarom heb je het niet gewoon tegen je moeder gezegd? Ze had je kunnen helpen. Je nieuwe vader...'

'Ik had het hem nooit kunnen vertellen,' zei ze.

'Je moeder dan.'

'Het komt allemaal door haar,' zei Clea, die weer zwaar ademde. 'Zij liet het gebeuren.'

'Lieverd, ze wist het niet.'

Maar er viel niet met haar te praten. Ze lag te huilen, en het enige wat hij kon doen, was haar vasthouden. Ten slotte, toen haar gesnik in ademloos gehijg overging en hij voelde dat zijn borst kletsnat was van haar tranen, keek ze hem aan. 'Je hebt me gezocht, hè?' zei ze.

'Nou en of, meiske,' zei hij, en hij kneep in haar schouder. 'Reken maar.'

Ze viel binnen een paar minuten in slaap. Hij heette Vincent, zei hij in stilte tegen haar. Maar dat hoef je nooit te weten.

Hij had zijn oude hutkoffer snel gevonden. Hij stond in een hoek van Maggies tuigkamer onder een versleten paardendeken. Er zat geen slot op. Horn maakte hem open en zag Sierra Lanes oude cavalerielaarzen en de hoed met de aan een kant zwierig vastgespelde rand. Ernaast lagen de vertrouwde pistoolriem met de holster van onbewerkt leer. Daaronder, keurig opgevouwen, de broek en het blauwe overhemd met de vele knoopjes. Hij pakte een breed vel strak opgerold papier en rolde het open.

Oké, indiaan, misschien heb ik een beetje gelogen. Misschien heb ik toch een filmaffiche bewaard.

Het was de poster van *Wyoming Thunder* met Sierra Lane die op Raincloud in volle galop op de kijker af kwam stuiven, met een stormachtige lucht op de achtergrond. De cowboy hield de teugels in zijn linkerhand en zwaaide met de rechter met zijn hoed. Het stof wolkte op onder de hoeven van Raincloud, en paard en berijder leken een te zijn, bijna als een centaur, meegevoerd door en opgaand in de vreugde van hun snelheid.

Hij legde de poster terug en vond op de bodem van de hutkoffer wat hij zocht, een zware, in zeildoek gewikkelde bundel. Hij wikkelde het zeildoek eraf en pakte de Colt. Hij voelde hoe de revolver in zijn hand lag en testte het evenwicht. Hij moest nog één ding hebben, en dat had hij ook snel opgediept: een kleine, zware doos met een etiket: VOORZICHTIG: SCHERPE PATRONEN. NIET VOOR GEBRUIK OP DE SET.

21

'Ik heb je hier niet bij nodig,' zei Horn tegen Mad Crow, die de Cadillac over Hollywood Boulevard stuurde. Het dak was open en de ochtendzon verwarmde het dashboard.

'Bleekgezicht grapje maken,' zei Mad Crow. 'Je hebt geen idee wat je nodig hebt, vriend. Je hebt mij nodig om op je te passen, als een dikke beschermengel. Om je te beteugelen. En je hebt me nog het meest nodig om te zorgen dat je niet weer buiten zinnen raakt, zoals destijds met junior. Kortom, je hebt mij nodig om uit de bak te blijven. Kun je een paar biertjes van de achterbank pakken?'

Horn, die niet in de stemming was om tegen te stribbelen, haalde zijn schouders op, draaide zich half om, pakte twee flesjes uit de koeltas op de achterbank, schudde het ijs eraf en wipte de kroonkurken eraf met de opener uit het handschoenenvak.

'Dankjewel,' zei Mad Crow. Hij nam een grote slok en vervolgde: 'Vraag je je wel eens af waarom ze ons nooit hebben gevraagd of we hier een afdruk van onze grote voeten wilden zetten?' Hij wees naar Graumans Chinese Theater, dat aan hun linkerhand voorbij gleed, waar een paar toeristen de voetafdrukken van de sterren op de stoep bekeken.

'Naast Ronald Colman en Greer Carson?' zei Horn. 'Ergens tussen Clark Gable en Carole Lombard? Goh, ik zou het niet weten. Het moet een soort nalatigheid zijn. Ik blijf maar verwachten dat de telefoon elk moment kan rinkelen, en dan hoor ik Sid Grauman zeggen: "Meneer Horn, mijn oprechte verontschuldigingen, maar we hebben u over het hoofd gezien. Ik heb *Wyoming Thunder* net gezien, en het is een meesterwerk. Ik wil u vandaag nog in het cement vereeuwigen. En vergeet uw aangever niet, hoe heet hij ook alweer?'

'Een nalatigheid,' zei Mad Crow. Er rinkelde een bel, de *stop*-arm van het verkeersbord voor hem klapte omhoog en hij trapte op de rem.

Ze hoorden een gil en zagen een jongeman op de stoep enthousiast zwaaien.

'Een fan?' informeerde Horn.

'Kan best; geen idee,' zei de indiaan, die de groet beantwoordde door zijn bierfles te heffen. 'Waarschijnlijk zwaait hij vanwege die auto. Dat doen veel mensen.' Hij keek Horn zijdelings aan. 'Ja, ik weet het, je denkt dat ik gek ben omdat ik zo van al die aandacht geniet. Maakt niet uit. Ik ben er dol op. Wees jij maar zo somber en eenzaam als je wilt, maar ik doe mijn dak naar beneden, rijd in de zon en wuif naar al die lieve mensen.'

Het *rijden*-sein werd gegeven en Mad Crow trapte het gaspedaal in. 'Zo, wat wilde je niet door de telefoon zeggen?'

'Ze heeft me gisteren in vertrouwen genomen,' antwoordde Horn. 'Clea. Het begint duidelijk te worden. Iris en haar nieuwe man hadden haar meegenomen naar de begrafenis van Arthur Bullard, en daar zag ze Bonsigniore. En ze herinnerde hem zich uit de jachthut. Hij had geprobeerd zich aan haar te vergrijpen. Ze was nog maar een kleuter...'

'O, man.' Mad Crow omklemde het stuur, vertrok zijn gezicht en schudde zijn hoofd.

'En toen kwam het weer bij haar boven. Dat niet alleen, hij zag háár ook. Hij moet weten dat ze het zich herinnert. Ik heb al die tijd gedacht dat de jachthut iets van heel vroeger voor haar was, een slechte herinnering waar ze overheen kon groeien. Ik wist niet dat ze nog steeds gevaar liep, maar het grijpt allemaal in elkaar. Ze is weggelopen omdat ze het haar moeder verweet dat die haar vader al die dingen met haar liet doen, maar vooral omdat ze na al die jaren die kop van die man weer had gezien.'

'Denk je dat hij het op haar heeft gemunt?'

'Ik weet het wel zeker. Als hij Scotty heeft laten vermoorden om zijn wandaden geheim te houden, waarom Clea dan niet? Ik denk dat hij kort na de begrafenis iemand op haar af zou hebben gestuurd als ze er niet vandoor was gegaan. Ik denk ook dat het een wonder is dat ze bij Del Vitti is beland, want hij was een van de weinigen die haar konden beschermen.'

'Maar hij was Vinnies rechterhand,' zei Mad Crow. 'Ik kan je niet volgen.'

'Ik snap het zelf ook niet goed, maar Clea heeft me verteld dat ze Del Vitti vlak bij haar school heeft ontmoet en dat het haar geen toeval leek.

Ik denk dat Bonsigniore lang voordat Clea hem op de begrafenis zag al probeerde haar in de gaten te houden. Hij zou Del Vitti gestuurd kunnen hebben om haar na te trekken, haar te leren kennen, uit te zoeken of ze een bedreiging voor hem vormde. Het zou een soort verzekeringspolis voor hem geweest zijn. De meeste meisjes die naar de jachthut werden gebracht kwamen uit arme gezinnen, gezinnen die zich lieten afkopen. Clea was anders. Haar nieuwe vader had geld. Bonsigniore kon niet het risico nemen dat ze een bedreiging voor hem zou gaan vormen. Daarom stuurde hij Del Vitti op haar af om haar in het oog te houden.'

'Goed, maar dat verklaart nog niet...'

'... wat er bij Del Vitti thuis is gebeurd. Weet ik. Ik denk dat hij verliefd op haar is geworden, dat het zo is gegaan.'

'Dat meen je niet.'

'O, jawel. Clea heeft me verteld dat hij zich als een heer gedroeg, dat hij haar met geen vinger aanraakte. Na de begrafenis moet Bonsigniore duidelijk hebben gemaakt dat hij haar dood wilde hebben, en misschien heeft hij Del Vitti wel opgedragen haar te vermoorden. Alleen stond ze op hetzelfde moment al bij hem op de stoep om te vragen of ze bij hem kon intrekken. En dat vond hij goed. Hij besloot zich als haar beschermer op te werpen. Bonsigniore kwam erachter en stuurde Falco naar zijn huis om hen allebei te vermoorden. Vlak voordat hij eraan ging, slaagde Del Vitti erin haar te verstoppen, en zo heeft hij haar leven gered.'

Horn rekte zich uit om de stramheid van het slaapgebrek uit zijn lijf te werken. 'Het was een slang,' zei hij, 'maar daar moet ik hem voor bedanken.'

'Wat heb je daar onder je overhemd?'

'Mijn oude Colt. Ik heb hem vannacht uit mijn hutkoffer opgevist. Van nu af aan is het menens, indiaan. Het gaat er niet meer om een meisje bij haar ouders terug te krijgen. Iemand wil haar dood hebben. Voorlopig zit ze bij Maggie veilig, maar ze komen elke dag dichterbij.'

'Wat ben je van plan?'

'Ten eerste wil ik de politie erbij halen. Naar mij luisteren ze niet omdat ik een strafblad heb...'

'En mij zou het niet veel beter vergaan, vrees ik,' vulde Mad Crow aan, 'vanwege het soort werk dat ik doe.'

'Maar ik weet naar wie ze wél zouden luisteren. Helen Bullard.'

'De weduwe?'

Horn knikte. 'Het is een ouwe taaie – genadeloos, zelfs, net als haar man. Ze heeft veel macht in de stad. Ze heeft tegen me gezegd dat ze niets liever wilde dan Scotty's moordenaar voor het gerecht slepen. Ik ga haar alles vertellen wat ik weet en haar die kennis naar eigen goeddunken laten gebruiken. Als ze om de een of andere reden niet naar de politie wil, ga ik het bij Paul Fairbrass proberen. Dat is ook een nette burgerman. Alleen denk ik dat hij minder goed kan haten dan de weduwe Bullard.'

'Nou, succes,' zei Mad Crow weifelend. Zonder te kijken gooide hij zijn lege bierfles over zijn schouder. De fles ketste van de achterbank af en viel op de vloer van de auto. 'Wat nog meer?'

'Nu ik weet dat Clea in levensgevaar is, wil ik haar de stad uit hebben. Thuis zou ze niet veilig zijn. Iris en haar nieuwe man kunnen me later altijd nog laten arresteren, mochten ze dat willen, maar nu wil ik ervoor zorgen dat Clea zo ver mogelijk uit de buurt van Bonsigniore en zijn mensen blijft. Heb jij nog ideeën voor me?'

Mad Crow aarzelde. 'Misschien. Ik heb een goede vriend in San Bernardino. Ik heb hem destijds aan het geld voor een vrachtauto met een paardentrailer geholpen, dus hij staat nog bij me in het krijt. Ik zou hem kunnen bellen, vragen of ze een tijdje bij hem kan komen.'

'Graag. Ik ga met haar mee. Je kunt contact met me houden, het me laten weten als het probleem hier is opgelost. Zo niet...'

'Ik weet wat je denkt,' zei Mad Crow met een strak gezicht. 'Zo niet, dan moet iemand hem uit de weg ruimen. En Falco. En iedereen die verder maar lastig kan zijn. Kun je dat wel aan, *amigo*?'

'Nee.' Horn glimlachte zijns ondanks om de idiotie van het hele geval. 'Het is veel gemakkelijker om een held te spelen dan er een te zijn.'

'Soms kom je dingen over jezelf te weten waarvan je het bestaan niet vermoedde.'

'Ik weet het,' zei Horn. 'Ik heb een paar dingen in Italië ontdekt, maar die waren niet leuk. Hoe dan ook... Er is nog iets. Wat jou aangaat.'

'Ja.' Mad Crow keek strak voor zich en trommelde met zijn vingers op het stuur. 'Mij en mijn vriend Vinnie.'

'Precies. Je compagnon en jij.'

'Ik heb al een waarschuwing van hem gekregen.'

'Wat bedoel je?'

'Na die dag in het Alexandria zei hij tegen me dat je een lastpak was, dat ik je moest ontslaan. Het zou ervan kunnen komen dat hij met je moest afrekenen, zei hij, en als ik in de weg liep, zou hij ook met mij afrekenen, en dat zou niet goed voor mij en mijn zaak zijn. Ik heb gezegd dat ik dankbaar was voor zijn wijze raad en dat ik erover na zou denken.'

Horn luisterde zwijgend.

'Een paar nachten geleden heeft iemand na sluitingstijd een bierfles met benzine gevuld, een prop stof in de hals gestoken en die molotovcocktail tegen mijn achterdeur gegooid. De schade viel mee, wat schroeiplekken, maar de boodschap is overgekomen.'

Horn trok een pijnlijk gezicht. 'Hé, indiaan, ik wist niet dat het die kant op zou gaan. Ik probeer niemand zakelijk de voet dwars te zetten, maar het is niet anders. Hij wil Clea dood hebben. Je kunt niet neutraal blijven.'

Mad Crow makte een U-bocht en zette de Cadillac langs de stoep voor hun plaats van bestemming. Hij keek opzij en grijnsde naar Horn. 'Laat hem dan de tering krijgen,' zei hij. 'Dat vette varken. Hij met zijn worstvingertjes met zijn ordinaire ringen.'

'Meen je dat?'

'Jazeker. De kleine meid gaat voor. We gaan dit zaakje regelen, oké? En we beginnen hier.' Hij wees naar de winkel verderop.

'Doen we.' Horn wilde uitstappen.

'Wacht even. Mag ik die, alsjeblieft?' Mad Crow stak zijn hand uit. Horn aarzelde, trok de Colt uit zijn riem en gaf hem aan Mad Crow, die hem onder zijn stoel legde. 'Die heb je niet nodig. Ik vergat de belangrijkste reden waarom je me nodig hebt: om te voorkomen dat je de saloon overhoop schiet en alle animeermeisjes bang maakt.'

'Mij best,' zei Horn. 'We gaan alleen praten.'

'Zo is dat. Jij speelt de gemoedelijke, slome cowboy. Zo nodig ben ik je ietwat onvoorspelbare metgezel.'

Het belletje tinkelde toen ze Geigers boekwinkel betraden. De enige aanwezige was een klant in kantoorpak die met een groot boek op zijn knieën in een van de zachte leren luie stoelen zat en schichtig naar hen opkeek.

Een dik gordijn achter de toonbank schoof opzij en Calvin St. George kwam tevoorschijn. Hij nam Horn en Mad Crow snel op en hoewel zijn gezicht onverstoorbaar bleef, leek hij aan te voelen dat er moeilijkheden kwamen. Hij liet niet merken of hij Horn herkende. 'Kan ik iets voor u doen?' vroeg hij effen.

'O, ja,' zei Horn. 'Weet je nog dat we een praatje hebben gemaakt? Nou, ik heb nog veel meer vragen bedacht.'

'Ach...' St. George legde zijn vingertoppen licht op het glas van de toonbank. Zijn ogen schoten heen en weer van de beide bezoekers naar de klant in de stoel. 'Ik weet niet, eh...'

Mad Crow bepaalde snel wat zijn rol was. Hij ging achter de klant staan, boog zich over hem heen en keek in het opengeslagen boek op zijn knieën.

'Jemig,' zei hij luid. 'John Ray, kom eens kijken? Die meid hangt aan een soort trapeze. Hoe krijgt ze dat in godsnaam voor elkaar? Nee, wacht eens, het is meer een...'

De klant sloeg het boek dicht, griste zijn hoed van tafel en beende weg. Het belletje tinkelde driftig. Mad Crow liep achter hem aan naar de deur, draaide het bordje van OPEN op GESLOTEN en trok het rolgordijn voor het glas in de deur dicht.

St. George pakte het boek haastig op en legde het onder de toonbank. 'Dat was bijzonder onbeleefd,' zei hij tegen Horn. Zijn stem klonk beheerst, maar hij trommelde nerveus met zijn vingers op het glas.

'Dat zal wel,' riposteerde Horn, 'maar hier wil je toch geen pottenkijkers bij hebben?'

'Als je herrie gaat schoppen, bel ik de politie.'

'Nee, dat doe je niet.' Horn ging in de stoel zitten die de klant zojuist had vrijgemaakt. 'Daar krijg je maar ellende van. Volgens mij is een groot deel van je handel verboden, dus als je ons er hier uit laat zetten, krijgt Zedenzaken een melding over je binnen. Ze sluiten je zaak en je draait de bak in. Wie heeft hier het meest te verliezen?'

St. George gaf geen antwoord. Horn klopte op de zitting van de stoel naast de zijne. 'Kom hier en praat met me, Calvin.'

St. George bleef staan. Hij keek naar Mad Crow, die door de winkel liep en af en toe een boek van een plank pakte waar hij even in bladerde. 'Waarover?' vroeg hij.

'Mannen die graag naar foto's van minderjarige meisjes kijken,' zei Horn vlak. 'Zoals die foto die ik je de vorige keer heb laten zien. Je herkende hem, ook al zei je van niet. Ik wil weten waarom je tegen me gelogen hebt en wat je van die mannen weet.'

Nu keek St. George Horn recht aan. 'Je denkt zeker dat ik bang voor je ben? Nou, dat ben ik niet. Ik ben wel vaker bedreigd.'

'O ja? En hoe ga je daarmee om, Calvin?'

'Ga weg,' zei St. George met lichte stemverheffing.

Horn wilde iets terugzeggen, maar hoorde Mad Crow zacht tussen zijn tanden fluiten. 'John Ray, dit is schít-te-rend. Ik wil wedden dat dit veel geld waard is.' Híj hield een boek naar St. George op. 'Ja toch?'

'Wees daar alsjeblieft voorzichtig mee,' zei St. George, die bijna verveeld klonk. 'Dat is een *Decamerone*, een Italiaanse druk uit 1813, in prima staat. De gravures alleen al...'

'Deze,' zei Mad Crow, en hij sloeg een illustratie over een volle bladzij op. 'Dit is toch een gravure? Die wil ik wel aan de muur hangen. Mag ik hem hebben?'

St. George zuchtte. 'Dat boek kost u...'

'Nee, alleen dat plaatje.' Mad Crow pakte de bovenhoek van de bladzij en trok. Het scheurende papier maakte verbazend veel geluid.

'Nee!' St. George was in een oogwenk bij Mad Crow. Toen hij naar het boek reikte, sloot Mad Crow een hand om zijn keel en drong hem met zijn rug tegen de boekenplanken.

'Calvin, ga zitten en praat met mijn vriend,' zei de indiaan op gesprekstoon. 'Ik bekijk gewoon je collectie, eens zien of ik iets vind wat me bevalt.' Hij spreidde zijn vingers en St. George zakte in elkaar en klauwde naar zijn keel. Na een korte aarzeling ging hij in de stoel zitten.

Mad Crow schoof voorzichtig de bladzij recht, die een paar centimeter uit de band was gescheurd, zette de *Decamerone* op zijn plaats terug en hervatte zijn geneus in de boeken.

'Ik heb geen tijd voor beleefdheden,' zei Horn tegen St. George. 'Ik heb een paar ideetjes over jou. Ik denk dat jij die foto hebt genomen die ik je heb laten zien, en nog veel meer. Allemaal minderjarige meisjes, allemaal misbruikt, de een erger dan de ander. Jij bent een van de daders. De foto's zijn van goede kwaliteit en jij bent een prima fotograaf.' Hij wees naar de ingelijste foto's van de jonge vrouw en het meisje. 'En,' zei hij, om zich heen kijkend, 'je handelt ook in ongeveer hetzelfde materiaal.'

St. George begon steeds ongeloviger te kijken.

'Je voldoet aan het algemene signalement en je hebt zelfs de juiste leeftijd voor degene die ik zoek,' vervolgde Horn. 'Wat voor merk sigaretten rook je?'

St. George slikte. 'Chesterfield.'

'Heb je ooit een ander merk gerookt?'

'Nee.'

'Volgens mij lieg je. Heb je ooit van Arthur Bullard gehoord?'

'Ja, uiteraard. Hij is pas overleden. En je hebt het de vorige keer over hem gehad.'

'Je hebt een goed geheugen, Calvin. En Vincent Bonsigniore?'

'Ik weet het niet,' zei St. George bokkig. 'Ik geloof van niet.'

'Wendell Brand?'

'Nee.' St. George schudde zijn hoofd. 'Waar is dit...'

'Val me niet in de rede. Ik zal je mijn hele theorie vertellen, om tijd te besparen. Ik denk dat jij de vierde man bent, Calvin. Jij en de andere drie namen die meisjes mee de bergen in voor jullie gruwelijke spelletjes, en jij was de fotograaf.'

'Nee.' Het gezicht van St. George begon op dat van Wendell Brand te lijken nadat Horn hem had bedreigd. Het leek verteerd te worden door angst en afgrijzen.

'Je moet nog iets weten,' zei Horn. 'Een van die meisjes was mijn dochter.'

St. George zat erbij alsof hij het liefst in zijn stoel was weggekropen. Zijn ogen flitsten door de winkel. Ergens tussen de boeken floot Mad Crow een toonloos deuntje.

'Hoor eens,' zei St. George, 'je zit er op een verschrikkelijke manier naast. Ja, ik herkende die foto...'

'Waarvan?'

'Meneer Bullard had hem een keer bij zich, samen met een stel andere. Ja, ik kende hem. Hij was een van mijn beste klanten. We hadden een afspraak. Als ik iets heel bijzonders binnenkreeg, belde ik hem eerst en dan kwam hij kijken of hij het in zijn collectie wilde opnemen. Op een keer haalde hij die foto's uit zijn zak en liet ze aan me zien. Het ging als terloops. Hij lachte er gewoon bij. "Ik weet wel dat je nooit zoiets zou kunnen verkopen," zei hij, "maar ik dacht dat je er misschien in geïnteresseerd zou zijn." Dat was alles. Ik vroeg niet waar hij ze vandaan had en hij heeft het er nooit meer over gehad. En...' – hij haalde diep adem, als om zichzelf te kalmeren – '... en ik heb die foto's nooit meer gezien tot jij hier binnenkwam. Natuurlijk heb ik tegen je gelogen. Je kon van de politie zijn, ik had geen idee, en die foto's zijn gevaarlijk.'

Horn liet zijn knokkels kraken en dacht na. Het klonk overtuigend, maar Horn wilde zijn haat op iemand kunnen richten en hij was nog niet bereid afstand te doen van zijn verdenkingen jegens St. George. 'Ik geloof je niet,' zei hij zo dreigend mogelijk. 'Je hebt toen tegen me gelogen en je liegt nu weer. Wat is erger, Calvin: betrapt worden met een paar vieze foto's of een kap over je hoofd trekken en een klein meisje verkrachten?'

Er trok iets over St. Georges gezicht. Hij stond op en liep naar de toonbank. 'Ik wil iemand bellen,' zei hij. 'Mag dat? Ik denk dat het je zal helpen het antwoord op een paar van je vragen te vinden.' Toen Horn knikte, pakte St. George de telefoon en draaide een nummer. Horn dacht dat hij ergens in de verte gerinkel hoorde.

'Wally?' zei St. George in de hoorn. 'Met mij. Kun je even beneden komen? Ik wil je aan iemand voorstellen.' Hij luisterde even. 'Weet ik, maar dit is belangrijk. Je hoeft je niet om te kleden, als je maar komt. Nu.'

Er ging een minuut voorbij. Horn hoorde een deur, gevolgd door voetstappen op de smalle wenteltrap achter in de winkel die hem nauwelijks was opgevallen. Er dook een jongeman op die zijn handen aan een theedoek afveegde. Hij droeg een vrolijk gestreepte pullover, een korte broek en sandalen.

'Wally, dit is meneer Horn,' zei St. George vanuit zijn leren stoel. Mad Crow, die in zijn geblader in de boeken leek op te gaan, werd nadrukkelijk genegeerd. 'Hij wil wat dingen weten en ik zou graag willen dat je zijn vragen beantwoordt. Ten eerste: wat deed je boven?'

De jongen was lang, blond en goedgebouwd. Hij was een jaar of twintig en had het nonchalant knappe, maar nog karakterloze uiterlijk van Vincent Bonsigniores neefje aan de lunchtafel, vond Horn. Hij keek zenuwachtig van Horn naar St. George.

'Ik, eh, ik was de ontbijtboel aan het afwassen,' zei de jongen.

'En waarom deed je dat?'

Wally lachte zenuwachtig. 'Cal, dat weet je toch? Dat doe ik elke dag.'

'En wat wilde je daarna gaan doen?'

Wally, die zich geen raad wist met zijn handen, vouwde ze voor zich, onder de vochtige theedoek. 'Het middageten klaarmaken, natuurlijk.'

'Goed zo,' zei St. George bemoedigend. 'Wally, hoe lang wonen we nu boven de winkel?'

'Nou, jij woont hier al sinds je de winkel hebt overgenomen,' zei Wally, die op dreef begon te raken en naar Horn glimlachte. 'Ik woon hier sinds we elkaar kennen, een paar jaar nu.'

'Wally, meneer Horn heeft mijn foto's van die jonge vrouw en dat meisje bekeken. Wil je hem vertellen wie dat zijn en waarom ik die foto's heb gemaakt?'

'Dat zijn je nichtje Clara en haar dochter.' Wally wierp Horn een samenzweerderige blik toe. 'Je hebt me verteld dat je ze had genomen omdat je broer een krent was die je net zo lang aan je kop heeft gezeurd tot je het gratis wilde doen.'

'Inderdaad,' zei St. George. 'Wally, zou je meneer Horn nu willen vertellen wie ik het liefst als model heb? Eerlijk zeggen.'

'Mij,' zei Wally trots. Hij wendde zich tot Horn. 'U zou het boven eens moeten zien. Ik hang overal. Hij zegt dat ik zijn muze ben en dat ik...'

'Zo is het wel genoeg, Wally. Ga maar weer naar boven. Roep je me voor het eten?'

De jongen ging naar boven. 'Ik had u dit alles nooit verteld,' zei St. George, wiens stem weer kalm klonk, 'ware het niet dat u zich in uw hang naar zekerheid en wraak had vastgebeten in een bizar beeld van mij, waar u alleen door de waarheid van af te brengen was.' Hij drukte zijn vingertoppen tegen elkaar en fronste zijn voorhoofd als een schoolmeester die zich gedwongen ziet een uiterst lastige leerling de les te lezen. 'Ik ben geen kinderverkrachter, meneer Horn. En ik voldoe op geen stukken na aan de beschrijving van die mannen over wie u me hebt verteld. Nu u Wally hebt gezien, zou u dat moeten begrijpen.'

Horn keek naar Mad Crow en ze knikten elkaar toe. 'Goed,' zei Horn.

St. George kwam uit zijn stoel. 'Wilt u dan nu die onbeschofte vriend van u in zijn kladden pakken en mijn winkel verlaten?'

22

Terwijl Mad Crow de Cadillac door de pas naar de Valley en Maggies ranch stuurde, pakte Horn zijn Colt van onder de stoel. Hij prevelde iets.

'Het valt niet mee om je goeie theorie aan duigen te zien vallen, hè?' zei de indiaan.

'Ik wilde dat hij de vierde man was,' zei Horn. 'Hij zou het nog steeds kunnen zijn, maar...'

'... maar het is een stuk minder aannemelijk geworden. Hij kan het gewoon niet zijn. Ik kan me niet voorstellen dat hij opgewonden raakt van iemand van het andere geslacht, hoe oud ze ook is. Je hebt nu zeker niemand meer over?'

'Nee, ik denk het niet.' Behalve Scotty dan, zei een stemmetje in zijn hoofd. Hij antwoordde prompt: Daar wil ik niet aan denken. Horn zette zijn hoed af, haalde zijn hand door zijn haar en legde zijn hoofd tegen de rugleuning om zich door de zon te laten warmen. 'Hé, ik vind het fijn dat je vandaag met me mee bent gegaan. Je had gelijk. Dit was zo'n gelegenheid dat ik iets had kunnen doen waar ik spijt van had gekregen.'

'Niets te danken. Jij bent tegenwoordig mijn bron van sensatie. Molotovcocktails in de nacht, loslopende moordenaars...'

'Ik wil niet dat je er zo nauw bij betrokken raakt dat je...'

'... dat ik mijn vingers brand? Dat is nu juist het spannende, vriend. Weet je, ik heb gezegd dat het me spijt dat ik niets heb gezegd over die keer dat Del Vitti met je dochter bij me kwam. Dat meen ik nog steeds. Ik denk dat ik zo gedienstig ben omdat ik iets goed te maken heb. Maar ik heb nog een reden.'

Horn, die met zijn hoofd achterover zat, keek met tot spleetjes geknepen ogen opzij.

'Toen ik je leerde kennen, was ik net de derde indiaan van links in het een of andere Hopalong Cassidy-epos geweest. Ik had maar één regel tekst: "Trommels spreken, zeggen jullie liegen." Ik weet nog steeds niet waarom je een goed woordje voor me hebt gedaan bij Bernie Rome, maar...'

'Dat heb ik je toch gezegd,' zei Horn verveeld. 'Ik dacht dat jij en ik een goed team zouden vormen. En ik heb gelijk gekregen.'

'Hoe dan ook, daarna had ik regelmatig werk en goed te eten en ik had een veel beter gevoel over alles. Ik kon mijn familie hierheen halen, de hele rataplan. Toen ik met jou begon te werken, betekende dat een ommekeer. Ik weet niet of ik je ooit fatsoenlijk heb bedankt...'

Horn trok zijn hoed over zijn ogen. 'Maak me maar wakker als we er zijn, goed?'

'Clea!'

Mad Crow riep haar nog voordat zijn Cadillac voor Maggies huis tot stilstand was gekomen. 'Waar zit je?'

Ze kwam naar buiten, gevolgd door Maggie. 'Oom Joe,' zei ze blij.

'Zij is een van de weinigen die ongestraft Joe tegen hem mogen zeggen,' zei Horn tegen Maggie terwijl hij uitstapte.

Mad Crow hees zich zwaar van zijn pintoleren stoel, zwaaide zijn benen naar buiten en sprong over het portier de auto uit. Hij beende naar Clea toe en bleef vlak voor haar staan, met zijn handen in zijn zij.

'Nou?' zei hij streng.

Ze schudde haar hoofd alsof ze hem niet begreep. Het was een oud spelletje.

'Nou?' zei hij weer, luider ditmaal.

'Hallo, Joe, alles okido?' kraaide ze met een brede glimlach op haar gezicht.

'Nou en of,' bulderde hij terug. 'En dan zeg ik... "Hé, klein blondje, we draaien een róndje!"' Bij het laatste woord pakte hij haar om haar middel, tilde haar hoog op en zwierde haar drie keer in de rondte. Ze gilde uitgelaten.

'Godver, wat ben je groot geworden,' zei hij toen hij haar zogenaamd hijgend neerzette. 'Waar is die kleine puk gebleven die ik over het erf zwaaide? Volgende keer lukt het me niet meer.'

'Fijn je te zien, oom Joe,' zei Clea.

'Dat geldt voor mij dubbelop, meid,' zei Mad Crow, en hij glimlachte stralend naar Maggie. 'Hé, wacht, dat was ik bijna vergeten.' Hij liep met grote passen naar de Cadillac, pakte iets van de achterbank, naast de koeler, en bracht het naar Clea. Het was een pakje in cadeaupapier. 'Ik hoorde dat je net jarig bent geweest.'

Ze gaf hem een zoen op zijn wang, zei 'dankjewel' en rende naar binnen om het cadeau uit te pakken.

Horn zag het hoofdschuddend aan. 'Wat is er?' vroeg Maggie.

'Ik weet het niet. Moet je haar nou zien, dolblij dat Joseph er is en dat ze een cadeautje krijgt. Vannacht leek ze nog aan scherven te liggen.'

'Ja,' zei Maggie, 'ongelooflijk, hè? Het zal wel komen doordat ze zeventien is.' Ze richtte zich tot Mad Crow. 'Kun je nog even blijven?'

'Ja, hoor. Mijn zaak gaat pas over een paar uur open. Laten we een enorme lunch gaan eten.'

'Doen jullie dat vooral, maar ik moet weg,' zei Horn. 'Naar Pasadena. Voor een onderonsje met een rijke dame.'

'Mevrouw Bullard?' vroeg Maggie belangstellend. 'Ze stond pas nog op de showpagina. Ze woont in zo'n villa. Weet je, ik zou best met je mee willen. Even weg van die ranch.'

'Geef het maar toe, meid. Je wilt zien hoe de luie rijken leven.'

'Nietes,' zei ze verontwaardigd.

Horn had meteen spijt van zijn woorden. 'Nou, ga dan mee. Je zit hier al dagen met Clea, die merrie en mij opgesloten. Indiaan, wil jij een uurtje op Clea en Addie passen?'

'Addie is weg,' onderbrak Maggie hem. 'Ze is vanochtend in alle vroegte weggegaan zonder afscheid te nemen.'

'Verdomme,' vloekte Horn. 'Iets zegt me dat we nog niet van haar af zijn. Ik ben bang dat ze ons nog een hoop last gaat bezorgen.'

'Ik wil graag op Clea passen,' zei Mad Crow. 'Nemen jullie de Caddie maar. Rij eens in stijl, voor de verandering.' Hij gooide de autosleutels naar Horn.

'Weet je zeker dat mevrouw Bullard geen bezwaar heeft tegen ongenode gasten?' vroeg Maggie aan Horn.

'Dat hangt van de gasten af. Volgens mij mag iedereen die dikke maatjes is met prinses Margaret overal in Pasadena binnenschrijden en zonder een spier te vertrekken de hulp commanderen.'

Hij liep naar binnen voor een snel telefoontje en kwam weer buiten. 'Ze is aan het winkelen, maar ze kan elk moment terugkomen. We gaan.'

Hij zei zacht tegen Mad Crow: 'Niet dat je het nodig zult hebben, maar voor het geval dat: het jachtgeweer van haar man Davey hangt in de woonkamer aan de wand.'

'Ga nou maar,' zei Mad Crow. Toen riep hij naar het huis: 'Clea! Ik wil dat hengstveulen zien!'

Toen Horn met de cabrio over de oprijlaan van huize Bullard reed, zag hij Helen Bullard in de deuropening staan toekijken hoe haar dienstmeisje de tassen met inkopen uit de kofferbak van haar auto haalde. Ze liep naar hem toe om hem te begroeten.

'Dag, John Ray,' zei ze. 'Leuk dat je er bent.'

'Mevrouw Bullard,' zei hij. 'Dit is mijn vriendin Margaret O'Dare.'

Helen Bullard glimlachte naar Maggie. 'Hoe maakt u het? Kom toch binnen, allebei.'

'We kunnen niet lang blijven,' zei hij. 'Ik heb wat informatie voor u.'

Een paar minuten later zat Maggie met een glas ijsthee in een ligstoel op het achterterras van het uitzicht over de *arroyo* te genieten. Horn zat in de woonkamer met de gastvrouw, die haar winkelkleding had verruild voor een zijden kamerjapon en muilen met hoge hakken.

'Ik ga een tijdje weg, en ik ben niet te bereiken,' legde hij uit, 'maar voor ik ga, wil ik u iets vertellen. U wilde het weten wanneer ik iets over Scotty's dood en de moordenaar ontdekte.'

Ze knikte afwachtend. Nu haar beleefde masker was gebarsten, stond haar gezicht hard en geconcentreerd.

'Hij heet Vincent Bonsigniore,' zei Horn. 'Misschien hebt u zijn naam wel eens in de krant gezien. In wezen is het een gangster. Hij bestiert hier in L.A. allerlei zaken voor zijn bazen in New York, sommige legaal, andere illegaal.'

'Ik ken die naam,' zei ze. 'Hij is zelfs eens op een feest van ons geweest. Arthur zei dat ze zakelijke banden handen, maar die man was geen doorsnee zakenpartner. Ik mocht hem niet.' Ze wond de franje van haar ceintuur om een dunne vinger. 'En de jongedame die hij bij zich had, vond ik goedkoop.'

'Bonsigniore maakte deel uit van een groep mannen die zich met minderjarige meisjes vermaakten. Uw echtenoot ook.'

Ze knipperde met haar ogen en haar neusgaten verwijdden zich. 'Ga door.'

Ze weet er wel iets van, maar misschien niet alles, dacht hij. Maar het is echt een taaie. 'Scotty had een verzameling foto's tussen de paperassen van uw man gevonden. Bonsigniore wilde ze terug en heeft Scotty erom laten vermoorden.'

'Dat weet je zeker?'

'Heel zeker.' Hij reikte haar een envelop aan waar een briefje aan was gehecht. 'Daar staan zijn naam en adres,' zei hij, naar het briefje wijzend. 'Kent u mensen bij de politie?'

'Ik zit in een commissie die waakt over de investeringen in een paar arme buurten. We overleggen soms met de politie. Ik heb kortgeleden nog met een plaatsvervangend commissaris geluncht.'

Horn knikte. 'Ik weet niet hoeveel u of de politie met de informatie kunnen beginnen, maar u mag het hebben. U moet wel beseffen dat die man een van de machtigste gangsters van de stad is. Hij vermoordt iedereen die hem in de weg staat; ik weet minstens één ander, afgezien van Scotty. Om zoveel macht te houden, moet je vrienden bij de politie hebben, dus er zullen er wel een paar tussen zitten. Pas goed op bij wie u dit aankaart.'

Ze perste haar lippen tot een smalle streep en er vielen even diepe holten onder haar jukbeenderen. 'Ik geloof dat u zegt dat hij vrijuit zou kunnen gaan, wat ik ook doe.'

'Mevrouw Bullard, mensen doen zo vaak iets ongestraft.'

Ze pakte de envelop. 'Zijn dit de foto's?'

'Ja, mevrouw. U mag ze hebben.'

Ze keek nog eens naar het briefje. 'Die naam en dat telefoonnummer eronder, van wie zijn die?'

'Die heb ik er op het laatste moment bij gezet,' zei Horn. 'Die man heeft niets met Scotty te maken, maar misschien wilt u hem spreken.'

'Waarom?'

'Omdat hij Bonsigniore net zo graag te pakken wil nemen als u.'

Ze keek door het grote raam naar het uitgestrekte gazon. 'Ik geloof niet dat dat mogelijk is,' zei ze.

Hij lunchte onderweg met Maggie aan Colorado Boulevard in Pasadena, waarna ze doorreden naar de San Fernando Valley. Een paar kilometer voor Maggies ranch stond een groot reclamebord voor een nieuw woningbouwproject: BUNGALOWS MET TWEE SLAAPKAMERS EN EEN AAN-

GEBOUWDE GARAGE, SPECIALE VOORWAARDEN VOOR OORLOGSVETERANEN. Bulldozers waren het uitgestrekte terrein aan het egaliseren. Het project heette Vista del Sol, meldde het reclamebord. Een eindje verderop passeerden ze het kantoor van de projectontwikkelaar, een creatie in pleisterwerk die op een miniatuurversie van het Alhambra moest lijken, fel oranje en blauw geschilderd en versierd met vaantjes, midden in het niemandsland.

'Daar gaat weer een sinaasappelboomgaard,' zei Maggie. 'Een van mijn buren, die hier al sinds de jaren dertig paarden fokt, heeft zijn grond net aan een projectontwikkelaar verkocht. Het was een aanbod dat hij niet kon weigeren, zei hij. Ze hadden tegen hem gezegd dat er wel honderd huizen gebouwd konden worden op het terrein waar hij met zijn gezin woonde.'

'Wat gaat hij nu doen?'

'Hij gaat naar het noorden, waar de grond langs de kust goedkoper is,' zei Maggie. 'Ik vrees dat de bulldozers mij ook nog eens zullen inhalen.'

'Niet verkopen. Laat ze doodvallen.'

'Zo simpel is het niet, John Ray. De Valley is niet meer de plek uit jouw herinnering waar je met Iris woonde. Het is voller en lawaaiiger geworden en de lucht is minder zuiver. Te veel auto's, te veel mensen. Davey en ik hebben het er al over gehad. Misschien houden we het niet lang meer vol.'

'Dat spijt me. Jullie zijn goeie mensen. Hé, Maggie, ik wil je nog bedanken.'

'Waarvoor?'

'Je weet wel. Voor alles. Dat je ons hebt opgevangen. Ik weet niet wat ik met Clea had moeten beginnen...'

'Hou er toch over op. Jullie zijn ook goeie mensen allebei. Blijf maar zo lang als je wilt.'

'We gaan morgen weg,' zei hij. 'Het is tijd.'

'O? Het spijt me dat...' Ze brak haar zin af en leunde naar voren. 'Wie is dat?'

Hij reed op Maggies eigen weg, en het was nog honderd meter naar de ranch. Toen de auto dichterbij kwam, zagen ze Miguel en Tomas over een derde man gebogen staan, die op de grond tegen de buitenmuur van het huis hing. Het was Mad Crow.

Horn trapte vlak bij de groep op de rem, sprong uit de auto en rende erheen. Mad Crow zat met gebogen hoofd en hangende schouders tegen de muur. Er zaten donkere bloedspatten op de schouder van zijn geborduurde overhemd en Horn zag een glimmende, donkerrode plek boven zijn rechteroor.

'Ga Clea zoeken!' riep hij naar Maggie. Hij knielde bij Mad Crow, die iets mompelde. 'Wat zeg je?'

'Ze is weg,' zei de indiaan.

Horn werd overspoeld door een golf van duizeligheid, misselijkheid bijna. Hij pakte Mad Crow stevig bij zijn schouders. 'Was het...'

'Nee,' zei Mad Crow, die voor het eerst opkeek. Zijn gezicht zag er akelig uit. 'Het was haar vader. Fairbrass.'

Maggie had een kom water en een handdoek gehaald en begon het bloed weg te wassen. Mad Crow vertrok zijn gezicht en vloekte. 'God, het spijt me zo,' zei hij.

'Wat is er gebeurd?' vroeg Horn.

'We hebben een tijdje in de stallen gezeten en toen gingen we iets eten.' Hij praatte onduidelijk, alsof hij dronken was. 'Daarna ben ik op de bank gaan liggen, even een uiltje knappen, dacht ik. Toen ik wakker werd, zat er een vent met een revolver op zijn knie. Hij richtte hem niet, hij hield hem gewoon in zijn hand.'

'Fairbrass?'

'Nee, zomaar iemand.'

'Had hij een verband op zijn gezicht?'

'Nee, maar hij had een litteken van hechtingen.'

'Sykes.' Horn deed zijn uiterste best om zijn woede niet te laten doorklinken, woede op zijn oude vriend, die dit had laten gebeuren.

'Toen kwam Fairbrass met zijn arm om Clea heen de slaapkamer uit. Hij zei wie hij was en dat hij haar naar een veilige plek zou brengen. Ze liepen naar de auto. Hij zei tegen haar dat ze Addie wel dankbaar mocht zijn, omdat die hem had verteld waar ze zat.'

'Gódver. Die kleine...' Horn probeerde zich in te houden. 'Hoe reageerde Clea? Verzette ze zich?'

'Nee,' zei Mad Crow verwonderd. 'Ze maakte een verdwaasde indruk, maar ze ging gewoon met hem mee. Hij praatte aan een stuk door tegen haar, dat het allemaal wel goed zou komen en zo. Zo te horen geeft hij echt veel om haar.'

'Dat interesseert me geen reet,' zei Horn. 'Hoe kom jij aan die wond?'

'Nou, toen we bij de auto waren, vroeg ik Clea of ze echt met hem mee wilde. Ze keek me lang aan en knikte toen, maar op hetzelfde moment herinnerde ze zich dat ik haar een cadeautje had gegeven. Ze wilde naar binnen lopen om het te halen, maar Fairbrass hield haar stevig vast. Ze begon te huilen, en toen ben ik hem aangevlogen. Ik was niet van plan hem echt iets te doen, ik wilde alleen dat hij haar losliet, zodat ze haar cadeautje kon pakken. Maar die andere vent kwam achter me staan en sloeg me met zijn revolver. Het volgende dat ik weet, is dat ik tegen de muur zit en dat die twee jongens me wakker schudden.'

Hij zette zich schrap tegen de muur en probeerde overeind te komen, maar zakte prompt door zijn ene knie. 'Verdomme, ik zie alles dubbel.' Hij ging weer zitten en hield zijn hoofd tussen zijn knieën. 'Het spijt me, John Ray. Ik heb je in de steek gelaten.'

Horn gaf hem een schouderklopje, maar kon geen troostende woorden bedenken. En óf je me in de steek hebt gelaten, ouwe maat van me, zei hij in stilte.

Maggie nam hem apart. 'Hij heeft een flinke tik gekregen, het zou een hersenschudding kunnen zijn,' zei ze zacht. 'Hij moet naar de dokter.' Ze aarzelde even. 'Het dichtstbijzijnde ziekenhuis is kilometers ver weg, maar ik ken een dierenarts hier in de buurt. Hij is beter met dieren, maar hij behandelt ook mensen.'

'Goed, leg maar uit hoe ik er moet komen,' zei Horn. 'Ik breng hem er met zijn eigen auto naartoe, dan kan een van je knechten me in mijn auto volgen. Ik kom hier niet terug.' Hij keek bijna verwilderd om zich heen, alsof hij ten einde raad was.

'Wat ga je doen?' Maggie kwam tegenover hem staan en pakte hem bij zijn shirt. 'Je hebt gisteren je hutkoffer opengemaakt en er wat spullen uitgehaald, hè? Vertel het me maar.'

'Wat ik ga doen? Weet jij het?' De woede borrelde over en verstikte zijn stem. 'Ik zou kunnen proberen Clea van haar vader af te pakken – als ik ze kon vinden, maar op de een of andere manier geloof ik niet dat het me zou lukken. Ik weet alleen dat iemand haar wil vermoorden en dat ze waarschijnlijk nergens veiliger zat dan hier. Haar vader bedoelt het goed, maar hij heeft geen idee hoeveel gevaar ze loopt en hoe hij haar kan beschermen. Ik kan proberen hem te zoeken en hem tot rede te brengen, maar ik heb hem dagenlang voorgelogen en hij heeft geen reden om me te vertrouwen.'

Hij liet zijn schouders hangen. 'Sierra Lane zou het wel weten. Ik niet.'
Geholpen door Miguel en Tomas zette hij Mad Crow voor in de Caddy en startte. Maggie gaf Mad Crow een voorzichtige knuffel en keek Horn toen onderzoekend aan. 'Als je maar uitkijkt,' zei ze.
'Het spijt me dat ik je zoveel ellende heb bezorgd, Maggie.'

Hij belde aan, maar het geklingel klonk te vormelijk voor wat hij van plan was, dus sloeg hij met zijn vuist op de deur.
'Wie is daar?' Hij hoorde de paniek in haar stem.
'Iris, ik ben het. Laat me erin.'
'John Ray? Wat...'
'Ik moet je man spreken.'
'Hij is er niet.'
'Waar is hij dan?'
'Weet ik niet. Wat is er?'
Hij voelde zich een idioot zoals hij door de deur stond te praten. 'Verdomme, Iris, doe open.'
'Hou op. Je maakt me bang.'
Hij leunde met zijn voorhoofd tegen de deur en probeerde zijn gedachten te ordenen. Hij moest duidelijk maken hoeveel gevaar Clea liep, maar zonder Iris hysterisch te maken of haar ertoe aan te zetten dat ze de politie op hem af stuurde. Hij dwong zichzelf bedaard te spreken.
'Luister. Ik doe je niks, echt niet. Ik wil je alleen even spreken, goed?'
De deur ging open en hij stapte naar binnen. Iris zag er overstuur uit. Haar haar was aan een borstel toe en ze wasemde nervositeit uit, als de geur van muffe kleren.
'Paul heeft Clea weggehaald,' zei hij gehaast. 'Ze zat samen met mij ergens in de Valley.'
'Weet ik,' zei ze. 'Hij heeft het me vlak voordat hij erheen ging verteld.'
'Ik heb tegen je gelogen toen ik zei dat ik haar nog niet had gevonden, maar dat deed ik alleen om haar te beschermen. Sorry, maar ik kan het niet tactvol brengen. Iemand heeft het op haar gemunt. Degene die Scotty ook heeft vermoord. Ik geloof niet dat je man goed beseft...'
'Jawel,' zei ze zacht.
'Wat?'
'Hij weet dat ze wordt gezocht, dat ze in gevaar is. Hij heeft me verteld dat hij het al een tijdje wist, dat hij er gek van werd, maar het mij

niet heeft verteld omdat hij me niet ongerust wilde maken. Zodra hij erachter was waar ze zat, besloot hij haar naar een veilige plek te brengen.'

'Waar?'

'Dat wilde hij me niet vertellen. Hij zei dat ik het beter niet kon weten. Zodra ze er goed en wel zitten, belt hij me op.'

'Het staat me helemaal niet aan,' prevelde hij. Hij keek om zich heen, te nerveus om te gaan zitten. 'Waarom gaat hij niet gewoon naar de politie? Ik had mijn redenen om ze erbuiten te houden, maar hij is een nette burger, hem geloven ze wel. Waarom probeert hij dit in zijn eentje op te lossen?' Hij keek haar aan. 'Bel me zodra hij jou heeft gebeld. Ik ben thuis. Bel me, ook als hij het geen goed idee vindt. Ik moet hem spreken.'

Ze schudde haar hoofd. 'Ik kan je niets beloven, John Ray,' zei ze. 'Ik ga op zijn oordeel af.'

'O ja? Zijn handlanger Sykes heeft Joseph met een revolver een gat in zijn hoofd geslagen. Is dat zo verstandig?'

'Het spijt me, heus. Ik hoop dat Joseph niets ernstigs heeft. Maar ik weet dat Paul van Clea houdt en dat hij haar zal beschermen. En als dit allemaal voorbij is, worden we weer een gezin.'

Zijn blik viel op de ingelijste foto van Clea, die waarop ze bijna glamoureus leek. Zo is ze niet meer, dacht hij. Op dit moment is ze weer een bang klein meisje.

'Laten we maar bidden voor de goede afloop,' zei Iris.

Toen hij in de deuropening bleef staan, keek ze bijna liefdevol naar hem. 'Je ziet er verschrikkelijk uit,' zei ze.

'En jij bent weer oogverblindend, zoals altijd.'

Ze streek het haar uit haar gezicht. 'Ja, vast. Ik vond mezelf altijd zo'n harde, maar nu word ik ziek bij het idee dat haar iets overkomt.'

'O, ik denk dat je hard genoeg bent om hierdoorheen te komen,' zei hij. 'Ik zei pas nog tegen Joseph dat jouw derde huwelijk een sprookje zou worden. Het spijt me dat het ons niet is gelukt, maar ik wil echt dat Clea en jij gelukkig worden. Misschien is het dus maar goed dat je Paul bent tegengekomen. Scotty zou me verteld kunnen hebben dat hij jullie op het een of andere feest aan elkaar heeft voorgesteld. Als het echt zo is gegaan, had mijn oude vriend er gevoel voor.'

'Nee, zo is het niet precies gegaan,' zei ze. 'Het was op een feest, en ik geloof dat Scotty er ook was, maar zijn vader heeft me aan Paul voorgesteld.' Een smalle, nauwelijks zichtbare glimlach. 'Gek, hè? Arthur Bullard heeft me vreselijke dingen aangedaan, maar hiervoor moet ik hem dankbaar zijn, denk ik.'

Het was laat in de middag toen hij zijn huis in de canyon bereikte. Hij keek eerst in zijn brievenbus, maar daar zat alleen een briefje van Harry Flye in, die hem maande eens iets aan de afbrokkelende muur van rotsblokken en beton langs de voorkant van het terrein te doen. Hij vervloekte zijn huisbaas zo luid dat er een zwakke echo van de andere kant van de canyon kwam.

Hij vond genoeg eten in zijn provisiekast om een redelijke maaltijd te bereiden, die hij op de veranda opat. Hij kreeg een idee. Hij diepte het nummer van Fairbrass' kantoor in de fabriek in Long Beach op en vroeg een gesprek aan via de centrale. Het zou bijna te gemakkelijk zijn als hij daar was, dacht Horn, en hoewel het na kantoortijd was, was het de moeite van het proberen waard. Hij liet de telefoon een aantal malen overgaan voordat hij de hoorn op de haak legde.

Hij voelde zich nutteloos, machteloos. Hij had Clea gevonden en weer verloren, net toen hij ervan doordrongen raakte hoeveel gevaar ze liep. Hij had de moordenaars van Scotty gevonden en vervolgens alleen kunnen erkennen dat hij niet bij machte was hen voor het gerecht te slepen. De Colt op de tafel bij de bank leek hem te honen. Het was zogenaamd het wapen van een held, maar het had zijn leven lang alleen losse flodders afgeschoten. Behalve, wees hij zichzelf terecht, die keer toen hij er het leven mee had beëindigd van een nobel dier dat beter verdiende.

Zelfmedelijden vraagt om een paar borrels, dus pakte hij een glas en een fles Old Crow en ging aan het werk om de inhoud te verminderen. Toen hij drie duimen was gevorderd, was het donker buiten. Hij deed het licht aan, ging op de bank liggen en deed zijn ogen dicht. Een ideetje, zo klein als een worm, begon in zijn achterhoofd te knagen, maar voor hij het kon benoemen, viel hij in slaap.

Hij werd wakker van een gil. Hij wist dat zij het was, haalde adem om haar naam te roepen en besefte toen dat het de schrille klank van de telefoon was. Met een hand die onvast was van spanning en alcohol nam hij op.

'Spreek ik met Horn?'

'Ja.'
'Met Dewey Sykes. We hebben elkaar bij uw huis ontmoet.'
'Ik weet wie je bent,' zei Horn. Hij ging rechtop zitten en keek op zijn horloge; het was al half drie geweest. 'Jij hebt mijn vriend in de rug aangevallen. Je hebt iets goed te maken, ook bij mij.'
'Je zegt het maar,' zei Sykes onverschillig. 'We hebben nu belangrijker dingen te bespreken.'
'Waar is Clea?'
'Hier, bij haar vader.'
'Waar is dat?'
'Laat me eerst eens uitpraten. We hebben moeilijkheden gehad. We zijn naar de fabriek van meneer Fairbrass in Long Beach gegaan. We wilden haar door een zijdeur naar binnen smokkelen en haar daar verstoppen, maar óf we werden opgewacht, óf iemand had ons gevolgd. Er zijn schoten gevallen. We zijn gevlucht, en ik denk dat we ze hebben afgeschud.'
Horn schudde zijn hoofd om de Old Crow te verdrijven. 'Hoe is het met haar?'
'Goed. Van streek, maar verder maakt ze het goed. Er zijn twee zijruiten achterin uit de auto geschoten. Veel glas en herrie, maar geen...'
'Waarom heb ik jou aan de lijn?'
'Wat bedoel je?'
'Waarom heeft Fairbrass niet zelf gebeld?'
'Hij is, eh...' Sykes vervolgde zachter: 'Hij is nogal overstuur. Er is nooit eerder op hem geschoten en hij kan het niet goed verwerken. Het leek me beter even voor hem in te springen. Voor dat soort dingen krijg ik trouwens ook betaald. Luister eens, voordat dit allemaal gebeurde, zei Clea dat de indiaan had laten vallen dat je met haar de stad uit wilde. Klopt dat?'
'Hij heeft een vriend in San Bernardino.'
'Klinkt goed. De situatie hier staat me niet aan, dus San Bernardino zou heel geschikt zijn.'
'Weet je wel waar je mee bezig bent, Sykes?'
'Meneer Fairbrass heeft me verteld dat iemand het meisje kwaad wil doen. Meer hoef ik niet te weten.'
'Die iemand is Vincent Bonsigniore. Zegt die naam je iets?'
'Moeder van God,' hijgde Sykes.

'Inderdaad. Ik weet niet of je baas het weet, maar jij hoort het te weten. Jij vormt de voorhoede.'

'Bedankt voor de informatie.'

'Ik moet Mad Crow eerst te pakken zien te krijgen,' zei Horn. 'Laten we afspreken dat we elkaar...'

'Nee, we komen naar jou toe,' zei Sykes.

'Onder geen beding. De canyon loopt dood. Als jullie worden gevolgd...'

'We worden niet gevolgd en trouwens, we zijn er al. Ik sta in de telefooncel bij de garage, tien minuten rijden bij je vandaan.'

Verdomme, dacht Horn. 'Kom zo snel mogelijk hierheen,' zei hij, en hij hing op.

23

'Indiaan?'

'O, jezus, ik moet slapen. Ik heb een kop...'

'Sorry. Hoor eens, ik heb een probleem. Clea komt zo hier.'

'Wat? Waar zit je?' Horn hoorde dat Mad Crow iets omstootte toen hij rechtop ging zitten. 'Godver. Hoe laat is het?'

'Bijna drie uur. Ik ben thuis. Sykes heeft me net gebeld. Hun auto is onder vuur genomen en nu zijn ze op weg hierheen. Ze willen haar naar een onderduikadres brengen, zoals wij ook van plan waren, en zo te horen wordt het toch San Bernardino.'

'Stelletje idioten,' zei Mad Crow, die nog slaperig klonk. 'Maakt ze het goed?'

'Ik geloof het wel. Ik moet je nog één keer om een gunst vragen. Ik vraag het liever niet, maar ik weet niet hoeveel mannetjes Bonsigniore erop uit heeft gestuurd om haar te zoeken.'

'Je wilt bescherming,' zei Mad Crow gelaten. 'Iemand voor de rugdekking.'

'Ja, zoiets. Ben je ertoe in staat?'

'Laat ik dat maar voor de jongedame overhebben,' verzuchtte de indiaan in een slechte imitatie van Sierra Lanes gefleem. 'Zeg maar tegen die Sykes dat ik hem kom verbouwen als dit allemaal achter de rug is.' Hij dacht even na. 'Ik kan er pas over een uur zijn. Kun je zo lang wachten?'

'We hebben geen keus. Als je maar opschiet.' Hij zag koplampen achter het raam. 'Daar zijn ze. Ik moet ophangen.'

Hij liep naar buiten en maakte het hek open. De Packard met Sykes achter het stuur en zijn twee passagiers achterin kwam aanrijden. Van de beide verbrijzelde zijruiten achterin waren alleen nog een paar puntige ijspegels glas over. Horn wenkte Sykes en zei dat hij achter de blokhut moest parkeren, zodat de auto niet zichtbaar was vanaf de weg. Even later kwamen ze alle drie naar de veranda.

Clea liep met haar arm om Paul Fairbrass' middel de treden op. Ze zeiden geen woord. Fairbrass maakte een geschokte, amechtige indruk. Horn nam hen mee naar binnen en bood hun de bank aan, het enige prettige zitmeubel. Toen liep hij met Sykes de veranda op.

'Vertel nu eens precies wat er is gebeurd.'

'Dat heb ik al zo ongeveer verteld,' begon Sykes. Het licht van binnen bescheen zijn verse litteken en de speldenprikjes van de hechtingen op zijn linkerwang. 'Ik denk dat ze ons bij de fabriek hebben opgewacht, al zou ik niet weten hoe of waarom.'

'Ik wel, denk ik,' zei Horn. 'Addie Webb. Ze heeft jouw baas verteld waar hij Clea kon vinden, en ik vermoed dat ze Bonsigniore ook heeft verteld dat Clea bij jullie was.'

Sykes kneep zijn ogen tot spleetjes. 'Dat kind? Dat slaat nergens op.'

'Het is een jonge vrouw, ze is dikke maatjes met Bonsigniore en ze is een beetje getikt,' pareerde Horn. 'Ze denkt dat ik haar vriendje heb vermoord – die jongen die jou heeft gestoken, overigens – en dus heeft ze me teruggepakt door Clea bij me weg te laten halen. Ze is jaloers op Clea omdat die haar vriendje heeft ingepikt en nu probeert ze wraak te nemen. Addies kijk op de dingen hóéft nergens op te slaan.'

'Tja,' zei Sykes, 'dan had ze het een stuk eenvoudiger kunnen maken...'

'Weet ik. Door Bonsigniore er meteen bij te halen. Het enige wat ik kan bedenken, is dat ze niet wilde dat zijn mannen de O Bar D overhoop zouden halen en Maggie of haar knechten kwaad doen.'

'Of jou?'

'Ik zou het niet weten. Ze heeft haar vriendin Clea in levensgevaar gebracht en ze jaagt me de stuipen op het lijf,' zei Horn. 'Wat is er bij de fabriek gebeurd?'

'Net toen we door de zij-ingang naar binnen wilden, werden er drie schoten op ons afgevuurd,' vertelde Sykes. 'Je kunt wel zien dat ze ons bijna hadden geraakt. Ik ving een glimp op van een auto met twee of drie man erin, gaf volgas en kreeg ons door de poort. De bewaker sloot meteen weer af. Toen zijn we door een andere poort vertrokken – het is een grote fabriek – en hierheen gereden. Ik heb goed opgelet onderweg, en ik geloof niet dat we zijn gevolgd.'

'Wat is er met Fairbrass?'

'Geen idee, maar het is wel duidelijk dat het de eerste keer was dat er op hem werd geschoten,' zei Sykes wrang. 'Tijdens de rit had hij moeite met ademen. Het kan zijn hart geweest zijn. Het lijkt nu beter te gaan, maar hij is nog over zijn toeren. Hoe dan ook, we zijn hierheen gekomen. Hij was niet weg van het idee, maar ik krijg betaald om voor hem te zorgen en ik had de indruk dat ik maar beter het heft in handen kon nemen. En nu zijn we dus hier.'

'Hoe is het met Clea?'

'Niet slecht,' zei Sykes, en Horn dacht respect in zijn toon te horen. 'Zodra meneer Fairbrass ademhalingsproblemen kreeg, begon ze zich over hem te ontfermen. Volgens mij heeft ze lef.'

'Mooi zo,' zei Horn. 'We gaan het volgende doen: ik breng jullie naar een veilig adres in San Bernardino, maar we hebben hulp nodig. Er is een vriend onderweg om met ons mee te rijden – degene die jij vandaag buiten westen hebt geslagen met je revolverloop.'

Sykes grinnikte. 'Hij zal wel niet blij zijn me te zien. Ik vecht niet altijd sportief.'

'Dat zien we later wel. Hij zou er binnen een uur moeten zijn, en dan gaan we.'

'Oké,' zei Sykes, die de veranda af liep. 'Ik ga langs de weg op wacht staan, dan kan niemand ons verrassen.'

Clea zat binnen op de bank. 'Hij is in de badkamer,' zei ze toen Horn binnenkwam. 'Zijn gezicht gloeide en ik vond dat hij er koud water op moest spatten.'

'Hoe is het met je? Je ziet er vrij kwiek uit voor iemand die zo'n spannende dag heeft gehad.'

'Ach ja,' zei ze langzaam, met haar hoofd naar beneden. 'Ik was ontzettend bang toen ze op onze auto schoten en het glas in het rond vloog, zelfs in mijn schoot. Toen scheurde meneer Sykes weg, en dat was ook eng.' Ze leunde naar voren, met haar gevouwen handen beschermend voor zich. 'En in de auto bedacht ik hoeveel tijd ik de afgelopen dagen alleen maar bang ben geweest. Eerst de begrafenis, toen ik die man zag en hij mij, en toen Tommy en wat er bij hem thuis gebeurde.' Ze hief haar gezicht en keek hem aan. 'Ik ben het spuugzat om bang te zijn. Ik kan me niets ergers voorstellen dan altijd maar bang zijn. Jij?'

'Ik ben het helemaal met je eens.'

'Nou, maar ik heb me voorgenomen ermee op te houden.'

'Zomaar?'

'Ja. Er kan van alles gebeuren, en misschien gebeurt het ook allemaal, maar ik ga mijn tijd niet meer aan getob verspillen.' In het schemerige licht van de lamp op tafel zag hij iets van Iris' trekken in haar gezicht.

'Kind, ik doe met je mee. Mag ik de kunst van je afkijken?'

'Jij? Jij bent nergens bang voor.'

Hij wilde het ontkennen, maar kwam op andere gedachten. 'Lieverd, hoe vind je het om bij hem te zijn? Eerlijk zeggen.'

'Paul, bedoel je?' Hij was blij dat ze hem niet pappie noemde. 'Ik denk dat het nu wel gaat. Ik weet dat hij van me houdt. Tijdens de rit naar Long Beach bleef hij maar zeggen hoe ongerust mijn moeder was. Misschien mag ik haar de schuld niet geven van wat me is overkomen toen ik klein was, maar ik moest een zondebok hebben. Klinkt dat redelijk?'

'Volkomen redelijk. Je weet dat Iris van mij is gescheiden, en dat ik daar niet blij om ben, maar laat niemand me ooit wijsmaken dat ze niet van je houdt. Als we dit allemaal hebben opgelost, hoor je weer bij haar.'

Ze knikte beheerst en hij zag nu pas hoe moe ze was.

'Heb je Paul verteld over die man die je bij de begrafenis had gezien?'

'Ik heb het wel geprobeerd, in de auto, maar hij leek het niet te willen horen.'

Het knaagde weer in zijn achterhoofd. Hij had het gevoel dat er iets belangrijks aan het licht zou komen zodra al het overtollige onkruid was opgeruimd dat zijn geheugen vertroebelde.

Terwijl hij probeerde een volgende vraag te formuleren, kwam Fairbrass uit de kleine badkamer. Zijn gezicht was vochtig en bleek. 'Dat is beter,' zei hij met een quasi-zielige glimlach naar Clea. 'Het spijt me dat ik zo'n lastpak was.'

'Doe niet zo mal,' zei Clea.

'We gaan binnen een uur weg, zodra Joseph Mad Crow er is,' zei Horn. 'Clea, ik zou je dankbaar zijn als je tot die tijd even wilde gaan liggen. Paul en ik kunnen buiten wel praten.'

Ze gingen naar de veranda en Horn deed de deur dicht. 'Gaat het wel?' vroeg hij.

'Beter,' zei Fairbrass. 'Ik kan niet goed tegen spanningen, en je zou kunnen zeggen dat ik vandaag meer dan mijn taks heb gehad. Ik heb niet in de oorlog gevochten. Ik ben jaloers op al die mensen zoals jij, die de strijd aankunnen.'

Ze gingen op de treden zitten. 'Niet jaloers zijn op dingen waar je niets van weet,' zei Horn.

'Nu ik je een compliment heb gemaakt, wil ik je zeggen dat ik het minderwaardig van je vind dat je Clea voor ons verborgen hebt gehouden.'

'Ik had mijn redenen,' zei Horn. 'Ik wilde haar beschermen, meer niet. En zolang ze bij mij was, was ze veilig. Dat kon jij me in Long Beach niet nazeggen, dus geen preken, alsjeblieft.'

Fairbrass zuchtte. 'In elk geval zijn we straks ergens waar we weer opgelucht kunnen ademen.'

'Waarom heb je de politie niet ingeschakeld?'

Fairbrass keek hem verbaasd aan. 'Die zoekt haar al weken.'

'Nee, na die schietpartij, bedoel ik.'

Fairbrass schokschouderde. 'Weet ik veel. Het ging allemaal zo snel.' Hij haalde een sigaret uit een pakje en bood Horn er een aan. Horn schudde zijn hoofd. Toen Fairbrass de vlam van zijn aansteker onder de tabak hield, zweefde er een aromatische geur over de veranda naar de bomen.

'Heb je enig idee wie er op jullie heeft geschoten?' vroeg Horn.

'Ik hoop dat ze ons niet hoort,' zei Fairbrass. 'Dit soort gesprekken zou haar bang kunnen maken.'

'Maak je geen zorgen. De deur is dicht.'

'Goed dan. Nou, ik ga ervan uit dat het iets met die Tommy te maken heeft. We weten al dat hij gevaarlijk is. Nu ziet het ernaar uit dat hij ook gevaarlijke vrienden heeft. Had ik dat maar eerder geweten, dan had ik haar uit zijn buurt kunnen houden.'

'Je hoeft niet over Tommy in te zitten. Die is dood.'

'O ja? Hoe weet je dat?'

'Ik heb zijn lijk zien liggen.'

'O... Ik ben blij het te horen. Maar ik dacht dat hij nog steeds een dreiging voor haar vormde, en daarom wilde ik haar weg hebben.'

'Het klinkt aannemelijk,' zei Horn. 'Ik heb de laatste tijd over veel dingen nagedacht, geprobeerd er lijn in te brengen. Sommige van die dingen zul jij wel irrelevant vinden. Zoals waar je vroeger woonde.'

'Hoe bedoel je?'

'Voor je Iris leerde kennen en met haar trouwde. Waar woonde je toen?'

'In Long Beach. Mijn vader wilde me dicht bij de fabriek hebben. Na zijn dood ben ik daar blijven wonen tot Iris en ik besloten het huis in Hancock Park te kopen. Wat maakt het in godsnaam uit?'

'Dat weet ik nog niet. Trouwens, weet je nog, die foto van Clea die je me hebt gegeven? Tot Iris het me vertelde, wist ik niet dat je hem zelf had gemaakt. Goed werk, bijna professioneel.'

'Dank je,' zei Fairbrass kortaf. 'Het is gewoon een liefhebberij.'

'Heb je een doka?'

'Ja, ik heb een doka. In de garage. Nogmaals, wat maakt het uit?'

'Weet je, ik wil toch wel zo'n sigaret van je, als je het goed vindt.'

'Uiteraard.' Fairbrass maakte het platte kartonnen doosje open en Horn pakte een sigaret. 'Het zijn Turkse,' zei Fairbrass terwijl hij hem vuur gaf. 'Een dure gewoonte, denk ik, maar mijn vader rookte ze en zo ben ik ze ook lekker gaan vinden. Je kunt ze bij een sigarenwinkel aan Wilshire krijgen.'

'Ze zijn anders,' zei Horn, een rookkringel uitblazend. 'Ik denk dat niet iedereen er dol op zou zijn. Ik heb gisteren zelfs nog iemand gesproken die zei dat hij de geur onaangenaam vond.'

'Wie dan?'

'Misschien vertel ik je dat nog wel eens.' Horn stond op, rekte zich uit en bleef zo staan, hoog boven Fairbrass. 'Je vroeg me waar die vragen van mij op slaan. Nou, ik ben op zoek naar iemand die aan een bepaald signalement voldoet. Iemand die goed kan fotograferen. Die een ongebruikelijk merk sigaretten rookt. Die ver weg woont van een jachthut in de San Gabriels, misschien wel helemaal in Long Beach.'

Fairbrass bleef bewegingloos zitten. Hij keek niet eens op. Het puntje van zijn sigaret gloeide in het donker.

'Toen je aan dat signalement begon te voldoen, geloofde ik het eerst niet, omdat het zo krankzinnig was,' vervolgde Horn. 'Het idee dat Iris twee keer getrouwd zou zijn met uitschot dat haar dochtertje misbruikte. Het kon gewoon niet. De kans was te klein. Tenzij... tenzij iemand het zo had geënsceneerd.'

Hij had een beklemd gevoel op zijn borst en beende naar het eind van de veranda en weer terug. Het grootste deel van de stengels en bladeren was weggeknaagd, en hij begon een vorm te onderscheiden. Hij liet zich zwaar in de schommelstoel zakken en keek naar Fairbrass' rug. Aan de andere kant van de canyon riep een nachtvogel.

'Het was die zwarte humor van Arthur Bullard,' zei Fairbrass ten slotte zo zacht dat Horn hem ternauwernood verstond. 'Toen hij ons op dat feest aan elkaar voorstelde, dacht ik dat hij gewoon een goed gastheer wilde zijn. Toen werd ik verliefd op Iris en kon mijn geluk niet op. Ik was ook dol op haar dochter – ik herkende haar natuurlijk niet omdat ze toen al een stuk ouder was. Ik trouwde met Iris. En toen kwam die vreselijke dag dat ze me over haar eerste man vertelde. Ze zei het niet met zoveel woorden, maar ze liet wel doorschemeren waarom hun huwelijk was mislukt, en terwijl ze vertelde, besefte ik dat ik hem kende. En... en Clea.'

Ze heeft die klootzak van een Fairbrass meer over Wendell Brand verteld dan mij tijdens ons hun hele huwelijk, dacht Horn wrokkig. Misschien omdat ze wist dat ik er niet verstandig mee om zou gaan.

'Je noemde hem Harten, hè?'

Fairbrass draaide zich half om, maar zijn profiel was vrijwel onzichtbaar in het zwakke licht uit de woonkamer. 'O, god, je weet echt alles, hè? Na alles wat ik van Iris over je had gehoord, had ik moeten weten hoe slim je bent. Ja, zo noemden we hem. Ik hoorde zijn echte naam pas toen Iris over hem begon te vertellen. Bullard was de enige van wie we de echte naam wisten; hij wilde niet dat de anderen iets van elkaar zouden weten.'

'Dus Iris vertelde je over Wendell Brand,' spoorde Horn hem aan.

'En toen besefte ik hoe Bullard mensen manipuleerde, dat hij de touwtjes in handen had en mensen als marionetten liet dansen. Dat ik met Iris trouwde en Clea's vader werd moet voor hem het summum van humor geweest zijn. Ik had hem wel kunnen vermoorden omdat hij God met me speelde, maar zijn walgelijke grap had me ook veel geluk gebracht. Misschien was ik wel degene die het laatst lachte.'

Dat zei Iris ook al, dacht Horn, maar hij gunde Fairbrass niet de voldoening het hardop te horen uitspreken.

'Toen zei ik tegen Bullard dat ik genoeg had van zijn spelletjes en intriges,' vervolgde Fairbrass. 'Harten – Wendell Brand – was er toen allang uitgestapt. Toen ik uit de groep stapte, waren alleen die twee nog over.'

'Schoppen en Klaveren,' zei Horn peinzend. 'Je wist toen nog niet wie Vincent Bonsigniore was?'

Fairbrass schudde zijn hoofd. 'Daar kwam ik later pas achter. Op een dag zag ik zijn foto bij een artikel staan en toen begreep ik hoe gevaarlijk hij kon zijn. En er was die dag dat Bullard werd begraven, toen Clea en ik hem op hetzelfde moment zagen. Ze pakte mijn hand en kneep zo hard... Hij keek ons allebei aan en ik zag het allemaal op zijn gezicht. Hij wist dat ze hem had herkend, en ik wist dat ze gevaar liep.'

'Waarom heb je haar niet beschermd?'

'Dat heb ik geprobéérd,' zei hij bijna schreeuwend. 'Ik ben naar hem toe gegaan, heb hem gesmeekt ons met rust te laten, gezegd dat ze geen bedreiging vormde. Hij zat daar maar met die knotsen van ringen te spelen. Hij zei dat een van zijn mensen Clea in de gaten hield en dat hij binnenkort zou moeten besluiten wat hij met haar ging doen. Die hoogmoed! Alsof hij over leven en dood kon beschikken en verder niemand iets in te brengen had. Ik probeerde er iets anders op te verzinnen, maar toen liep Clea weg en toen zal ik wel in paniek zijn geraakt.'

'Toen kwam je naar mij toe.'

'Ja.'

'En vertelde me alleen wat jij noodzakelijk achtte.'

'Wat ik je heb verteld, was grotendeels waar – dat ik dacht dat ze bij een vent zat die zichzelf Tommy noemde. Ik heb zelfs heel lang gedacht dat hij echt zo heette. Wat ik je niet heb verteld, was dat ik vermoedde dat hij voor Bonsigniore werkte.'

'Heb je het Sykes wel verteld? Degene die in zijn gezicht is gestoken terwijl hij probeerde zijn werk voor je te doen?'

'Nee,' zei Fairbrass, wiens stem weer vermoeid klonk. 'Ik had eerlijker tegen hem kunnen zijn. Ik probeerde geheimen te bewaren. Veel geheimen.'

'Even voor de zekerheid, maar Tommy – Anthony Del Vitti – heeft Clea in veiligheid gebracht vlak voordat Bonsigniore hem liet vermoorden. Wist je dat?'

'Nee, dat wist ik niet,' zei Fairbrass. 'Als het zo is gegaan, ben ik hem eeuwig dankbaar. Ik hou van haar als van mijn eigen dochter.'

Horn lachte luid, maar vreugdeloos; het had de lach van een beul kunnen zijn. 'Jij zelfingenomen stuk...'

'Niet zo hard, alsjeblieft,' zei Fairbrass gespannen. 'Ik wil niet dat ze het hoort.'

'Je hebt het over het meisje dat je keer op keer hebt misbruikt,' zei Horn, die probeerde zijn woede weg te slikken.

'We hebben haar met geen vinger aangeraakt.'

'Ja, al goed. Je hebt alleen foto's van haar gemaakt. Bonsigniore mocht een arm stumpertje verkrachten terwijl Clea toekeek.'

'We... we hebben geprobeerd hem tegen te houden.' Horn hoorde de verbazing in Fairbrass' stem. 'Heeft ze je dat zelf verteld?'

Horn vond het geen antwoord waard. 'Ze zal er haar hele leven nachtmerries van blijven houden.'

'Ja,' zei de ander bijna fluisterend. 'Kon ik dat maar ongedaan maken.'

'En dat andere meisje? Bullard heeft haar ouders zeker iets extra's toegestopt? En al die anderen? Wil je wat hun is overkomen ook ongedaan maken? Of maak je je alleen zorgen om je dochter?'

Toen Fairbrass geen antwoord gaf, deed Horn er nog een schepje bovenop. 'En al die tijd dat ze met jou onder een dak woonde heb je haar zeker ook met geen vinger aangeraakt?'

'God is mijn getuige,' zei Fairbrass. 'Je zult het wel niet begrijpen, maar... Weet je, ik heb bepaalde aanvechtingen. Wendell Brand had ze ook. In mijn geval is het zuiver visueel, in samenhang met mijn fotografie. Ik kijk gewoon graag naar... Je weet wel. Wat zich daar verder ook heeft afgespeeld, dat was het werk van de andere twee.'

Hij zei het langzaam en weloverwogen, maar zijn woorden hadden iets onontkoombaars, alsof hij eindelijk zijn langverwachte publiek had gevonden. 'Je moet wel begrijpen,' vervolgde hij, 'dat de meisjes... dat ze heel jong moesten zijn. Tegen de tijd dat ik met Iris trouwde, was Clea die leeftijd al voorbij, en mijn belangstelling voor haar – mijn liefde voor haar – was zuiver vaderlijk. Nog steeds.'

'Hoeveel weet Iris hiervan?'

'Niets. Absoluut niets. Als ze er ooit achter komt, wordt het haar dood. Dat weet jij ook wel.'

Horn bleef een tijdje zwijgend zitten, bijna alsof Fairbrass er niet was. Van de vele mensen die in dit verhaal van zwakte en misbruik waren gekwetst, was Iris het meest trieste, onwaarschijnlijkste geval. Het leek of elk volgend huwelijk haar dieper in de ellende had gestort. Wat maakte dat Iris mannen als Horn aantrok, vol woede en schaamte, en mannen als Brand en Fairbrass, die bezeten werden door de donkerste impulsen van de natuur? Zij had geen schuld aan dit alles. Hij had juist medelijden met haar, omdat iets in haar zulke mannen op haar pad bracht en zo'n schaduw over haar leven wierp. Ze heeft genoeg ongeluk gekend, dacht hij. Het spijt me dat een deel ervan aan mij te wijten is.

Iris moest natuurlijk weten hoe het met Fairbrass zat. Zou die onthulling inderdaad haar dood worden, zoals hij had gezegd?

Het was lang stil geweest, en het drong niet meteen tot hem door dat Fairbrass iets zei. 'Wat?'

'Ik zei: wat ga je nu doen?'

Als dit allemaal voorbij is, ga ik je waarschijnlijk vermoorden. De woorden lagen hem al op de lippen, op het punt uitgesproken te worden, toen hij een zwak geluid langs de weg hoorde. Even later doemde de gestalte van Sykes op en knarsten zijn schoenen over het grind van de oprit. 'Naar binnen,' zei Sykes op gedempte toon.

Fairbrass en Horn gingen de blokhut in, waar Clea nog op de bank lag. Sykes beklom de treden en bleef in de deuropening staan. 'Ik hoorde een auto, maar hij stopte. En ik zag geen lichten. Het is nog te vroeg...'

Horn hoorde in de verte een geluid alsof er een tak knapte, en op hetzelfde moment bloeide er een donkerrode bloem achter Sykes' hoofd op en werd de deur met kleine bloemblaadjes bespat. Sykes' gezicht kreeg een niet-begrijpende uitdrukking en toen viel hij voorover. Het geluid waarmee zijn hoofd en borst de vloer raakten klonk schrikbarend hard in de kleine kamer.

24

De seconden daarna flitsten door Horns geest als korte, schokkerige scènes van een slecht gemonteerde film:

Sykes, die als een zoutzak bleef liggen; zijn achterhoofd dat rood glansde, een stuk schedel met haar eraan, vreemd genoeg niet bebloed, dat op zijn schouder lag; Clea's verstikte kreet, een ogenblik later gevolgd door een van verbijstering en wanhoop vervulde schreeuw van Fairbrass. Nog zo'n krakend geluid, en vrijwel op hetzelfde moment de zachte knal van een kogel die zich naast Clea's schouder in de bank boorde. Clea's gezicht, spierwit van angst. Het gewicht van de Colt toen Horn hem van de tafel pakte, toen de slag met de rug van zijn hand waarmee hij de lamp omgooide; het peertje knapte en de kamer was in duisternis gehuld.

Scherpschutter met een geweer, dacht hij. 'Niet bewegen.' Hij liet zich op de vloer vallen, pakte Sykes bij zijn mouw, trok het zware lichaam de kamer in, kroop eromheen en sloeg de voordeur dicht. 'Achter de bank, allemaal.' Hij voegde zich bij de anderen, en ze zaten dicht tegen elkaar aan gedrukt naar het geluid van hun gespannen ademhaling te luisteren.

'O, god. Dewey.' Fairbrass' stem was een strak gespannen koord. 'Ze hebben hem vermoord. Wat moeten we nu?'

'Laat me even denken.'

Denk na. Sykes had het over twee of drie mannen gehad. Ten minste één van hen had een geweer en was een goed schutter. Waarschijnlijk lopen ze nu over de weg. Straks kunnen ze de blokhut omsingelen, zodat wij er niet meer uit kunnen, en dan kunnen ze doen wat ze willen. Ze kunnen er alle tijd voor nemen, want er zijn geen buren die alarm kunnen slaan. Schoten in het donker, hier, aan het ruige eind van de canyon, kunnen afgevuurd zijn door iemand die op wasberen of buideldieren jaagt. Sykes had het goed gezegd: de situatie staat me niet aan. Ze moesten hier weg.

Hij kwam achter de bank vandaan en tastte met zijn hand naar de doos patronen op de vloer, maar vond niets. Hij kroop naar de deur en spitste zijn oren. Toen knielde hij bij Sykes, voelde onder zijn lichaam en vond het wapen in een holster op zijn rechterheup. Zo te voelen was het een .38 met een korte loop, het dienstwapen van een rechercheur in burger. Horn, die het wapen niet goed kende, slaagde er na enig gepruts in de cilinder open te maken. De revolver was inderdaad geladen. Hij kroop weer achter de bank en drukte Fairbrass de revolver in de hand. 'Pak aan,' zei hij.

'Ik heb nog nooit met een revolver geschoten. Alleen met een .22 geweer toen ik...'

'Kan me niet schelen. Je richt en haalt de trekker over. Hou hem met twee handen vast, als dat helpt. Richt iets onder je doelwit. Niet trekken, maar wat kracht zetten als je vuurt. Zo simpel als wat.'

'Je kunt het wel,' zei Clea.

'Goed dan.'

'Nu gaan we naar de achterkant,' zei Horn, 'voordat ze de kans krijgen ons te omsingelen. Volg mij, en blijf zo dicht mogelijk bij de grond.' Hij hoopte dat ze de spanning in zijn stem niet hoorden.

Met hun handen in het donker tastend bereikten ze de achterkant van de blokhut, waar een enkel smerig raam uitzicht bood op de helling. Horn wrikte het open, stak de Colt in zijn riem, klom naar buiten, liet zich op de zachte grond vallen en hielp toen de anderen, te beginnen met Clea.

Horn leidde de andere twee om de massa van de Packard heen en ging hen voor naar het bochtige pad de heuvel op. 'In ganzenpas,' zei hij zacht. 'Niet praten.'

De eerste vijf minuten vorderden ze moeizaam, aangezien er bijna geen licht onder de bomen was. Horn kende het pad, maar de andere twee dwaalden steeds af en moesten zich dan een weg banen door de takken die in hun gezicht zwiepten. Halverwege bleef hij staan om te luisteren. Eerst hoorde hij niets; toen klonk er een stem in de verte, ergens in de buurt van de blokhut. Een andere stem antwoordde. Hoeveel het er ook waren, dacht hij, uiteindelijk zouden ze merken dat de blokhut leeg was en de helling beklimmen. Hij leidde de andere twee verder langs het pad.

Minuten later kwamen ze op het plateau en liepen over de met onkruid begroeide grond, waar hij nog maar een paar dagen geleden met de zeis aan het werk was geweest. Ze zagen de grijze, onduidelijke vormen van de restanten van Ricardo Aguilars landgoed: het grote huis, de bijgebouwen, het zwembad en de tennisbaan.

Mad Crow kon weinig voor hen doen, stelde Horn vast. Hij hoopte dat zijn vriend bij aankomst de situatie zou kunnen peilen en verstandig genoeg zou zijn om zich erbuiten te houden en de politie te laten komen. Het enige wat ze nog konden doen, redeneerde hij, was zo snel mogelijk doorklimmen naar het pad langs de kam van de westwand van de canyon en dat in zuidelijke richting volgen. Na een kilometer zouden ze huizen bereiken, waarvan sommige met telefoon, en konden ze zelf proberen hulp in te roepen.

Hij leidde Fairbrass en Clea om de ruïne van de villa naar de lichte helling naar beneden, waar ze het pad vonden en links afsloegen. Al snel werden ze weer door bomen omringd. Horn hoorde Fairbrass achter zich hijgen. 'Het gaat goed,' fluisterde Clea, maar ze klonk zelf ook doodsbang.

Opeens hoorde Horn iets. 'Sst,' zei hij. Er gingen een paar seconden voorbij en toen hoorde hij het weer – een roepende stem, voor hen, en zo te horen nog geen honderd meter bij hen vandaan. Het antwoord liet niet lang op zich wachten. Het klonk zwakker en kwam van links achter hen. Ten slotte antwoordde er een derde stem van nog verder weg, Horn kon niet bepalen uit welke richting.

Ze waren ingesloten. Een van de mannen was snel door het donkere struikgewas langs het pad gerend om hun de pas af te snijden. Ze waren met hun drieën en ze hadden zich verspreid; ze waren slim en werkten methodisch.

'We moeten terug,' zei Horn zacht.

'O, nee,' zei Fairbrass wanhopig.

'Kom.' Ze haastten zich terug naar de villa. Hun drie achtervolgers haalden hen in. Horn kon niets anders bedenken dan dekking zoeken. Hij hoopte dat het donker hen zou beschermen tot er hulp kwam, maar eigenlijk wist hij wel beter. De drie mannen in het donker zouden hen vinden.

Terwijl ze over het uitgestrekte vroegere gazon van Aguilar liepen, trok hij zijn plan. 'Deze kant op,' zei hij. 'Doe heel voorzichtig.' Ze klommen over de afgebrokkelde, heuphoge muur langs de voorkant van het huis en zochten zich een weg door de laatste resten van de villa, een doolhof van oud beton, gebroken tegels en verkoolde balken. Dankzij zijn verkenningstochten bij daglicht kende Horn de indeling en afmetingen van het huis bij benadering. Ze waren nu in de woonkamer, met de resten van een stenen open haard. Uit de brandlucht maakte hij op dat er nog steeds landlopers en andere bezoekers kwamen die hier vuur stookten. Links was de vroegere gang naar de keuken en eetkamer. Hij tastte langs de muur en stopte halverwege de gang. 'Hier.'

De deur was verbrand, zodat er een zwart, gapend gat was ontstaan dat gedeeltelijk werd versperd door verkoold hout en ander puin. Horn legde de grootste brokken hout en steen opzij, stapte aarzelend in het gat en wenkte de andere twee. Ze daalden een tiental treden af, bereikten de bodem en ademden de koelere lucht in.

Ze waren in Aguilars stenen wijnkelder, die de brand vrij goed had doorstaan. Anderen hadden hem uiteraard ook gevonden: de wijn was allang verdwenen. De flessen die niet gestolen waren, waren door vandalen kapot gegooid. Er hing een doordringende zure lucht. Het was pikdonker, maar Horn had hier een keer met een zaklamp rondgekeken en kende de afmetingen van de ruimte.

'Pas op voor glasscherven,' zei hij. Hij leidde Clea en Fairbrass op de tast naar de achterste hoek van de kelder en liet hen onder een verzakte kast zitten. 'Als je hier blijft zitten en je stil houdt, komt het wel goed,' zei hij zelfverzekerder dan hij zich voelde. 'Ik ga naar boven, op de uitkijk staan.'

'Weet je wie het zijn?' vroeg Fairbrass met schorre stem.

'Nou, ze zijn natuurlijk door je vriend Vinnie gestuurd,' zei Horn, 'maar of ik hun namen weet? Ik ben er vrij zeker van dat ik er één ken. Ik verwachtte al hem nog eens tegen te komen.'

Hij tastte naar Clea en vond de hand van Fairbrass, die naar de zijne reikte alsof hij om geruststelling vroeg. Hij gaf er gegeneerd een kneepje in en vond toen Clea in het donker. Hij hield zijn hand even tegen haar wang, voelde de warmte, hoorde haar 'doe voorzichtig' zeggen en ging weg.

Buiten tuurde hij om zich heen, probeerde zich de plattegrond van de ruïne voor de geest te halen en zocht naar een plek die hem dekking bood. Hij herinnerde zich iets, liep een meter of tien naar het noordwesten en vond het. Hier had ooit een gastenverblijf van Aguilar gestaan. Nu stonden er alleen nog stukken van de fundering van de buitenmuur. De dichtstbijzijnde hoek vormde een V die tot zijn middel reikte. De punt wees naar de villa en een van de poten van de V, die ongeveer twee meter lang was, bood dekking tegen de man die over het pad uit het zuiden naderde. Hij moest het er maar mee doen. Hij ging achter de muur zitten en probeerde het zich gemakkelijk te maken.

Het was donker en de nieuwe maan, die de horizon naderde, was nog te smal om veel licht te geven, maar de nevel in de lucht reflecteerde de verre lichtjes van de stad, die hun zwakke schijnsel op de grond wierpen. Gladde objecten, zoals het verbrokkelde marmer en de resten graniet die her en der verspreid lagen, leken te stralen. Stukken muur die nog rechtop stonden of tegen elkaar aan leunden, zagen eruit als zerken op een verwaarloosd kerkhof.

Horn keek naar zijn arm, en zag dat de witte mouw van zijn overhemd net zo oplichtte als het marmer. Hij verwenste zichzelf omdat hij daar niet eerder aan had gedacht. Hij trok zijn overhemd uit, toen zijn hemd, en rolde ze strak op. Hij legde de Colt behoedzaam op zijn zijkant op de muur, met de loop van zich af, en probeerde aan iets anders dan zijn dood te denken.

Het wapen waarmee het Wilde Westen is veroverd, mijmerde hij terwijl hij naar de Colt keek. Ik ben al blij als deze Colt de klus hier bij de Villa Aguilar kan klaren. Ze zeggen dat Wyatt Earp een Colt gebruikte in de OK Corral. Kon hij hem met vaste hand afvuren?

Hij luisterde ingespannen of hij voetstappen op het pad hoorde, maar de enige geluiden kwamen van de krekels en de stem in zijn hoofd.

Waar ben je mee bezig, John Ray?

Wat kan het je schelen? Je bent dood. Maar als je het zo graag wilt weten: Ik wacht op iemand die mij net zo morsdood wil maken als jij bent.

Ik geloof dat hij eraan komt. Er zijn er meer.

Weet ik, Scotty. Ik heb het een beetje druk.

Ik wil je alleen maar helpen. Weet je, dit is net het grote vuurgevecht van de laatste filmspoel, als je altijd...

Godver.

Sorry. Kan ik iets voor je doen?

Horn voelde het gevoel opkomen, net als tijdens die strenge Italiaanse winter tussen de rotsen en het ijs. Het begon ook nu weer in zijn maag, waar het fladderde als een zwerm uitzinnige vlinders, en verspreidde zich vervolgens naar zijn armen en benen, waar het zijn spieren deed verslappen. Zijn rechterhand begon heel licht te beven.

Iemand kwam hem vermoorden. Hij zat op de grond, leunde naar voren, sloeg zijn armen om zijn knieën en probeerde het gevoel dood te drukken, maar hij wist dat het zich had ingekapseld en alleen maar sterker zou worden, dat het zijn adem en hartslag zou versnellen en zijn armen en benen verlammen. De angst was teruggekeerd, als een oude vijand die hij had willen vergeten, maar die hem nooit was vergeten.

Scotty?

Ja?

Was jij bang toen je stierf?

Nou en of, maar dat is geen eerlijke vraag. Het valt niet mee om je groot te houden als je opeens uit een raam valt, snap je? Laten we het liever over jou hebben, cowboy. Als iemand weet hoe je sterk, stil en heldhaftig moet zijn, moet jij het zijn.

Dat telt niet. Dat was maar acteren.

Je hebt in de oorlog gevochten. Je hebt zelfs een paar moffen vermoord.

Dat telt ook niet, en ik heb je al verteld waarom niet. Op je begrafenis, weet je nog?

Goed, zie het dan zo: als je die lui niet aankunt, ben je straks net zo dood als ik.

Nu maak je het alleen maar erger.

En Clea dan?

Wat bedoel je?

Als je nu niet sterk bent en doet wat je moet doen, wat zou haar dan te wachten staan, denk je?

Horn tuurde langs de boomgrens en dacht na over Scotty's woorden. Waren het Scotty's woorden wel? Het was vreemd, maar hij hoorde Clea's stem ook: *Ik ben het spuugzat om bang te zijn. Ik ga ermee ophouden.* Hij zag haar onder de kerstboom, het jaar dat hij haar vader was geworden. Hij zag haar die eerste keer op Raincloud, en op het carrouselpaard. Hij zag haar met een strak gezicht van kleine-meisjesconcentratie naar de ring reiken.

Hij zag haar dood.

Hij ging verzitten, knielde en leunde op de brokkelende muur. Iets in hem kwam tot rust, iets warmde de spieren die zo verkild waren geweest, iets maakte de nu op de muur rustende handen vast.

Hij zou haar niet dood zien.

De angst was niet weg, maar had zich teruggetrokken. Hij voelde alleen nog een samengebalde klont in zijn maag die wachtte op de dag dat hij zich weer mocht ontvouwen. Hij spande en ontspande verwonderd zijn vingers. Ze voelden niet verstijfd, maar sterk.

Horn besefte dat de omgeving iets duidelijker zichtbaar was geworden. De onregelmatige pilaren van betonresten hadden meer contour gekregen en toen hij naar links keek, hing de lucht bleek boven het silhouet van de villa en de oostwand van de canyon in de verte. Het begon licht te worden.

Zijn ogen dwaalden terug over het plateau en hij zag een beweging op de plek waar het pad de bomen onderbrak, zo'n honderd meter bij hem vandaan. Daar was de man. Hij had een pistool, geen geweer, en hij liep langzaam en gebukt de open plek op. Zijn witte overhemd was flets in de eerste schemering.

Ze mogen dan glad en gevaarlijk zijn, dacht Horn met voldoening, maar het blijven stadsmensen; ze hebben nog nooit 's nachts in het bos op iemand gejaagd.

Denk er goed om, hield hij zichzelf voor: je moet de haan van een enkelschots wapen spannen voordat het vuurt. Dat kost extra tijd, maar die prijs moet je betalen als je een authentiek wapen in je film wilt gebruiken. Ik zou nu best mijn oude M-1 bij me willen hebben.

Hij spande langzaam de haan van de Colt tot hij de klik hoorde, tuurde langs de lange loop en wachtte. De man had het pad voor het hoge gras verruild en naderde niet in een rechte lijn, maar maakte een flauwe omtrekkende beweging naar rechts. Uiteindelijk zou hij bij de resten van een ander gastenverblijf uitkomen, en daar kon Horn hem niet meer zien. Voor hij er was, zou hij Horn tot een meter of twintig, dertig naderen. Niet zo dicht dat een handvuurwapen gegarandeerd effect zou sorteren, maar hij moest het schot wagen.

Hij wachtte. De man naderde de ruïnes, van links naar rechts kijkend, meer op zijn gemak. Hij had niet de behoedzame tred van een jager, maar liep bijna als een zeeman, met losjes zwaaiende armen. Hij had iets bekends, vond Horn, maar hij had geen tijd om erover na te denken. Hij haalde op het laatste moment de trekker over, vlak voordat de gedaante uit het zicht verdween.

Het schot klonk oorverdovend in de stilte. De terugslag van de Colt was zwaarder dan wanneer hij met losse flodders schoot, en Horn nam het zichzelf kwalijk dat hij daar geen rekening mee had gehouden. Toen de gestalte wegdook, wist hij dat hij had gemist. Het tweede schot volgde snel. Vlak voordat hij zijn ogen dichtdeed en achter de muur dook, zag Horn de vlam vlak boven de grond uit de loop komen.

Er gingen een paar seconden voorbij. Horn keek over de brokkelige rand van de muur en spande de haan van de Colt weer. Hij zag eerst niets, toen een lichte veeg in het gras op de plek waar de man zich had laten vallen. Hij richtte, maar voordat hij kon vuren, sprong de man op, stoof naar de dichtstbijzijnde berg puin en dook erachter weg. Er verstreken weer seconden. Toen werd er plotseling van achter het puin geschoten en hoorde Horn dat de kogel zich in de muur drong. Hij weet waar ik zit, dacht hij.

Horn zat moeizaam ademend achter de muur. Hij vroeg zich af hoe hij de man uit zijn schuilplaats kon lokken. Hij keek voorzichtig over de muur naar de puinhopen, maar zag geen beweging meer. Ik wil geen kogels verspillen, maar ik moet hem in beweging krijgen, dacht hij. Hij richtte op de grootste berg puin, vuurde en zag dat de kogel brokstukken lossloeg en met een fluitend geluid afketste. Maar er bewoog niets.

Plotseling weer een schot, nu twintig meter rechts van hem, en Horn dook weer weg. Godverdomme. Hij loopt telkens weg als hij schiet. Misschien kan ik hem zó te pakken nemen.

Hij tastte over de grond en vond een tak. Hij stak het uiteinde in zijn opgerolde hemd en overhemd, tilde de bundel op en zwaaide hem langzaam heen en weer boven de muur. Binnen een paar seconden daverde het volgende schot. Het was een misser, en nu dwong Horn zichzelf zijn hoofd hoog te houden en het terrein te overzien. De man rende van een brok steen naar het gastenverblijf waar hij naartoe was gelopen toen Horn zijn eerste schot waagde. Horn vuurde snel, zag dat hij had gemist, richtte vlak voor de rennende gestalte en haalde de trekker nog eens over.

Hij hoorde een kreet.

De man lag. 'Godver!' hoorde Horn hem schel roepen. 'Hij heeft me geraakt!'

Horn ging staan. Hij zag de man, die kronkelend in het gras lag. Nu herkende hij hem: het was Dominic, Bonsigniores eigenwijze neefje dat niet bij de grote jongens mocht zitten, maar blijkbaar wel op pad gestuurd kon worden om iemand te vermoorden.

'O, shit!' kreunde de jongen. 'Gabe! ik ben geraakt!'
Toe maar, Gabe, dacht Horn. Kom je mannetje maar halen. Kom maar hier, dan zal ik je...
Vlak voordat hij het geweerschot hoorde, suisde de kogel al zo dicht langs zijn oor dat de lucht leek te splijten. Hoewel hij al besefte dat het schot van achter hem kwam, dook hij instinctief achter de muur. Hij draaide zich net op tijd op zijn knieën om om het silhouet van de schutter tegen de fletse lucht afgetekend te zien. Hij stond op een berg puin, nog geen twintig meter bij Horn vandaan, en richtte weer. De tweede kogel ploegde zich in het zand tussen Horns knieën. Hij hief de Colt in een reflex, bijna panisch, maar hij was vergeten de haan weer te spannen, wat hem een fractie van een seconde kostte voordat hij het schot kon beantwoorden, en toen had hij bijna geen tijd meer om te richten. Hij drukte zich in de betonnen V, zichzelf in het nauw drijvend, en wist dat hij geen kant meer op kon.
Het derde schot sloeg een gat in de muur, op een paar centimeter van zijn gezicht. Er schampte iets langs zijn wang en de geur van stof en gruis vulde de lucht. Horn vuurde weer, lukraak, in een wanhopige poging zijn tegenstander van zijn stuk te brengen. Toen hoorde hij hem de volgende patroon doorladen, zo duidelijk alsof ze in dezelfde kamer stonden. Horn richtte zorgvuldiger en haalde de trekker over, maar de hamer viel op een verbruikte huls. Geen kogels meer. Hij zag de ander als in een vertraagde film het geweer richten en verbeeldde zich dat hij de glimmende loden kogel aan het eind van de zwarte loop kon zien, vlak voordat...
Hij kneep zijn ogen dicht en voelde zich zwak en dwaas. Maar geen man wil de kogel zien die zijn dood wordt. Hij wachtte. Er ging een seconde voorbij, toen nog een.
Toen hij zijn ogen weer opende, was er iets veranderd. Het silhouet tegen de lucht had zich verdubbeld, en ze bewogen allebei hevig. Toen verdwenen ze uit het zicht en Horn hoorde een hese, hevige zucht die werd afgesneden zodra hij begon. Daarna niets meer.
Hij kwam overeind, beschaamd om zijn knikkende knieën. De schreeuw liet hem geen tijd om zich af te vragen wat er was gebeurd. Het geluid kwam van achter hem, en het was Clea's stem.

25

De schreeuw werd direct gevolgd door schoten – een, twee, nog een paar, in het wilde weg.

Horn klauterde over de V, haastte zich door het puin naar het huis en klom over de lage muur in wat het gedeelte tussen de gang en de woonkamer was geweest. Van daar kon hij de deur naar de wijnkelder zien. Er flakkerde licht; een vage mannengestalte blokkeerde de deuropening.

Toen Horn dichterbij kwam, zag hij dat de man met een zaklantaarn in de kelder scheen. Er verscheen iemand in de lichtbundel. Het was Paul Fairbrass. Hij hield Sykes' wapen in zijn hand en richtte op de man in de deuropening. Horn hoorde het droge klikken toen Fairbrass keer op keer de trekker overhaalde. Fairbrass vertrok zijn gezicht en brulde van razernij. Hij slingerde de lege revolver naar boven en stortte zich toen zelf met gebalde vuisten op de man.

Een enkel gedempt schot en Fairbrass viel met bebloed gezicht achterover. Nog een kreet van binnen. De man in de deuropening liep de trap af, met de lichtbundel zwaaiend tot hij vond wat hij zocht. Hij liep erop af.

Horn stommelde over de losse brokken steen, half struikelend, bereikte de drempel en stortte zich op de donkere gedaante onder aan de trap. De man wilde zich omdraaien, maar Horn raakte hem zijdelings en ramde hem met zijn volle gewicht tegen een rij planken. Ze stootten tegen de planken, maakten zich van elkaar los en vielen beiden op de stenen vloer. Horn hoorde iets kletterend vallen.

Hij sprong overeind. Het enige licht was afkomstig van de zaklamp, die op de vloer lag en nutteloos een plint bescheen. De andere man was een schaduw in de hoek. Had hij zijn wapen nog? Horn wachtte op de knal, de inslag van de kogel.

'Ben jij dat, cowboy?' vroeg de man zacht. Zijn New Yorkse accent was nog zwaarder. 'Ik had je toch gezegd dat je ons niet in de weg moest lopen?' Hij tastte naar een plank, voelde even en trok zijn hand terug. Hij is zijn wapen kwijt, dacht Horn.

'Eerst jij, dan zij,' zei Falco effen. 'Het is mij allemaal om het...'

Horn dook in elkaar en viel aan. Hij drukte zijn schouder in Falco's borst en dreef hem tegen de muur. Falco kreeg geen lucht meer. Horn zag zijn kans, balde zijn vuist en mikte op het hoofd van zijn tegenstander, maar toen zag hij Falco's rechterhand met een boog omhoogkomen. Er schitterde iets in het zwakke licht en het volgende moment brandde Horns nek van de pijn. Hij schreeuwde het uit.

'Lekker, hè?' prevelde Falco terwijl hij de scherpe rand van de gebroken fles nog dieper in het vlees en de spiermassa draaide. Horn voelde dat hij verslapte. De pijn was erger dan alles wat hij zich kon herinneren – erger dan de kogel in zijn schouder. Hij voelde dat Falco de fles uit de wond trok en toen zag hij de fles voor zich, op zijn hals gericht. Hij jankte radeloos, pakte Falco's pols met zijn linkerhand en omsloot zijn keel met de rechter. Falco balde zijn vrije hand tot een vuist en stompte Horn een paar keer tussen zijn ribben.

Ze worstelden even staand, tot Falco zijn ene been achter Horns knie haakte en hem liet vallen. Ze rolden hijgend over de vloer. Horn bleef de pols en hals omklemmen en Falco stompte hem in zijn gezicht.

'Clea,' bracht Horn met verstikte stem uit, 'rennen.' Hij hoorde voetstappen naar de trap lopen.

Falco gaf hem een knietje in zijn kruis en hij voelde misselijkheid opkomen. Er kwam een herinnering aan een kroeggevecht in San Antonio boven en hij zette zijn tanden in Falco's oor tot hij bloed proefde. Falco trok kreunend zijn hoofd weg, maar zijn linkerhand bleef onvermoeibaar tegen Horns slaap beuken. Horn werd duizelig. Hij sperde zijn ogen open, maar zag alleen grijs. Zijn handen deden pijn. Hij kneep met zijn laatste restje kracht Falco's keel dicht, maar voelde alleen spieren als kabels onder zijn vingers.

Hij kreeg weer een stomp tegen zijn hoofd en voelde dat hij het bewustzijn begon te verliezen. Niet loslaten, dacht hij. Nog een stomp. Het was alsof de klok van het klooster op de berg in zijn oren luidde. Hij deed zijn ogen nog een laatste keer open om Falco in zijn gezicht te spugen en werd bijna verblind. Het gezicht baadde in het licht als de volle maan. De hijgende mond hing open en de ogen waren groot van verbazing. Falco draaide zijn hoofd om en probeerde met knipperende ogen te zien wie de zaklantaarn vasthield. Op dat moment verscheen de loop van zijn eigen wapen in de lichtbundel en schoof langzaam, bijna teder naar voren tot hij tegen Falco's slaap rustte. Hij voelde het en probeerde zijn hoofd weg te trekken, maar Horn hield hem vast.

De oorverdovende explosie reet het grootste deel van een wang weg. Falco verstijfde en ontspande toen de shock inzette. Het tweede schot was nauwkeuriger; het raakte hem midden in zijn slaap.

Horn schopte hem van zich af en bleef hijgend liggen. De zaklamp viel op de grond en ging uit. Hij tastte naar Clea's hand en trok haar naar zich toe.

Ze huilde ingehouden. 'Ik dacht dat je doodging,' zei ze.

Ik ook, dacht hij, maar in plaats daarvan zei hij: 'Hoe kan dat nou, zolang ik jou nog heb om op me te passen?'

Buiten riep een bekende stem zijn naam. 'We zijn hier,' riep hij terug. 'We komen eraan.'

Zijn voet raakte onder aan de trap een been. Hij ging op zijn knieën zitten, drukte twee vingers in Fairbrass' hals en zocht de slagader. Geen hartslag.

Toen hij opstond, legde Clea een hand op zijn arm. 'Is hij...'

'Laten we maar doorlopen,' zei hij snel. 'Geef me een hand, lieverd. Deze kant op.'

Mad Crow stond ongerust kijkend in het grauwe ochtendlicht. Hij had jagerskleding aan, alsof hij een weekendje ging kamperen, en de hoofdwond die Sykes hem had toegebracht was verbonden. Hij had zijn pistool in zijn hand.

Horn struikelde bijna toen hij van de treden in het licht kwam, en Clea ondersteunde hem, net zoals ze Paul Fairbrass had ondersteund toen hij de treden van de blokhut beklom. 'Je wordt heel goed in het de trap op helpen van oude baasjes,' zei hij tegen haar.

Mad Crow trok vragend zijn wenkbrauwen op.

'Falco ligt beneden,' zei Horn.

'Ik heb hem doodgeschoten, oom Joe,' zei Clea op een toon alsof ze vertelde wat er op school was gebeurd.

'Stil,' zei Horn. 'Daar hoeven we het niet over te hebben.'

Mad Crow kwam naar hen toe. 'Godallemachtig, je bloedt als een rund. Wat is er gebeurd?'

'Hij had een gebroken fles. Hoe ziet het eruit?'

'Een verschrikkelijke troep is het,' zei Mad Crow, die Horn bij de schouder pakte en hem iets draaide. 'Maar ik wil wedden dat hij alleen huid en spierweefsel heeft geraakt, niets van levensbelang. Al moeten we je wel snel verbinden.'

'Mijn hemd ligt daar.'

Een paar minuten later had Mad Crow een provisorisch verband aangelegd door Horns hemd opgepropt op de wond te leggen en het met de mouwen van het overhemd strak onder zijn rechterarm vast te binden. 'Je moet naar de dokter,' mompelde hij terwijl hij een knoop in de mouwen legde.

'Straks,' zei Horn. 'Wat is er buiten allemaal gebeurd?'

'Billy heeft het opgeknapt,' zei Mad Crow. 'We vonden Sykes, namen aan dat je deze kant op was gevlucht en zijn gevolgd. We hoorden schoten. Het is Billy gelukt achter die vent met het geweer te komen. Hoeveel waren het er eigenlijk?'

'Drie in totaal,' zei Horn. 'Er moet daar ergens een gewonde liggen.' Hij wees de richting aan en zag Billy Kijkt Vooruit uit het hoge gras oprijzen. Zijn blote borst, gezicht en armen waren donker gemaakt, zo te zien met aarde en roet. Zijn lange haar werd door een hoofdband op zijn plaats gehouden. Hij had geen vuurwapen, maar Horn zag dat hij het lemmet van een mariniersmes met een handvol gras schoonveegde.

'Het is geen gewonde meer, John Ray,' zei Mad Crow zacht.

Kijkt Vooruit stak zijn mes in het foedraal en liep door het gras naar het pad. Hij ging in de kleermakershouding op de grond zitten, met zijn gezicht naar Horn toe, en van die afstand leek het net alsof hij zijn ogen gesloten hield.

'Dat was het neefje van Bonsigniore,' zei Horn.

Mad Crow vloekte binnensmonds en zei toen hardop: 'Tja, maar hij was erop uit gestuurd om mannenwerk te doen, nietwaar?'

'Billy heeft mijn leven gered,' zei Horn. 'Ik wil hem bedanken.'

'Niet nu,' zei Mad Crow. 'Hij moet even bekomen. Laat hem nog even met rust.' Hij wendde zich tot Clea. 'Hoe gaat het, schattebout?'

'Prima, oom Joe,' antwoordde ze vrolijk – iets té vrolijk, vond Horn. 'Ik ben alleen moe.'

Horn sloeg zijn armen om haar heen en knuffelde haar. Toen wenkte hij Mad Crow voor een onderonsje. 'Haar vader ligt ook beneden,' vertelde hij zacht. 'Falco heeft hem vermoord. Ik wil haar hier zo snel mogelijk weg hebben. Ze heeft haar moeder nodig.'

'Goed. Wat doen we met al dat tuig van de richel?'

Horn dacht even na. 'In de gereedschapsschuur achter de blokhut kun je een houweel en spade vinden. Pak al hun wapens, legitimatiebewijzen, horloges en ringen en dergelijke en begraaf ze in het bos. Onze vriend Bonsigniore zal nooit weten waar ze gebleven zijn. Hij zal het wel kunnen raden, maar zeker weten zal hij het nooit.' Hij zweeg even. 'Ze zijn met een auto gekomen.'

'We hebben hem gezien. Ik zal hem verdomme recht voor Vinnies huis neerzetten.'

'Maak het nou niet te bont. Zet die auto gewoon ergens ver weg, goed? Het spijt me dat ik je met al dat gedonder opzadel, indiaan.'

'Geeft niet. Ik vraag me alleen af...'

'Sykes en Fairbrass? Die kunnen niet zomaar verdwijnen. Ik heb het volgende idee: we zetten ze in hun auto en parkeren die ergens in Long Beach. Als ze gevonden worden, zal de politie gaan informeren of iemand het op Paul had gemunt. Iris zal vertellen dat Clea werd bedreigd en dat Paul haar probeerde te beschermen, en ze weet ook dat Bonsigniore deel uitmaakte van de jachthutclub. De politie zal binnen de kortste keren het verband leggen. Ze zullen Bonsigniore de duimschroeven aandraaien.'

'Ik hoop dat ze ze zo vast aandraaien dat hij je dochter niets meer kan doen,' zei Mad Crow.

'Hij is vannacht drie mensen kwijtgeraakt,' zei Horn. 'Niet dat hij er nu mee ophoudt, maar het zal hem toch aan het denken zetten, althans een tijdje.'

'En zo niet?'

Ik ben het spuugzat om bang te zijn, zei een meisjesstem in zijn hoofd. 'Dan zal iemand hem onschadelijk moeten maken.'

'Hé, zo ken ik Sierra Lane weer,' zei de indiaan. 'Kom op, weg jij.'

Horn liep terug naar Clea. 'Wil je naar huis?'

Ze knikte en glimlachte flauw, zodat hij zich afvroeg wat er in haar omging.

Ze volgden het pad terug naar de blokhut. Toen ze tussen de bomen waren, bleef ze staan en strekte haar armen naar hem uit. 'Mijn benen zijn zo slap,' zei ze. 'Het lijken de benen van het veulen wel. Gek, hè? Ik weet niet of ik...'

Hij tilde haar op en droeg haar. Ze sloeg haar armen om zijn nek, zoals ze talloze malen had gedaan toen ze nog klein was. Hij voelde dat ze gaapte.

'Paul beschermde me,' zei ze.

'Weet ik, lieverd.'

'Ik denk dat hij wist dat hij ging sterven, en ik wist het ook. Hij schoot telkens opnieuw, en toen waren de kogels op en toen liep hij gewoon naar de deur...'

'Sst. Weet ik,' zei hij. 'Rust liever uit.'

Ze geeuwde nog eens, nu hoorbaar. 'Ik heb zo'n slaap.' Ze vlijde haar hoofd tegen zijn schouder.

Hij struikelde over een boomwortel, maar wist zich in evenwicht te houden. Hij was uitgeput, maar voelde zich merkwaardig genoeg ook sterk, bereid haar zo lang te dragen als nodig was, tot de zon hoog aan de hemel stond.

26

De kust van Santa Monica liep in een lange, zanderige boog van links naar rechts. Het was een vrijwel volmaakte zondag en het strand was bespikkeld met zonnebadende, zwemmende en spelende gezinnen en kinderen die als eksters naar elkaar riepen. Mad Crow kreeg Horn in het vizier en hompelde door het zand naar hem toe. 'Is deze plek nog vrij?'

Horn, die languit op zijn rug lag, keek op van onder de rand van zijn hoed. Hij had zijn overhemd uitgedaan, en de twee weken oude wond in zijn hals stak schril af bij de witte schouderband van zijn hemd; hij heelde wel, maar zag nog rood, en de korsten waren omringd door jodiumvlekken.

'Pak een stuk zand en maak het je gemakkelijk, vriend,' zei hij.

Mad Crow liet zich zwaar zakken en zette een grote papieren zak tussen hen in. 'Waar zijn de meiden? Gaan we nog hamburgers halen of hoe zit dat?'

'Ze zijn een strandwandeling aan het maken,' zei Horn. 'Doe je overhemd uit. Zie dat je wat zon krijgt.'

'Geschifte bleekgezichtgewoonte,' zei Mad Crow. 'Ik ben bruin genoeg.'

Hoog boven de zee, tussen het hoogste punt van de hemel en de horizon, zwenkte en cirkelde een vliegtuigje dat langzaam een boodschap in een lange rookpluim schreef.

Mad Crow tuurde er door zijn wimpers naar om de letters te ontcijferen. *'Oh so good,'* las hij. 'Zoiets.'

Horn keek naar het vliegtuigje, dat een volgende letter schreef. *'O-So Grape,'* verbeterde hij. 'Het is reclame voor O-So Grape-druivensap.'

'Walgelijk spul.' Mad Crow reikte in de papieren zak en haalde er een nog koud flesje Blue Ribbon en een opener uit. 'Jij ook een?'

'Uiteraard. Waarom zouden we je anders uitgenodigd hebben?' Horn opende het flesje, hoorde het sissen, keek naar iets ver weg aan het strand, zwaaide en zei: 'Daar komen ze al.'

'Hoe is het nu met haar?'

Horn nam een slok bier en liet de fles op zijn borst rusten. 'Niet echt goed,' zei hij, 'maar wat had je dan verwacht? Ze is net zeventien geworden en ze heeft al meer meegemaakt dan de meeste anderen in hun hele leven. Iris probeert haar een normaal leven te bieden, met vriendinnen en alles, en over een paar weken gaat ze weer naar school, maar ik weet het niet.' Hij slaakte een diepe zucht. 'Er bestaan artsen – ik kende er een paar in het leger – die mensen zoals zij behandelen, mensen die geplaagd worden door hun herinneringen.'

'Hoe kende je die artsen?' vroeg Mad Crow als terloops.

'Dat vertel ik je misschien nog wel eens. Hoe dan ook, ik ga proberen er hier een te vinden en Iris over te halen Clea met hem te laten praten.'

'Succes ermee. Ik hoef zeker niet te vragen of je ze ooit over Paul Fairbrass gaat vertellen?'

'Nee, dat hoef je niet te vragen,' antwoordde Horn, die weer naar het vliegtuigje keek. 'Hij is gestorven in een poging haar te beschermen. Meer hoeven ze niet te weten. Zeker Iris niet. Ze heeft twee mislukkelingen gehad, Wendell en mij. Als zij wil denken dat Paul een goede man was, vind ik dat best.' Hij liet een handvol zand tussen zijn vingers door glijden. 'Er was een moment dat ik hem met mijn blote handen kon vermoorden, maar nu weet ik het niet meer. Ik denk geloof ik liever aan hem terug zoals hij op het laatst was.'

'Ik heb gisteravond een paar minuten met Iris gepraat, toen ze belde om onze afspraak van vandaag te maken,' zei Mad Crow. 'Ik wist niet wat ik hoorde. Ze is haar man kwijt, en haar dochter ook bijna, en dat hoor je allemaal aan haar stem, maar je kunt ook nog iets anders horen...'

'Ik weet het.' Horn schudde verwonderd zijn hoofd. 'Iris is... gewoon Iris. Het is een van de sterkste mensen die ik ken. Zelfs na alles wat er is gebeurd, gaat ze door, voedt haar dochter op en... overleeft het.'

'Is er een kans dat jullie tweeën...?'

'Nee,' zei Horn. 'Er is te veel gebeurd. Maar ik heb tegen haar gezegd dat ik altijd voor Clea klaarsta als ze me nodig heeft.'

'Ja, ik ook, denk ik,' zei Mad Crow. Hij haalde een opgevouwen krantenknipsel uit zijn zak. 'Je had gezegd dat je me hierover zou vertellen.'

Horn keek naar het knipsel, dat van twee dagen eerder was. De kop luidde: *Mysterieuze Moord op Maffiabaas; Concurrerende Gangsters Verdacht.*

'Ik zei dat ik er iets van wist,' zei Horn, die het artikel teruggaf. 'Ik heb niet gezegd dat ik het je zou vertéllen.'

'Verdomme, John Ray...'

'Het spijt me, indiaan. Ik heb het beloofd.'

Mad Crow keek hem vol weerzin aan. 'Dat klinkt naar het erewoord van een cowboy en dat soort kul.'

'Misschien is het dat wel. Als je me er maar niet naar vraagt. Waar het om gaat, is dat je een compagnon kwijt bent. Ik neem aan dat je een nieuwe zoekt.' Hij legde zijn hoofd in zijn nek. Het vliegtuigje was vertrokken en de druivensapreclame werd door de kustwind verwaaid.

Mad Crow keek hem onderzoekend aan. 'Wat is er?'

'O, ik dacht gewoon aan iets dat ik laatst tegen een dame zei over mensen die van alles ongestraft kunnen doen. Ik wist nog niet half hoe waar dat is. Ik denk aan Arthur Bullard, die kinderen misbruikte en als een gerespecteerd man stierf. En Wendell Brand, die zijn eigen dochter en andere meisjes traumatiseerde, is gevlucht en zich nu achter God verschuilt. Waar blijft de straf voor dat soort kerels? En zelfs Addie Webb, die zich tegen haar vriendin heeft gekeerd en haar waarschijnlijk moordenaars op haar dak heeft gestuurd. Denk je dat ze zich schuldig voelt? Welnee, die koopt een nieuwe jurk en gaat dansen. Wie zorgt dat zij haar straf krijgt?'

Mad Crow glimlachte krampachtig en gaf zijn vriend een por tussen zijn ribben. 'Zo is het echte leven, John Ray. Het is geen film. Sierra Lane zou het allemaal rechtzetten, het tuig de bak in slaan en de zonsondergang tegemoet rijden, maar dat kun jij niet.'

'Sierra Lane zou ook niet zo stom zijn zich tijdens een vechtpartij met een gebroken fles te laten steken,' zei Horn.

'Dat wilde ik niet zeggen.' Mad Crow keek op. 'Maar wat de mensen ook zeggen, ze zullen altijd behoefte aan helden houden. Al zijn het maar fantasiehelden. Nee, júíst fantasiehelden, verdomme.' Hij grijnsde breed. 'Weet je wat jij zou moeten doen? Weer eens aan het werk gaan.'

'Dat had ik ook al bedacht,' zei Horn. 'Ik geloof dat ik eraan toe ben. Ik kan het geld wel gebruiken. Ik zou zelfs wel een klein voorschot op mijn volgende klus kunnen gebruiken, als je het goed vindt. Je weet wel, voor de boodschappen en zo.'

'Klinkt goed,' zei Mad Crow enthousiast. 'Kijk, daar komen ze.' Hij stond op en begon te zwaaien.

Iris en Clea, die in badpak liepen en zonnehoeden ophadden, zwaaiden terug. Horn dacht Clea flauwtjes te zien glimlachen, maar haar gezicht werd zo overschaduwd door de rand van haar hoed dat hij het niet zeker wist.

Hij had een dag eerder gehoord hoe het met Vincent Bonsigniore was afgelopen, toen hij aan de toonbank van een cafetaria aan Central Avenue een bord ribbetjes met sla zat weg te werken, met Alphonse Doucette op de kruk naast de zijne.

'Je zou dat hele eind voor niets kunnen hebben gereden,' zei Doucette.

'Dat denk ik niet,' zei Horn. 'Ik wil wedden dat je me iets te vertellen hebt.'

'Waarom zou ik jou iets vertellen?'

'Omdat ik jou met haar in contact heb gebracht.'

'Met wie?'

'Dat weet je best. Als ik er niet was geweest, had Vincent Bonsigniore nog in zijn huis zitten bedenken hoe hij sommige mensen kon vermoorden en andere kwellen. En je zou hem nog steeds haten om wat hij met het dochtertje van je zus heeft gedaan. Ik wil je geen moeilijkheden bezorgen, dus ik zal het tegen niemand zeggen, maar ik haatte hem ook, misschien nog wel meer dan jij, en ik wil het gewoon weten.'

Doucette bette zijn mond, wenkte de bediende en wees een taartpunt onder de ronde stolp aan. Zodra hij hem kreeg, viel hij erop aan, tussen de happen door vertellend.

'Ik zal je een verhaaltje vertellen,' zei hij met zijn zachte, melodieuze stem. 'Het zou zo gegaan kunnen zijn, maar het hoeft niet. Laten we aannemen dat een rijke mevrouw meneer Bonsigniore opbelt en zegt dat ze iets voor hem heeft, iets waarvan ze weet dat hij het hebben wil. Een paar foto's. Ze zegt dat ze weet hoe belangrijk ze voor hem zijn, en dat ze bang is dat hij anders achter haar aan komt. Ze wil ze aan hem geven, zegt ze, als hij haar verder met rust laat, als de zaak daarmee is afgehandeld. Hij is natuurlijk zeer geïnteresseerd.

Laten we zeggen dat ze in haar mooie auto naar zijn huis rijdt, daar helemaal voorbij Mulholland. Hij verwacht haar al, dus hij komt haar op de oprijlaan tegemoet en neemt haar mee naar binnen. Ze kennen elkaar al vaag. Ze is heel goed gekleed, heel stijlvol. Binnen praten ze wat, hij biedt haar een drankje aan, alles zoals het hoort. Hij is gevaarlijk, dat weet iedereen, maar die mevrouw is zelf ook belangrijk, en ze doet alsof ze niet bang voor hem is, en daar heeft hij respect voor.

Ze geeft hem die foto's en vertrekt in haar mooie auto. En meneer Bonsigniore, die drinkt rustig zijn glas leeg en dan gaat hij naar bed.'

De Creool zweeg even om te kauwen.

'En dan?'

'Laten we aannemen dat er nog iemand in die mooie auto van die mevrouw zit. Ze parkeert hem aan de zijkant van het huis, niet ervoor, dus geen mens ziet hem. En die persoon glipt de auto uit terwijl zij binnen zit, zorgt dat hij binnenkomt en verstopt zich in een bezemkast. Meneer Bonsigniore is gevaarlijk, zoals ik al zei, maar hij komt kennelijk niet op het idee dat iemand echt gevaarlijk voor hem kan zijn, want hij heeft maar twee mannetjes in huis en die zitten in de eetkamer te kaarten.

En laten we zeggen dat die persoon heel lang in die kast blijft wachten, waar het naar boenwas ruikt, tot iedereen slaapt, en dan trekt hij een nylonkous over zijn hoofd en klimt de trap op naar de kamer van meneer Bonsigniore. En daar haalt hij iets uit zijn schoen en dan rekent hij met meneer Bonsigniore af. En net nadat meneer B voelt dat zijn keel is doorgesneden, maar voordat hij dood is, hoort hij iemand een naam fluisteren, de naam van een klein meisje. En dus gaat hij met die naam in zijn hoofd naar de hel.'

Amen, zei Horn in stilte, bijna zoals zijn vader het had kunnen zeggen.

'Maar dan gaat het licht aan, en er ligt iemand bij hem in bed. Ze gaat rechtop zitten, krijtwit, en ze ziet al dat bloed. En ze wil gillen, maar die persoon doet dit...' – de Creool hield een vinger bij zijn lippen – '... en ze houdt zich stil. Ze zit daar verstijfd.'

Horn begreep niet waarom hij het vroeg. 'Hoe zag ze eruit?'

'Jong,' zei de Creool. 'Daar sta je niet van te kijken, hm? Maar het is geen kind meer, deze niet. Beeldschone jonge vrouw, zwart haar. Gek, maar ze komt hem bijna bekend voor, snap je?'

Ja, dacht Horn. Ik snap het.

'Maar het is maar een verhaaltje.' De Creool bette zijn mond weer, legde geld op de toonbank en kwam van zijn kruk.

'Ik trakteer,' zei hij. 'Nu staan we quitte.'

De vrouw die opendeed op zijn kloppen, droeg weer dat groezelige schort. Er trok herkenning over haar gelaten gezicht toen ze hem zag. 'Mijn man is niet thuis,' zei ze.

'Weet ik, mevrouw. Ik heb hem net weg zien gaan.'

Het stelde haar niet gerust, dus praatte hij snel door.

'Mevrouw Taro, uw man is me geen geld schuldig; daar kom ik niet voor. Ik weet dat ik me de vorige keer niet zo goed heb gedragen, maar dit is iets anders. Ik moet u heel even spreken en dan ga ik weer.' Hij probeerde vaderlijk te glimlachen.

Ze deed de deur onwillig iets verder open. Hij liep de woonkamer in en bleef slungelig staan.

'Mijn werkgever laat weten dat hij een foutje in de administratie heeft gemaakt,' zei hij. 'Het schijnt dat ik te veel van uw man heb gevorderd.'

'Te veel?' Ze leek het maar moeilijk te kunnen bevatten.

'Ja, mevrouw. Ik moest u dit teruggeven.' Hij gaf haar wat opgevouwen bankbiljetten.

Ze pakte ze aan zonder ze te tellen en keek hem perplex aan. 'Nou, heel erg bedankt,' zei ze ten slotte.

'En dan nog iets,' vervolgde Horn. 'Mijn werkgever heeft gezegd dat er wel een voorwaarde aan verbonden is. Hij wil zeker weten dat dit geld niet wordt vergokt. Ik moest u vragen te beloven dat u het geld aan uzelf en uw zoontje besteedt. Kleding, eten, dat soort dingen.'

Ze knikte traag. Slierten met grijs doorschoten bruin haar waren aan de spelden van de knot achter in haar nek ontsnapt. Ze deed Horn denken aan een foto die hij ooit had gezien, een portret van een boerenvrouw tijdens de Depressie. Al haar geploeter was vastgelegd in de rimpels op haar gezicht.

'Ik wil natuurlijk niets achter de rug van uw man om doen, maar zou u me dat kunnen beloven?'

'Ja, dat lijkt me wel,' zei ze zacht.

'Gelukkig. De vorige keer dat ik hier was, heb ik uw zoon ook even gesproken. Is hij in de buurt?'

'Hm-hm.' Haar gezicht klaarde op. 'Hij is opzij van het huis, stripboeken ruilen met een vriendje.' Ze wees naar een zijraam van de armetierige woonkamer. Toen hij naar buiten keek, zag hij het jongetje met een ander kind op de stoep zitten. Hij hield zijn kreupele been beschermend onder zich gevouwen. Er lagen een paar stapels stripboeken tussen de jongens, die zo te zien verhit aan het onderhandelen waren.

'Hoe heet hij?' vroeg Horn.

'Orville,' zei ze. 'Naar zijn opa.'

'Is dat zijn vriendje Lee?'

'Hoe weet u dat?'

'O, van uw zoon. Hij zei dat Lee om onduidelijke redenen van Sunset Carson houdt.'

'Ik zou het niet weten,' zei de vrouw ontwijkend.

'Er schiet me zojuist iets te binnen,' zei Horn. 'Ik ben zo terug.' Hij liep naar zijn auto en kwam terug met een zwaar, opgerold vel papier van een halve meter breed. 'Wilt u dit namens mij aan Orville geven?'

'Wilt u het hem zelf niet geven?' Ze liep naar het raam.

'Nee, dat hoeft niet. Geeft u het hem maar.'

Ze rolde het stugge papier een stukje af. Het was de affiche van *Carbine Justice*. 'Hij zei dat hij van films hield,' zei Horn.

'Ja, nou,' zei ze. 'Maar zoiets moois heeft hij niet. Heel vriendelijk van u...' Ze keek nog eens naar de affiche. 'Mijn hemel. Bent u dat?'

'Ik moest maar eens gaan.' Hij liep naar de deur.

'U bent het echt, hè?'

Gek, dacht hij. Dat wilde haar zoontje ook weten.

Hij bleef in de deuropening staan. 'Ja, mevrouw, ik ben het echt,' zei hij ten slotte. 'En ik zou het op prijs stellen als u dat tegen hem zei.'